COOL IT!

Zin en onzin in het debat over de klimaatverandering

Bjørn Lomborg

COOL IT!

Zin en onzin in het debat over de klimaatverandering

Spectrum

Uitgeverij het Spectrum
Postbus 2073
3500 GB Utrecht

Oorspronkelijke titel: *Cool it – The Skeptical Environmentalist's Guide to Global Warming*
Uitgegeven door: Knopf
Copyright © 2007 by Bjørn Lomborg
Vertaling: Ed Lof
Redactie: Else de Jonge
Register: Ansfried Scheifes
Ontwerp binnenwerk: Herman van Bostelen
Omslagontwerp: Studio Jan de Boer
Omslagfoto's: Hollandse Hoogte
Foto auteur: Emil Jupin

Eerste druk 2007

Zetwerk: Elgraphic+DTQPbv, Schiedam
Druk: Bercker, Kevelaer

ISBN 978 90 274 4591 9
NUR 680, 912
www.spectrum.nl

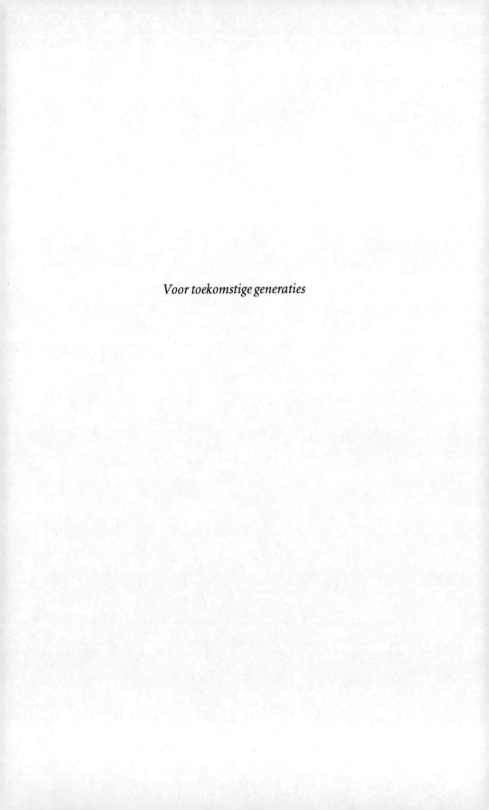

Voor toekomstige generaties

Inhoud

Voorwoord

De opwarming van de aarde wordt de laatste tijd voorgesteld als de grootste crisis in de geschiedenis van de beschaving. Terwijl ik dit schrijf vullen verhalen erover de voorpagina's van *Time* en *Newsweek* en figureren ze prominent in talloze media over de hele wereld. Gezien de ongekende mate van wanhoop is het misschien verbazend – en in veler ogen ongepast – dat ik een boek schrijf dat in de kern optimistisch is over de vooruitzichten van de mensheid.

Dat de mens in de afgelopen twee eeuwen een substantiële stijging van kooldioxide in de atmosfeer heeft veroorzaakt en daarmee heeft bijgedragen aan de opwarming van de aarde, staat niet ter discussie. Wat echter wel ter discussie staat, is de vraag of hysterie en klakkeloos geld spenderen aan buitensporige programma's voor CO_2-reductie, die ongekend veel kosten, het enige mogelijke antwoord is. Zo'n aanpak is des te meer aanvechtbaar in een wereld waar miljarden in armoede leven en miljoenen sterven aan ziekten die best te genezen zijn en waar, tegen een fractie van deze kosten, die levens gered, samenlevingen versterkt en het milieu verbeterd kunnen worden.

De opwarming van de aarde is een gecompliceerd onderwerp. Niemand – Al Gore niet, vooraanstaande wetenschappers niet, en ikzelf nog het minst – beweert alle kennis en alle oplossingen in huis te hebben. Maar we moeten handelen op basis van de beste gegevens die er beschikbaar zijn uit zowel de natuur- als de sociale wetenschappen.

De titel van dit boek heeft twee betekenissen: de eerste en meest evidente is dat we ons gezonde verstand en al onze middelen moeten gebruiken om de op lange termijn optredende opwarming op een effectieve manier aan te pakken. De tweede verwijst naar de huidige toon van de discussie. Momenteel wordt iedereen die niet achter de meest radicale oplossingen voor het broeikaseffect staat, verketterd en onverantwoordelijk genoemd en zelfs als een boosaardige stroman van de olielobby beschouwd. Mijn opvatting is dat dit niet het beste uitgangspunt is voor een debat over zo'n cruciale kwestie. Ik ben ervan overtuigd dat de meeste deelnemers aan het debat goede en respectabele intenties hebben – we willen allemaal werken aan een betere wereld. Maar om dat te doen moeten we verhitte debatten vermijden en gelegenheid scheppen voor een evenwichtige discussie over de beste manier om verder te gaan. Immers, omdat we schrander over onze toekomst nadachten hebben we het in het verleden zo goed gedaan. Die wijsheid moeten we nu niet overboord gooien.

Als we kans zien het hoofd koel te houden, zullen we de eenentwintigste eeuw waarschijnlijk afsluiten met veel krachtiger samenlevingen, zonder wijdverbreide sterfte, lijden en verlies, en met landen die veel rijker zijn en onvoorstelbare mogelijkheden bieden in een schoner, gezonder milieu.

1. IJsberen: de hedendaagse kanaries in de kolenmijn

Talloze politici hebben het broeikaseffect omarmd als het grote thema van onze tijd. De EU spreekt van 'een van de grootste bedreigingen waar we vandaag de dag mee worden geconfronteerd'.[1] De Britse premier Tony Blair ziet het als 'bij uitstek de belangrijkste kwestie'.[2] De Duitse kanselier Merkel heeft plechtig beloofd klimaatverandering in 2007 tot topprioriteit te verheffen bij zowel de G8 als binnen de Europese Unie,[3] en de Italiaanse premier Romano Prodi ziet klimaatverandering als een reële bedreiging van de wereldvrede.[4] Hoewel de Amerikaanse president George Bush zich steeds afkerig heeft getoond Amerika's uitstoot van kooldioxide terug te dringen, is het voor John McCain en Hillary Clinton, koplopers voor de presidentsverkiezingen van 2008, duidelijk een punt van zorg.[5] Verscheidene coalities van staten hebben regionale klimaatveranderingsinitiatieven opgezet[6] en in Californië is met steun van de republikeinse gouverneur Arnold Schwarzenegger klimaatwetgeving doorgevoerd, waarbij Schwarzenegger stelde dat de opwarming van de aarde een topprioriteit van de staat moest worden.[7] En Al Gore heeft de boodschap natuurlijk met grote urgentie uitgedragen, zowel in zijn lezingen als in het gelijknamige boek en de met een Oscar bekroonde film *An Inconvenient Truth*.[8]

In maart 2007, toen ik een hoorzitting van het Amerikaanse Congres bijwoonde waar ik zou getuigen, zag ik Gore zijn zaak voor politici uiteenzetten. Het was duidelijk dat Gore zich oprecht zorgen maakt over de toekomst van de wereld. En hij is beslist niet de enige. Een hele reeks boeken waarschuwt ons dat we het 'kookpunt' hebben bereikt en op een 'klimaatcrash' afstevenen. In een ervan wordt zelfs beweerd dat we de 'laatste generatie' zullen zijn omdat 'de natuur zich zal wreken voor de klimaatverandering'.[9] Commentatoren die proberen elkaar te overtroeven suggereren zelfs dat draconische inperking van individuele economische en politieke vrijheid gerechtvaardigd is als daarmee de Middeleeuwse verarming en instorting van de samenleving over nog maar veertig jaar kan worden voorkomen.[10]

Ook de media geselen ons met berichten over de verslechtering van het klimaat. In 2006 publiceerde het weekblad *Time* een speciaal rapport over het broeikaseffect waarbij het omslag het beangstigende verhaal aankondigde met een strenge vermaning: 'Maak u zorgen. Maak u *ernstig* zorgen.'[11] Het blad bericht dat het klimaat aan het instorten is, wat ons zowel mondiaal treft doordat de biosfeer erdoor in het ongerede raakt, als individueel, in de vorm van gezondheidseffecten als zonnesteken, astma en besmettelijke ziekten. Op het omslag staat een hartverscheurende afbeelding van een eenzame ijsbeer op een smeltende ijsschots, vergeefs zoekend naar een ander stuk ijs om op te springen. *Time* vertelt ons dat door het broeikaseffect steeds meer ijsberen zullen verdrinken en dat zij op een gegeven moment zullen zijn uitgestorven.[12]

IJsberen zijn, zo heen en weer stappend over het ijs, prachtige dieren. In Groenland, dat een deel is van mijn eigen land Denemarken, zijn ijsberen een symbool van trots. Het uitsterven van deze dieren zou een tragedie zijn. Maar het echte verhaal over ijsberen is nogal leerzaam, simpelweg omdat het in een notendop duidelijk maakt wat er in allerlei opzichten mis is met al die andere paniekverhalen – wanneer je eenmaal naar de ondersteunende gegevens kijkt, zakt het hele verhaal in elkaar.

Al Gore laat *Time* een soortgelijke foto zien en verklaart: 'Uit nieuw wetenschappelijk onderzoek blijkt dat ijsberen voor het eerst in aanzienlijke aantallen verdrinken.'[13] Het World Wildlife Fund waarschuwde zelfs dat ijsberen zich omstreeks 2012 misschien niet langer zullen voortplanten en dus in minder dan een decennium functioneel uitgestorven zullen zijn.[14] Zoals het WWF het bondig samenvat: 'IJsberen zullen geschiedenis worden, iets waarover onze kleinkinderen alleen in boeken kunnen lezen.'[15] Volgens de Britse *Independent* beteken stijgende temperaturen dat 'ijsberen uit hun polaire habitat worden weggevaagd. De enige plaats waar zij te zien zijn is in de dierentuin.'[16]

Dit verhaal is in de afgelopen jaren vele malen opgedoken, eerst op grond van een rapport uit 2002 van het WWF en later op basis van het Arctic Climate Impact Assessment uit 2004.[17] Beide rapporten baseerden zich in hoge mate op in 2001 gepubliceerd onderzoek van de Polar Bear Specialist Group van de World Conservation Union.[18]

Maar wat die groep ons feitelijk vertelde, was dat van de twintig onderscheiden sub-populaties van ijsberen in Baffin Bay er twee kleiner werden, dat van meer dan de helft van de populaties bekend was dat ze stabiel waren en dat twee sub-populaties rond de Beaufortzee zelfs in omvang *toenamen*.[19] Bovendien wordt gerapporteerd dat door beperking van de jacht de mondiale ijsberenpopulatie in de afgelopen decennia drastisch is *toegenomen* ten opzichte van de ongeveer 5000 die er waren in de jaren zestig van de vorige eeuw.[20] Iets wat u misschien niet had verwacht – en wat ook in geen van de recente verhalen aan de orde komt – is dat de twee afnemende populaties afkomstig zijn uit gebieden waar het de afgelopen vijftig jaar kouder is geworden, terwijl de twee toenemende populaties zich ophouden in gebieden waar het juist warmer wordt.[21] Ook het commentaar van Al Gore op de verdrinkende beren suggereert een voortgaand proces van verergering. In werkelijkheid ging het om één enkele waarneming van vier dode beren, een dag na een 'plotselinge storm', in een van de *toenemende* berenpopulaties.[22]

De ijsberenpopulatie aan de westkust van de Hudsonbaai wordt het intensiefst bestudeerd. Dat deze met zeventien procent is afgenomen, van 1200 in 1987 tot minder dan 950 in 2004, heeft veel publiciteit gekregen.[23] Wat daarbij niet vermeld wordt echter, is dat de populatie sinds 1981, toen 500 ijsberen groot, aanzienlijk is toegenomen, een feit dat elke bewering over een afname weerlegt.[24] Bovendien wordt nergens in de mediaberichten vermeld dat er jaarlijks 300 tot 500 beren worden doodgeschoten, waarvan gemiddeld 49 aan de westkust van de Hudsonbaai.[25] Zelfs als we het verhaal van de afname voor lief nemen, dan nog steeds hebben we jaarlijks maar vijftien beren verloren aan de opwarming van de aarde en 49 aan de jacht.

In 2006 vatte een ijsberenbioloog van de Canadese overheid de discrepantie tussen de feiten en de publiciteit als volgt samen: 'Het is gewoon dwaasheid om het uitsterven van de ijsbeer binnen 25 jaar te voorspellen op grond van door de media aangewakkerde hysterie.'[26] Twee derde van 's werelds ijsberen leeft in Canada en de opwarming van de aarde zal zeker gevolgen voor ze hebben, maar 'er is echt geen reden voor paniek. Van de dertien populaties ijsberen in Canada zijn er elf stabiel of in aantal groeiend. Ze sterven niet uit en het lijkt er al evenmin op dat ze gevolgen ondervinden van de klimaatverandering.'

Het ijsberen-verhaal leert ons drie dingen. Ten eerste horen we **enorm overdreven, emotionele beweringen** die simpelweg niet door feiten worden gestaafd. Ja, het is aannemelijk dat verdwijnend ijs het voor ijsberen moeilijker zal maken hun traditionele voedingsgewoonten voor te zetten en dat ze zich in toenemende mate een leefstijl zullen aanwenden die vergelijkbaar is met die van de bruine beren waarvan ze afstammen.[27] Hun aantal kan op den duur afnemen maar een drastische afname lijkt niet waarschijnlijk. In de afgelopen veertig jaar is hun aantal zelfs sterk toegenomen en de populaties zijn nu stabiel. De beren die het loodje leggen, zitten in gebieden die *kouder* worden. Toch wordt ons verteld dat ijsberen door het broeikaseffect zullen uitsterven, misschien al binnen tien jaar, en dat kinderen ze in de toekomst alleen nog in boeken zullen tegenkomen.

Ten tweede zijn ijsberen **niet het hele verhaal.** We mogen aannemen dat onze zorgen verder dienen te gaan dan ijsberen, als we ons om het milieu bekommeren. Terwijl we alleen maar horen over de soorten die het moeilijk hebben, zullen veel andere soorten het bij klimaatverandering beter doen. Het Arctic Climate Impact Assessment voorspelt dat het Noordpoolgebied in het algemeen te maken zal krijgen met een *grotere* rijkdom aan soorten en een productiever ecosysteem.[28] Er zal minder polaire woestijn zijn en meer woud.[29] Het concludeert zelfs dat hogere temperaturen meer nestvogels en meer vlinders met zich meebrengen.[30] Dit lost het probleem voor de ijsberen niet op, maar we moeten wel beide kanten van het verhaal horen.

Het derde punt is dat **we door onze zorgen gericht zijn op de ver-**

keerde oplossingen. We krijgen te horen dat het lot van de ijsbeer ons de noodzaak laat zien 'van strengere beperkingen van emissies van broeikasgassen die in verband staan met opwarming van de aarde'.[31] Zelfs als we uitgaan van het misleidende aantal ijsberen dat zich in 1987 ophield in de Hudsonbaai, waarmee we vijftien beren per jaar kwijtraken, dan nog is de vraag wat we daaraan kunnen doen. Als we proberen ze te helpen door de broeikasgassen terug te dringen, voorkomen we hoogstens dat er vijftien beren dood gaan. We zullen later zien dat we dat aantal, realistisch gezien, niet eens benaderen kunnen en waarschijnlijk maar om en nabij de 0,06 beren per jaar kunnen redden.[32] Negenveertig beren uit diezelfde populatie worden elk jaar echter afgeschoten en daar zouden we wel gemakkelijk iets aan kunnen doen. Dus als we hechten aan een stabiele ijsberenpopulatie, zou het én een stuk slimmer én een beter uitvoerbare strategie zijn om eerst eens iets te doen aan de 49 ijsberen die jaarlijks afgeschoten worden. Maar dat is niet de optie waarover we iets horen. In het klimaatdebat horen we vaak niet de voorstellen die het grootste effect zullen sorteren, maar alleen die voorstellen die het reduceren van broeikasgasemissies betreffen. Dat is mooi zolang een verminderde uitstoot van broeikasgassen ons enige doel is, maar wat we uiteindelijk willen is een verbetering van de kwaliteit van het menselijk leven en van het milieu. Soms is een emissiebeperking de beste manier om dit te bereiken, maar vaak zal dat niet het geval zijn. We moeten ons afvragen of het niet meer zin heeft eerst snel en gemakkelijk 49 beren te helpen in plaats van langzaam en tegen hoge kosten 0,06 beren te redden.

Het betoog van dit boek is eenvoudig.

1 **Het broeikaseffect is reëel en het gevolg van menselijk handelen.** Dit zal omstreeks het einde van deze eeuw ernstige gevolgen hebben voor mens en milieu.

2 Beweringen over de **ingrijpende, onheilspellende en onmiddellijke gevolgen van het broeikaseffect zijn vaak enorm overdreven,** en kunnen derhalve moeilijk de basis zijn voor goed beleid.

3 **We hebben eenvoudiger, intelligenter en effectievere oplossingen nodig voor het broeikaseffect** in plaats van weliswaar goedbedoelde maar buitensporige inspanningen. Zelfs grote en heel kostbare

beperkingen van de CO_2-uitstoot zullen tot ver in de toekomst maar een tamelijk gering en onbetekenend effect hebben

4 **Veel andere kwesties zijn veel belangrijker dan het broeikaseffect.** Klimaatverandering is een van de grootste zorgen van onze beschaving geworden en maatregelen ertegen, zoals het Protocol van Kyoto, zijn een *cause célèbre* geworden. Maar we moeten leren zaken weer in perspectief te zien. Er zijn dringender problemen in de wereld, zoals honger, armoede en ziekte, waaraan we veel meer kunnen doen, tegen veel lagere kosten en met een grotere kans op succes dan die van een drastische klimaatpolitiek die triljoenen dollars kost.

Toch zullen deze vier punten veel mensen tegen de haren inwrijven. We zijn zo gewend geraakt aan het gebruikelijke verhaal: klimaatverandering is niet alleen een realiteit maar zal tot onvoorstelbare catastrofes leiden terwijl er iets aan doen niet alleen goedkoop is, maar ook moreel juist. We denken, misschien begrijpelijk, dat iemand die tegen die redenering ingaat wel kwade intenties moet hebben. Toch denk ik – met de beste bedoelingen – dat het noodzakelijk is dat we onszelf, voordat we beginnen aan de grootste publieke investeringen uit de geschiedenis, op zijn minst toestaan vraagtekens te plaatsen bij deze redenering.

We moeten onszelf eraan blijven herinneren dat het niet ons ultieme doel is de broeikasgassen terug te dringen, of de opwarming van de aarde op zich tegen te gaan, maar dat we de kwaliteit van het leven en het milieu willen verbeteren. We willen de planeet fatsoenlijk achterlaten voor het nageslacht. Reductie van het broeikaseffect is niet noodzakelijk de beste manier om dat te bereiken. Als we de gegevens doornemen zullen we zelfs zien dat het feitelijk een van de minst effectieve manieren is om de mensheid of het milieu te dienen.

Ik hoop dat dit boek ons helpt de opwarming van de aarde beter te begrijpen, daarvoor slimmere oplossingen te vinden en dat we ons perspectief herwinnen op de meest effectieve manieren om een gedeeld ideaal te realiseren, namelijk van de wereld een betere plek te maken.

2. Het wordt warmer: het korte verhaal

Hoewel het broeikaseffect vele effecten heeft, waaronder stijgende zeespiegels, smelten van gletsjers en misschien nog meer verwoestende orkanen, kijken we hier naar slechts een factor: temperatuur. Omdat we van opwarming van de aarde spreken, is temperatuur misschien wel het meest vanzelfsprekende startpunt. Dus laten we beginnen met drie kernvragen. Wat gebeurt er als de temperatuur stijgt, wat kunnen we doen en tegen welke prijs?

De reden waarom we ons zorgen maken over de opwarming van de aarde is het zogenaamde broeikaseffect. Het fundamentele principe is heel eenvoudig en geheel onomstreden.[1] Verschillende gassen, waarvan de belangrijkste waterdamp en kooldioxide (CO_2) zijn, kunnen warmte terugkaatsen of vasthouden.[2] Deze broeikasgassen houden een deel van de warmte die de aarde afgeeft vast, als een deken die om de aarde gewikkeld is. Het broeikaseffect is in de grond goed – als de atmosfeer geen broeikasgassen zou bevatten zou de gemiddelde temperatuur op aarde ongeveer 33 graden Celsius lager liggen en het is onwaarschijnlijk dat het leven zoals we dat nu kennen zou kunnen bestaan.[3]

Het probleem nu is dat de mensheid vooral de hoeveelheid CO_2 in de atmosfeer heeft verhoogd, met name door het verbranden van olie, steenkool en gas. Daar natuurlijke processen CO_2 maar traag aan de atmosfeer onttrekken, heeft onze jaarlijkse uitstoot het totale CO_2-gehalte van de atmosfeer – de CO_2-concentratie – zozeer verhoogd dat deze nu 36 procent hoger ligt dan voor het tijdperk van de industrialisatie het geval was.[4]

Als een ingrijpende beleidsverandering uitblijft, zullen we deze hele eeuw nog meer fossiele brandstoffen gaan verbranden, en dat geldt vooral voor zich snel industrialiserende ontwikkelingslanden als China en India. Terwijl de ontwikkelingslanden nu verantwoordelijk zijn voor ongeveer 40 procent van de jaarlijkse koolstofemissies, zal dat tegen het einde van de eeuw waarschijnlijk rond de 75 procent zijn.[5] Meer CO_2 zal meer warmte vasthouden en de temperatuur verhogen – het door de mens veroorzaakte broeikaseffect.

Laten we eens kijken wat er gebeurt als we de temperatuur verhogen. Wanneer we het over het toekomstige klimaat hebben, kunnen we het effect natuurlijk niet direct waarnemen. In plaats daarvan maken onderzoekers prognoses op over cruciale factoren zoals de hoeveelheid olie en steenkool die elk land de komende eeuw zal gebruiken. Dan stoppen ze de CO_2-emissies in vaak erg gecompliceerde modellen die ons vertellen wat er met de temperatuur, het zeeniveau enzovoort gaat gebeuren.

Onze beste informatie komt van het Klimaatpanel van de Verenigde Naties (Het Intergovernmental Panel on Climate Change of IPCC). Ongeveer eenmaal per zes jaar verzamelt het de beste beschikbare informatie over klimaatmodellen en klimaateffecten. In hun 'standaard'-toekomstscenario voorspellen ze dat de mondiale gemiddelde temperatuur in het jaar 2100 met ongeveer 2,6 graden Celsius zal zijn gestegen.[6] Maar niemand woont in het mondiale gemiddelde. In werkelijkheid zal de opwarming van de aarde, ten eerste, land sneller opwarmen dan water (het is veel gemakkelijker drie kilometer aarde op te warmen dan drie kilometer diepe zee). Bovendien werkt de opwarming zo dat *lage* temperaturen veel sneller oplopen dan hoge temperaturen. De realiteit van klimaatverandering is niet noodzakelijkerwijs een toename van het aantal ongewoon hete zomers. Het zal echter wel vaker voorkomen dat mensen minder warme kleding zullen gaan dragen in de winter. Ook stijgen de temperaturen in gematigde en polaire zones veel meer dan die in tropische gebieden.

We hebben dit patroon van opwarming in feite in de twintigste eeuw al meegemaakt. Mondiaal zijn de wintertemperaturen veel meer gestegen dat de zomertemperaturen en de nachttemperaturen veel meer dan de dagtemperaturen.[7] Bovendien zijn de wintertemperaturen het meest opgelopen in koudere streken – in feite heeft meer dan driekwart van de winterse opwarming op het noordelijk halfrond zich beperkt tot de zeer koude hogedruksystemen van Siberië en het noordwesten van Amerika.[8]

Dit betekende, nauwelijks verbazend, dat de VS, Noord- en Midden-Europa, China, Australië en Nieuw-Zeeland minder vorstdagen hadden.[9] Maar daar de meeste opwarming plaatsvond bij lagere temperaturen zagen alleen Australië en Nieuw-Zeeland hun maximumtemperaturen stijgen.[10] In de VS is geen trend in de maximumtemperaturen te zien en in China is het maximum zelfs gedaald.[11] In de temperatuurreeks voor Midden-Engeland, de oudste temperatuurregistratie ter wereld, die teruggaat tot 1659, is een duidelijke daling te zien van het aantal koude dagen, maar geen toename van het aantal warme dagen.[12]

Maar wat zal er de komende eeuw gebeuren als de temperaturen gemiddeld met 2,6 graden Celsius stijgen? Het standaardverhaal is dat onze wereld een heel onprettige wereld wordt. Telkens als er een hittegolf is, schrijven journalisten dat dit misschien wel een voorproefje is van wat ons te wachten staat.[13] Zoals een milieu-activist het zegt: 'Als je de huidige hittegolf niet prettig vindt, zal je die van de toekomst nog onprettiger gaan vinden.'[14] Bekend is de visie van de Britse wetenschapper Sir David King, die zelfs voorspelt dat 'een ijsvrij Antarctica tegen het einde van de eeuw waarschijnlijk het enige bewoonbare continent is wanneer aan de opwarming van de aarde geen halt wordt toegeroepen'.[15]

Bijna iedereen die het over de gevolgen van het broeikaseffect voor Europa heeft, gebruikt de hittegolf van 2003 als voornaamste voorbeeld. In de woorden van Al Gore: 'We zien nu al het begin van het soort hittegolven dat volgens wetenschappers veel vaker zal gaan voorkomen als er niet snel iets wordt gedaan aan de opwarming van de aarde. In de zomer van 2003 werd Europa getroffen door een zware hittegolf die aan 35 000 mensen het leven kostte.'[16]

We zullen inderdaad meer hittegolven krijgen. Maar met alleen daarover praten laten we iets nog belangrijkers buiten beschouwing.

Doden door de hitte – ons voorland?

Volgens het IPCC zullen de trends die we in de twintigste eeuw hebben gezien zich voortzetten. Dus met een mondiale stijging van 2,6 graden zullen de temperaturen op het land, in de winter en in de meer noordelijke streken meer stijgen, vooral in Siberië, Canada en op de Noordpool.[17] De wintertemperaturen in Siberië zouden zelfs 5 graden kunnen oplopen, vergeleken met 2 à 3 graden in Afrika.[18] Ook zal het aantal hittegolven toe- en het aantal koudegolven afnemen. Ten slotte zal vrijwel overal op de midden- en hogere breedtes het aantal vorstdagen duidelijk afnemen, wat tot een navenante lengtetoename van het groeiseizoen zal leiden.[19]

Modellen laten zien dat hitteverschijnselen die we nu maar eens in de twintig jaar meemaken, vaker zullen gaan voorkomen – tegen het einde van de eeuw zullen dergelijke verschijnselen zich elke drie jaar voordoen.[20] Dit ondersteunt het vooruitzicht dat er veel meer sterfgevallen zullen komen door hitte – een tragedie die inderdaad veroorzaakt wordt door het broeikaseffect.

Maar net zoals hittegolven toenemen, zullen koudegolven afnemen. In gebieden waar zich nu eens in de drie jaar zo'n koudegolf voordoet, zal dit tegen het einde van de eeuw nog maar eens in de twintig jaar gebeuren.[21] Dit betekent minder sterfte als gevolg van koude, iets wat we maar weinig te horen krijgen.

In het Amerikaanse Climate Change and Human Impact-rapport uit 2005 wordt warmte 54 keer genoemd en koude maar een keer.[22] Het mag harteloos lijken, maar als het ons doel is het lot van de mensheid te verbeteren, is het belangrijk te weten hoe de toename van het aantal hittedoden zich verhoudt tot de afname van het aantal sterfgevallen door koude.

Voor bijna elke plaats in de wereld bestaat een 'optimale' temperatuur waarbij het aantal sterfgevallen het laagst is.[23] Aan weerskanten van die temperatuur – zowel wanneer het kouder als wanneer het warmer wordt – neemt het aantal sterfgevallen toe. Maar *wat* die optimale temperatuur is, is een ander verhaal.[24] Wanneer je in de Finse hoofdstad Helsinki woont, is 15 graden Celsius de ideale temperatuur, terwijl je in Athene het beste af bent bij 24 graden. Het voornaamste punt hier is dat de beste temperatuur vaak dicht bij de gemiddelde zomertemperatuur blijkt te liggen. Bijgevolg is de feitelijke temperatuur maar heel zelden hoger dan de optimale temperatuur en zit die daar vaak onder. In Helsinki wordt de optimale temperatuur van 15 graden maar achttien dagen per jaar overtroffen, terwijl de temperatuur wel 312 dagen per jaar onder die optimale temperatuur zit.[25] Uit onderzoek blijkt dat er in Helsinki jaarlijks weliswaar 298 mensen sterven doordat het te warm is, maar dat er zo'n 1655 mensen doodgaan aan kou.

Nu is het misschien niet verrassend dat de kou in Finland slachtoffers eist, maar dat geldt ook voor Athene. Hoewel de zomertemperatuur hier gemiddeld 24 graden is, geldt dat ook voor de beste temperatuur. Hoewel de absolute temperaturen in Athene natuurlijk veel hoger liggen dan in Helsinki, is de temperatuur maar 63 dagen per jaar hoger dan het optimum, terwijl die 251 dagen per jaar lager is. Ook hier is de tol van de warmte een dodental van 1376, terwijl het aantal doden door te veel kou 7852 is.[26]

Deze rij van statistische gegevens leert ons twee dingen. Ten eerste zijn we wezens die zich heel goed kunnen aanpassen. We kunnen zowel bij 15 als bij 24 graden leven. We kunnen ons zowel aan kou als aan warmte aanpassen. De aanpassing aan opwarming van de aarde zal niet zonder problemen gaan, omdat we al zwaar geïnvesteerd hebben in woningen en infrastructuren als verwarming en airconditioning, om met de temperaturen uit het verleden te kunnen leven. Maar daarom is het tweede punt zo belangrijk. Het lijkt op grond van de gegevens aannemelijk dat, mits die binnen redelijke grenzen blijft, de opwarming van de aarde feitelijk een gunstig effect zal hebben op sterftecijfers.

Sterfte in Europa

De hittegolf in Europa, begin augustus 2003, was in veel opzichten uitzonderlijk. In Frankrijk kwamen bijna 15 000 mensen van de hitte om, met 3500 slachtoffers in Parijs.[27] Met 7000 doden in Duitsland, 8000 in Spanje en Italië en 2000 in het Verenigd Koninkrijk was het totale aantal slachtoffers meer dan 35 000.[28] Het is begrijpelijk dat deze gebeurtenis een psychologisch krachtige metafoor werd voor het beangstigende visioen van een warmere toekomst en de onmiddellijke noodzaak die te voorkomen.

De groene denktank Earth Policy Institute, die als eerste het totale dodental vaststelde, beweert dat nu 'het besef van de schaal van de tragedie toeneemt, dit waarschijnlijk de druk zal opvoeren om de koolstofemissies te reduceren. Voor velen van de miljoenen die te lijden hadden onder deze record-hittegolven en de familieleden van de tienduizenden die omkwamen, wordt het beperken van de koolstofemissies een dringende, persoonlijke kwestie.'[29]

Dergelijke vaststellingen voedden het alom aangehangen idee dat de hittegolf een overduidelijke aanwijzing is van het broeikaseffect. Een recent academisch artikel rapporteert echter over onderzoek daarnaar en concludeert dat er, hoewel de omstandigheden ongebruikelijk waren, sinds 1979 regelmatig vergelijkbare of nog ongebruikelijker warmte-afwijkingen hebben plaatsgevonden.[30]

Bovendien moeten in principe alle sterfgevallen met evenveel zorg worden bezien, ook al is 35 000 doden een beangstigend groot aantal. Toch gebeurt dit niet. Zoals we zagen stierven er in het Verenigd Koninkrijk 2000 mensen en leidde dit tot grote publieke verontwaardiging die nog steeds doorwerkt. Nog maar heel kort geleden echter zond de BBC een heel bedaarde reportage uit over sterfte als gevolg van kou.[31] Daarin werd verteld dat in de afgelopen jaren het aantal sterfgevallen als gevolg van kou in Engeland en Wales elke winter rond de 25 000 heeft gelegen en terloops meegedeeld dat de winters van 1998 tot en met 2000 jaarlijks 47 000 doden hadden geëist. Verder behandelt de documentaire de vraag hoe de overheid meer brandstof voor de winter beschikbaar kan maken en het feit dat de meerderheid van de sterfgevallen veroorzaakt is door beroertes en hartaanvallen.

Het feit dat een enkele episode van hitte met 35 000 doden iedereen in rep en roer brengt, terwijl 25 tot 50 000 doden als gevolg van koude, in een enkel land en elk jaar opnieuw, bijna ongemerkt aan iedereen voorbijgaan, wijst op een gebrekkig gevoel voor proporties. Natuurlijk willen we graag vermijden dat er in het Verenigd Koninkrijk 2000 mensen van de hitte omkomen. Maar we denken dat het net zo wenselijk is te vermijden dat er zoveel meer van kou omkomen.

In heel Europa komen, volgens een redelijke schatting, jaarlijks ongeveer 200 000 mensen om door extreme warmte.[32] Maar – en dit krijgt veel minder aandacht – ongeveer 1,5 miljoen mensen komen in datzelfde Europa om door excessieve kou.[33] Dat is meer dan zeven maal het totale aantal hittedoden. Alleen al in dit millennium zijn er in Europa ongeveer 15 miljoen mensen bezweken aan kou, 400 keer meer dan de fameuze 35 000 doden die de hittegolf van 2003 veroorzaakte. Dat we deze doden zo makkelijk vergeten en ons wel gemakkelijk angst laten aanpraten voor het broeikaseffect duidt erop dat we alle gevoel voor verhoudingen zijn kwijtgeraakt.

Hoe zal het aantal doden door warmte en door koude zich in de loop van de komende eeuw ontwikkelen? Laten we voor het moment aannemen – zeer onrealistisch – dat we ons helemaal niet zullen aanpassen aan de toekomstige warmte. Evengoed concludeert de omvangrijkste studie naar koude en warmte in Europa dat het onderzoek bij een toename van 2 graden Celsius 'suggereert dat enige toename van de sterfte als gevolg van hogere temperaturen overtroffen zal worden door een veel grotere daling op korte termijn van de sterfte als gevolg van koude'.[34] Voor Groot-Brittannië wordt geschat dat een temperatuurstijging van 2 graden 2000 extra warmtedoden maar 20 000 minder koudedoden zal betekenen.[35] Een paper waarin een poging werd gedaan al het onderzoek over dit thema samen te vatten en dit toe te passen op een grote verscheidenheid aan locaties in zowel ontwikkelde – als ontwikkelingslanden in de hele wereld, kwam zelfs tot de conclusie dat 'opwarming van de aarde (…) tot een daling van sterfte (kan) leiden, vooral waar die het gevolg is van hart- en vaatziekten'.[36]

Maar natuurlijk lijkt het zeer onrealistisch en conservatief om aan te nemen dat we ons in de loop van de eenentwintigste eeuw niet zullen aanpassen. Er is recent veel studie gedaan naar aanpassing in 28 van de grootste steden in de VS.[37] Neem Philadelphia. De optimale temperatuur daar lijkt ongeveer 27 graden Celsius te zijn. In de jaren zestig nam de sterfte sterk toe als het heet werd (ongeveer 38 graden). En als de temperatuur tot onder het vriespunt daalde, nam de sterfte eveneens sterk toe – net als in Athene.

Maar in de decennia die daarop volgden gebeurde er iets. De gemiddelde sterfte nam af dank zij een betere gezondheidszorg. Cruciaal is hier dat hoge temperaturen van rond de 38 graden nu nauwelijks meer tot een hogere sterfte leiden. Er komen echter nog wel steeds meer mensen om door kou. Een van de belangrijkste oorzaken van de geringere kwetsbaarheid voor hitte is waarschijnlijk de verbeterde toegang tot airconditioning. Onderzoeken lijken aan te tonen dat we ons in de loop van de tijd en met voldoende middelen wel degelijk leren aan te passen aan hogere temperaturen, en bijgevolg dat de sterfte als gevolg van warmte zal afnemen, zelfs als de temperatuur stijgt.

Bovendien hebben we in veel van 's werelds grote steden al temperatuurstijgingen achter de rug die de orde van grootte hadden van wat we in de komende eeuw verwachten kunnen. Tegen het eind van de eeuw zal de overgrote meerderheid van de wereldbevolking waarschijnlijk in steden wonen. Steden zijn opmerkelijk in dit verband, omdat ze al grote temperatuurstijgingen hebben doorgemaakt en ons dus een kijkje bieden in de toekomst en een idee geven van hoe rampzalig een stijging van 2,6 graden zal zijn. Stenen, beton en asfalt die de steden domineren absorberen veel meer warmte dan vegetatie op het platteland. Het effect daarvan is wat wel 'urbane warmte-eilanden' genoemd worden.[38] De Britse meteoroloog Luke Howard heeft dit effect begin negentiende eeuw in Londen ontdekt, maar naarmate steden groeiden en steeds meer vegetatie plaatsmaakte voor hoge gebouwen en bestrating, is dit verschijnsel in steden over de hele wereld waargenomen – van Tel Aviv, Baltimore en Phoenix tot Guadelajara, Barrow, Shanghai, Seoel, Milaan, Wenen en Stockholm.[39]

In de binnenstad van Los Angeles zijn de maximumtemperaturen over de afgelopen eeuw ongeveer 2,5 graden gestegen en de minimumtemperaturen met zo'n 4 graden.[40] New York heeft een soortgelijk nachtelijk warmte-eiland van 4 graden.[41]

Sinds kort zijn we in staat satellietmetingen van temperaturen van het hele oppervlak van een stad te gebruiken. Toen onderzoekers naar Houston, een snelgroeiende stad, keken – van begin 1999 tot eind 2000 groeide de stad met 300.000 inwoners, een toename van 20 procent – deden ze een verbazende vaststelling. Binnen een kleine twaalf jaar steeg de nachtelijke oppervlaktetemperatuur met ongeveer 0,8 graden Celsius.[42] Over een periode van honderd jaar zou dat een temperatuurstijging van bijna 7 graden betekenen.

En inderdaad, dat is het soort temperatuurverschillen dat in grote steden over de hele wereld wordt aangetroffen. Aziatische steden zijn momenteel de snelst groeiende gebieden ter wereld. Tokio, met haar 20 miljoen inwoners, heeft zeer dramatische gevolgen ondervonden van het urbane warmte-eiland. Terwijl de dagtemperatuur van het gebied rond Tokio in augustus 28,5 graden bedroeg, werd in de binnenstad een temperatuur van ruim 40 graden gemeten.[43] En die hoge temperatuur beperkt zich niet tot een kleine stadskern – het hoge-temperatuurgebied beslaat ongeveer 8000 vierkante kilometer, ofwel het equivalent van 140 maal het oppervlak van Manhattan.

Deze wereldwijde stedelijke temperatuurstijging maakt ten minste twee dingen duidelijk.

Ten eerste zijn veel van deze stedelijke temperatuurstijgingen van de afgelopen halve of hele eeuw van dezelfde orde van grootte als of groter dan de 2,6 procent stijging die we voor de komende hele eeuw verwachten.[44] Het is aannemelijk dat voor veel steden de temperatuurstijgingen vooral vanwege de urbane warmte-eilanden in de twintigste eeuw grootschaliger zullen zijn dan de temperatuurstijgingen vanwege het broeikaseffect in de eenentwintigste eeuw.[45] Toch hebben die toenames er niet toe geleid dat de steden instortten.

Dit wil *niet* zeggen dat het urbane warmte-eiland mogelijk voor sommige of misschien de meeste steden niet slecht is geweest. Hoewel de sterfte in het algemeen is afgenomen (zoals in Philadelphia), was deze anders mogelijk sneller gedaald. Maar het betekent wel dat de doemscenario's er totaal naast zitten als ze zij zich alleen toespitsen op steeds meer sterfte door hitte, zonder er rekening mee te houden dat aanpassing mogelijk de effecten van de temperatuur sterk zullen afzwakken. Aangezien onze voorouders daartoe in staat waren, lijkt het redelijk aan te nemen dat wij, die veel rijker zijn en over meer technische middelen beschikken, die prestatie zullen kunnen herhalen.

Hiermee wordt ook *niet* ontkend dat met het broeikaseffect de gevolgen voor steden aanzienlijk ernstiger zullen zijn, omdat ze een dubbele dreun krijgen – temperatuurstijging door CO_2 en door het nog steeds groeiende urbane warmte-eiland.[46] Maar anders dan onze voorouders die heel weinig of niets deden aan het urbane warmte-eiland, zijn we in een goede positie om veel van de effecten daarvan aan te pakken. Het is kennelijk ons doel een deel van de problemen die ontstaan door temperatuurstijging in de komende eeuw te voorkomen.

Uit onderzoek blijkt dat heel simpele oplossingen een groot verschil kunnen maken. Een van de twee belangrijkste redenen dat steden warmer zijn, is het feit dat ze droger zijn. Het ontbreekt steden aan vochtige groene plekken en ze hebben grote, ondoordringbare oppervlakken met drainage, waardoor alle water snel wordt afgevoerd. Daardoor gaat de energie van de zon in opwarming van de atmosfeer zitten in plaats van in de verdamping van water.[47] Wanneer we in het stedelijk milieu bomen planten en voor vegetatie en water zorgen, zal dat – behalve voor een fraaiere stad zorgen – de omgeving drastisch afkoelen. In Londen zou dat de temperatuur met wel 8 graden kunnen verlagen.[48]

De tweede reden waarom steden warmer zijn is dat er veel zwart asfalt is en er donkere, warmte-absorberende bouwsels zijn. Hoewel het misschien bijna komisch simplistisch lijkt, is een van de meest effectieve oplossingen heel eenvoudig: verf het wegdek en de gebouwen wit.[49] Verhoog de algemene weerkaatsing en de natuurlijke schaduw van gebouwen en je kunt een groot deel van de opwarming vermijden. In Londen zou de temperatuur zo met 10 graden verlaagd kunnen worden.[50]

Realistische politieke voorstellen leggen de nadruk op 'koele gemeenschappen', nieuwe dakbedekking en bestrating in lichtere kleuren en daarnaast bomen planten. Geraamd wordt dat zo'n programma in Los Angeles – waar elf miljoen bomen geplant, de daken van de meeste van de vijf miljoen woningen vernieuwd en een kwart van de wegen geverfd zouden moeten worden – een eenmalige uitgave van een miljard dollar zou betekenen.[51] Maar dit zou *jaarlijks* extra baten opleveren van 170 miljoen dollar door lagere kosten voor airconditioning, en 360 miljoen dollar aan baten in termen van smogreductie. Plus het voordeel van een groenere stad. En wat misschien het meest indrukwekkend is, het zou de temperatuur in de stad met ongeveer 3 graden verlagen – ofwel de temperatuurstijging compenseren die wordt voorzien voor de rest van de eeuw.

Het Protocol van Kyoto: zeven dagen kopen

Maar zelfs als de temperatuurstijging niet zo verwoestend is als veel mensen denken en zelfs als er andere, goedkope manieren zijn om ermee om te gaan, is het ook dan niet vanzelfsprekend dat we CO_2-emissies willen reduceren? Nou, misschien niet. Het hangt er echt vanaf hoeveel goeds we daarmee kunnen doen en tegen welke prijs. Laten we daar eens wat nader naar kijken.

Momenteel is het enige echte politieke initiatief dat gericht is op koolstofreductie het zogenaamde Protocol van Kyoto, in 1997 in Japan getekend.[52] Het is gepropageerd door vele milieu-activisten onder wie Al Gore, die als vice-president de Amerikaanse onderhandelingen leidde.[53] In Kyoto werd besloten dat de geïndustrialiseerde landen hun totale CO_2-emissies in de periode 2008-2012 met ongeveer 20 procent zouden terugdringen.[54]

Kyoto maakt echter weinig uit voor het klimaat. Zelfs als alle landen het verdrag hadden geratificeerd, inclusief de VS en Australië (die dat niet deden), en alle landen zouden hun belofte nakomen (waar veel landen de grootste moeite mee hebben) en dat de hele eenentwintigste eeuw zouden blijven doen (wat steeds moeilijker zou worden), zou het verschil minuscuul zijn. De temperatuur zou in 2050 een onmeetbare 0,05 graad lager liggen en zelfs in 2100 maar 0,2 graad.[55] Dit zou betekenen dat de verwachte temperatuurstijging van 2,6 graden niet in 2100 plaatsvindt maar *vijf* jaar wordt uitgesteld, tot 2105.

Gegeven de centrale plaats die Kyoto in de publieke discussie inneemt, zijn de meeste mensen verbaasd als ze horen hoe weinig Kyoto feitelijk aan de toekomst zou veranderen. Het is van belang erop te wijzen dat deze uitkomst wetenschappelijk volstrekt onomstreden is en dat de conclusie over het uitstel met vijf jaar over honderd jaar is ontleend aan werk van een van de meest vooraanstaande modelbouwers van het IPCC. Dat is waarom de *Washington Post* Kyoto een 'vooral symbolisch verdrag' noemt.[56] Zelfs de meest onwrikbare supporters van Kyoto geven toe dat Kyoto slechts een kleine eerste stap is[57] en politici vertellen ons voortdurend dat we veel ambitieuzer moeten worden.[58]

Intussen zijn de VS en Australië in 1997 afgehaakt. Landen als Canada, Italië, Portugal en Spanje lopen achter bij het halen van de Kyoto-doelstellingen. Tegelijkertijd beschikken Rusland en de andere voormalige Oostbloklanden die het economisch slecht hebben gedaan, over overtollige emissierechten die ze kunnen verkopen. Bij elkaar betekent dit dat Kyoto de CO_2-uitstoot niet langer beperkt. In feite staat het zelfs 4 procent meer toe dan zonder dit verdrag het geval was – net alsof de maximumsnelheid iets hoger ligt dan het maximale vermogen van je auto.[59] Aangezien de Russen misschien nog niet al hun quota willen verkopen, is de effectieve uitkomst waarschijnlijk een minieme reductie van de uitstoot van de industrielanden van 1 procent ten opzichte van wat deze anders zou zijn geweest.[60]

Wanneer Kyoto na 2012 geen vervolg krijgt in een nieuw verdrag, zal het totale effect ervan zijn dat de stijging van de mondiale temperatuur in 2100 iets minder dan zeven dagen is opgeschoven.[61]

Waarom is het effect van emissiereductie zo gering? Het antwoord is dat de emissies van de ontwikkelde landen er steeds minder toe doen, omdat de economieën van China, India en andere ontwikkelingslanden spectaculair groeien. Maar het ziet ernaar uit dat geen van deze landen in de nabije toekomst reële beperkingen zal accepteren, omdat ze andere en belangrijker prioriteiten hebben, zoals voedsel en ontwikkeling. Zoals Lu Xuedu, onderdirecteur van het Chinese Bureau voor Mondiale Milieuzaken, opmerkte: 'Je kunt mensen die met moeite genoeg verdienen om te eten niet vertellen dat ze hun emissies moeten beperken.'[62] We komen op dit punt terug.

Blijft de vraag: is een beetje verlagen van de temperatuur niet beter dan niets? Dat hangt ervan af, bijvoorbeeld van wat het kost.

De kosten van koolstofreductie

Om een idee te geven van de kosten van Kyoto: de grootste verzameling van de beste macro-economische modellen komt op gemiddelde jaarlijkse kosten van ongeveer 180 miljard dollar vanaf 2008.[63] Hoewel de geïndustrialiseerde landen hier beslist niet failliet aan zouden gaan, is het nog altijd een significant bedrag – rond 0,5 procent van het BBP.

Natuurlijk zijn de kosten lager en is het effect dramatisch veel geringer nu de VS niet meedoen. Afhankelijk van wat Rusland doet en hoe de onderhandelingen verder verlopen, komen de modellen op schattingen die variëren van niet meer dan 5 tot 10 miljard dollar tot dicht bij de 180 miljard dollar bij volledige uitvoering van Kyoto.[64]

Mensen vragen vaak: Waarom zou het eigenlijk iets moeten kosten om de CO_2-uitstoot te verlagen? Er zijn verschillende manieren waarop beperking van de uitstoot kostbaar kan zijn.

Olie is op zich de belangrijkste en waardevolste grondstof in de internationale handel.[65] Met een omzet van meer dan 1500 miljard dollar per jaar neemt het meer dan 3 procent van het mondiale BBP voor zijn rekening.[66] Met gas en steenkool zijn fossiele brandstoffen goed voor 2,5 biljoen dollar ofwel 5,5 procent van het mondiale BBP. Dat wil zeggen dat er grote bedragen kunnen worden bespaard door te bezuinigen op energie, en met kleine stappen op grond van slimme ideeën in ontelbare bedrijven en organisaties wordt elk jaar ongeveer 1 procent van ons energiegebruik afgeschaafd.[67] In feite leren we al zolang we statistieken bijhouden steeds meer goederen te produceren met dezelfde hoeveelheid energie. Terwijl de VS per eenheid energie in 1800 maar 1 dollar (tegen de huidige waarde) output produceerde, produceert het nu output voor bijna 5 dollar.[68]

Hoewel een groot deel van de toenemende energie-efficiëntie wordt gerealiseerd in bedrijven en organisaties, ervaren we dit effect ook als consument. Het aantal kilometers dat je per liter brandstof kunt rijden met de gemiddelde Amerikaanse personenauto is sinds 1973 met 67 procent toegenomen.[69] Op dezelfde manier is huisverwarming in Europa en de VS 24 tot 43 procent zuiniger geworden.[70] Veel apparaten zijn efficiënter geworden – het energieverbruik van de vaatwasmachine, de wasmachine en de airconditioning is de afgelopen decennia ongeveer gehalveerd.[71]

Op zich zou dit ons kunnen doen geloven dat we steeds minder energie gaan gebruiken. Maar terwijl de motor van de auto steeds efficiënter wordt, kopen we nu een auto met airconditioning. Terwijl onze wasmachine minder energie gebruikt, kopen we ook een vaatwasser. We verwarmen elke kamer efficiënter, maar hebben ook steeds meer ruimte.[72] Terwijl we elke dollar aan goederen efficiënter zijn gaan produceren, produceren we ook steeds meer waarde. Ingenieus zijn werkt nog steeds en mensen vinden voortdurend manieren om ons energieverbruik te beperken – als ze dat niet zouden doen, zou het de komende vijftig jaar met 75 procent meer toenemen[73] – maar onze totale energieconsumptie neemt toe en dus ook onze koolstofuitstoot.[74]

Dus als we onze emissies willen beperken naast wat we al bezuinigen door natuurlijke, ingenieuze verbeteringen, moeten we mensen ertoe bewegen minder uit te stoten. Sommige economen pleiten voor een belastingheffing op koolstof. Hoewel niemand veel op heeft met belastingen (afgezien misschien van de minister van Financiën) zijn ze een krachtige impuls om uitstoot te vermijden of op z'n minst te beperken. Als je meer moet betalen, zul je waarschijnlijk bezuinigen op een deel van je energieconsumptie – misschien zet je de airconditioning in de auto uit of neem je zelfs de fiets.

Belangrijker is wat er gebeurt in de industrie, in krachtcentrales en verwarmingsfaciliteiten, waar de meeste uitstoot vandaan komt. Steenkool is goedkoop maar stoot een boel koolstof uit, terwijl gas duurder is maar minder uitstoot, en hernieuwbare energiedragers zoals biomassa of zonne-energie zijn nóg duurder maar stoten geen CO_2 uit. Met belasting zullen bedrijven neigen naar schonere maar duurdere energiebronnen, of naar processen die gecompliceerder zijn maar minder brandstof verbruiken.

Besparen we geen geld met het terugdringen van emissies?

Vaak wordt beweerd dat we onze emissies kunnen terugdringen en daar zelfs geld mee kunnen *verdienen*. In je eigen huis bijvoorbeeld kun je de verwarming lager zetten en een trui aantrekken en van een paar gadgets die je toch niet gebruikt kun je de stekkers uit het stopcontact trekken. Tijdens de onlangs in het Verenigd Koninkrijk gehouden week voor bewustwording van het broeikaseffect beloofde Tony Blair zijn thermostaat lager te zetten terwijl Sir David Attenborough toezegde de oplader van zijn mobieltje uit het stopcontact te halen.[75] Is dat niet kosteloos en zelfs voordelig? Tenslotte, besparen op de energierekening betekent geld overhouden.

Economen zijn doorgaans wantrouwig jegens dergelijke beweringen.[76] Waarom, zeggen ze, zou je dat niet allang hebben gedaan als het echt in je

eigen belang was? Waarom moest Sir David wachten tot de bewustwor-
dingsweek voordat hij zijn oplader uitzette als hij daar altijd al een voordeel
mee had kunnen behalen? Dit doet denken aan het Japanse ministerie van
Milieu dat in februari 2006 probeerde de emissiedoelstellingen van Kyoto te
halen door de verwarming lager te zetten.[77]

De 'Warm Biz'- campagne van het ministerie dringt er bij de Japanse
bureaucratie en bedrijven op aan extra truien en dassen aan te trekken om het energieverbruik terug te dringen. 'Het is eigenlijk niet zo
koud. We blijven allemaal warm van de hitte van onze computers,' zei
zegsman Masanori Shishido van het ministerie, maar hij gaf toe dat hij
thermisch ondergoed was gaan dragen.[78]

Zo krijgen we vaak te horen dat we allerlei dingen kunnen doen om het energiegebruik in huis te verminderen, die we echter zelden doen ook al zouden
we er geld mee besparen – en opnieuw vragen de economen zich af waarom
we die niet al deden als die zo heilzaam zijn. Ingenieurs en producenten beweren bijvoorbeeld dat je huis isoleren je energierekening met 22 tot 53 procent zou verlagen. Bij een wetenschappelijk onderzoek bleek uit de analyse
van maandelijkse energierekeningen dat de geadverteerde besparingen
grotelijks overtrokken waren, wat de terughoudendheid van veel huiseigena-
ren verklaart.[79] In het Verenigd Koninkrijk voert een welbekende milieu-
architect campagne om mensen ertoe te bewegen een bijna geluidloze mini-
windmolen op de top van de gevel van hun huis te zetten. Met een prijs van
duizend pond en de belofte dat daarmee wel 50 procent op het huishoudelijke elektriciteitsverbruik kan worden bespaard, lijkt dat een koopje.[80] Bij een
onafhankelijke analyse bleek echter dat de molen doorgaans slechts 5 procent van het verbruik zou produceren, een tiende van de beloofde hoeveelheid.

Dit verklaart waarom beperking van koolstofuitstoot reële kosten
meebrengt. Het is niet de belasting zelf – tenslotte wordt de opbrengst
van belastingen voor publieke goederen gebruikt en misschien zelfs
wel voor het verlagen van andere belastingen. Maar het feit dat bedrijven duurdere brandstoffen moeten gebruiken of duurdere werkwij-
zen moeten vinden, betekent dat dezelfde goederen en diensten nu

duurder zullen zijn – een kostenpost die uiteindelijk door ons, als consumenten, wordt gedragen. Nu is hier op zich niks mis mee – aangezien CO_2 werkelijk schade aanricht, kun je betogen dat de prijs ervan eerder niet weerspiegeld werd door de belastingen. Anders gesteld: de extra kosten die we betalen moeten worden vergeleken met de milieubaten die we ontvangen door minder opwarming van de aarde. Het is de moeite waard de zaak vanuit dit perspectief nog eens nader te bezien.

Kosten en baten – de waarde van een ton CO_2

Zowel wetenschappers als lobbyisten en politici zullen je vertellen dat we alles wat goed is, moeten doen – niet alleen als het om klimaatverandering gaat, maar bij alles wat er mis is in de wereld. Natuurlijk doen we dat niet. Zo wordt er ook vaak op gewezen dat we 'de technologie in huis hebben' om het broeikaseffect grotendeels af te wenden.[81] Dat is waar. Maar we hebben ook de technologie om naar de maan te gaan, en toch gaan we niet zo vaak, simpelweg omdat het heel duur is.

Als we dus kennelijk niet alle mogelijkheden hebben (of benutten) om onze problemen op te lossen, moeten we nadenken over prioriteiten. Het is duidelijk dat we iets horen te doen aan de CO_2-uitstoot en even duidelijk dat we niet alle uitstoot kunnen elimineren – omdat het de samenleving en de beschaving zoals wij die kennen tot stilstand zou brengen.

Eén manier om tegen deze kwestie aan te kijken is onszelf de vraag te stellen hoeveel schade de volgende ton CO_2 die we op het punt staan in de atmosfeer te lozen aanricht.[82] En wat kost het om die schade te voorkomen?

In het komende jaar zullen twee voetbalmoeders hun kinderen op en neer rijden naar het sportveld en een ton CO_2 uitstoten.[83] 125 mensen laten hun telefoonopladers in het stopcontact zitten (we nemen aan niet David Attenborough) en in dat jaar zullen de elektriciteitscentrales een extra ton CO_2 uitstoten.[84] Drie mensen nemen elke dag vier minuten een warme douche en voegen een extra ton CO_2 aan de atmosfeer toe.[85] Bovendien zullen vele industriële en commerciële processen waar de meesten van ons nog nooit van gehoord hebben hun tonnen toevoegen.

De vraag is nu: welke ton zullen we het eerst wegsnoeien? Dat is een lastige kwestie. Misschien moeten de voetbalmoeders gaan lopen? Misschien moeten we die 125 lieden zo ver krijgen de stekker van hun oplader uit het stopcontact te trekken, maar hoe organiseren we dat? Dit is het magische van een koolstofheffing – we hoeven niet echt te bedenken wie moet beginnen met zijn uitstoot te verlagen. In plaats daarvan zullen de mensen die het meest te verliezen hebben het eerst in actie komen.

Wanneer we op een ton CO_2 1 dollar aan belasting heffen, gaat de prijs van een liter benzine ongeveer een kwart cent omhoog.[86] Elk van de voetbalmoeders zal jaarlijks 50 cent meer moeten betalen om de kinderen naar het sportveld te rijden. De elektriciteitsrekening gaat omhoog, en die 125 mensen moeten samen ongeveer 1 dollar betalen voor hun opladers, ofwel iets minder dan elk een extra cent. En om te douchen moet je 33 cent extra betalen. Nu weten we niet wie zijn gedrag een beetje zal aanpassen – of zelfs of iemand dat wel zal doen. Maar we weten dat er mensen zijn die het wel doen. De kans is groot dat ze uit de industrie komen (een kwart cent per liter trekt immers eerder de aandacht als je erg veel gebruikt).

Een heffing van 1 dollar op een ton CO_2 volgend jaar zal leiden tot een totale reductie van de emissies van iets meer dan 2 procent. Bedenk dat daar bovenop de efficiëntieverhoging komt van 1 procent die elk jaar plaatsvindt door slimmere manieren om energie te gebruiken (de 'gratis' reductie). Dus we kunnen emissies reduceren. We beschikken zelfs over een heel simpele en efficiënte knop om de emissies lager te zetten. De verleiding is groot om te zeggen: waarom draaien we de knop niet naar de hoogste stand? Met 30 dollar kunnen we bijna 40 procent winnen.

Maar met het verminderen van emissies zijn ook kosten gemoeid. Zoals we hierboven zagen, moeten industrieën overstappen op duurdere brandstoffen of kostbaarder processen. Korter douchen brengt ook kosten mee, maar in een meer indirecte zin. Als een warme douche tien cent per minuut kost, neem je, afhankelijk van je financiële situatie en voorkeuren, misschien genoegen met vier minuten per dag. Wanneer een koolstofheffing die kosten verhoogt, ga je er misschien toe over maar drie minuten in plaats van vier onder de douche te staan. Dan hebben we CO_2-reductie, maar je bent ook minder tevreden – je hebt een minuut onder de douche opgegeven die je vroeger tien cent waard vond.

In een mondiaal macro-economisch model worden de contant gemaakte kosten van een permanente heffing van 1 dollar op een ton CO_2 geraamd op meer dan 11 miljard dollar.[87] Dus willen we wel twee keer nadenken voordat we de knop op 30 dollar zetten, want dat zou ons ongeveer zeven biljoen dollar kosten.[88]

Het komt erop neer dat de kosten van de knop hoger zetten op een of andere manier moeten worden afgewogen tegen de baten van minder opwarming van de aarde. Hier kun je op twee manieren tegenaan kijken, die tot min of meer hetzelfde resultaat leiden.

In de eerste manier zien we CO_2 als vervuiling. Vervuiling is een negatief bijproduct van vele activiteiten. De activiteit zelf is waardevol voor ons, maar de vervuiling levert problemen op voor anderen. Het moeilijke is dat we die problemen niet in aanmerking nemen wanneer we een beslissing nemen over ons proces – tenslotte zijn het niet *onze* problemen. Maar als we voor de schade zouden moeten betalen, zouden ze plotseling *wel* onze problemen worden. Dat is het idee achter het principe van 'de vervuiler betaalt'. Als we de prijs moeten betalen van de problemen die we veroorzaken, betekent dat niet automatisch dat we met alles wat we doen ophouden – de activiteit was immers waardevol – maar we worden gedwongen die waarde af te wegen tegen de schade die erdoor wordt veroorzaakt, en we zullen alleen dingen voortzetten die meer goed dan kwaad doen.

Dat betekent dat we de prijs van CO_2 moeten zien vast te stellen – hoeveel schade wordt aangericht door de volgende ton CO_2 die we de atmosfeer insturen? Natuurlijk is dit een heel lastige vraag, waarop geen eenduidig antwoord bestaat. Maar over de afgelopen tien jaar is een aantal van 's werelds prominentste natuurwetenschappers en economen met een hele reeks van inschattingen gekomen die aardig wat inzicht bieden.

Klimaateconoom Richard Tol komt, in het langste overzichtsartikel over alle 103 ramingen in de beschikbare literatuur, met twee belangrijke punten.[89] Ten eerste zijn de echt angstaanjagend hoge ramingen, die doorgaans niet door collega-wetenschappers zijn beoordeeld, niet in vakbladen gepubliceerd. In de woorden van Tol: 'Studies met betere methoden leveren lagere ramingen op met geringere onzekerheidsmarges.' Ten tweede constateert hij dat het onder redelijke veronderstellingen heel onwaarschijnlijk is dat de kosten hoger zijn dan 14 dollar per ton CO_2, en waarschijnlijk veel lager zullen zijn.[90] Toen ik hem nadrukkelijk vroeg wat zijn inschatting was, was hij niet al te enthousiast om zijn voorzichtigheid te laten varen – ware wetenschappers zijn nu eenmaal zo – maar hij schatte dat het om 2 dollar per ton CO_2 zou gaan.[91]

Dit betekent dat de schade die we teweegbrengen door een extra ton CO_2 uit te stoten met grotere waarschijnlijkheid in de buurt van de 2 dollar ligt dan dat hij hoger is dan 14 dollar. Bijgevolg zouden we er het beste aan doen 2 dollar belasting op CO_2 te heffen als tegenwaarde van die schade – om zeker te weten dat we afdoende rekening houden met de schade die we veroorzaken door het gebruik van fossiele brandstoffen. Als we geen koolstofbelasting hebben, denken we dat we maar voor niets met CO_2 kunnen blijven vervuilen, ook al richt elke ton 2 dollar aan schade aan. Maar ook moeten we CO_2 niet te zwaar belasten. Als we er 85 dollar op heffen, zoals in één radicaal rapport wordt geopperd,[92] laten we kansen liggen die 84,99 dollar aan baten zouden opleveren. Maar met 2 dollar werkelijke schade zou de samenleving 82,99 dollar netto-baten missen. Dat is geen triviaal verlies – al de tienduizenden gemiste kansen van maatschappelijk heilzame projecten tussen die twee en 85 dollar bij elkaar geteld leveren een eenmalige economische kostenpost op van meer dan 38 biljoen dollar.[93] Dat is meer dan drie keer het Amerikaanse BBP.[94]

Dus een juiste heffing is van belang. Als we die te laag maken, stoten we te veel CO_2 uit en als we die te hoog maken, zijn we uiteindelijk veel armer uit zonder genoeg goed te hebben gedaan. De cruciale vraag nu is: wat kost emissiereductie onder Kyoto? Voor het Verenigd Koninkrijk worden de marginale kosten geschat op 23 dollar per ton CO_2[95] – tien tot elf keer te hoog vergeleken met de waarschijnlijke kosten van klimaatverandering.

Kyoto uitvoeren blijkt te duur in verhouding tot het goeds dat het doet. Het draait erop uit dat we een aanzienlijke hoeveelheid middelen spenderen (tot 23 dollar per afgewende ton CO_2), terwijl we maar heel weinig goeds doen. Misschien kunnen we die 23 dollar beter elders ten goede laten komen aan de wereld? Het antwoord blijkt ja te zijn.

Kosten en baten van klimaatbeleid

De meesten van ons kopen niet dagelijks een ton CO_2 en dus is het een beetje lastig om intuïtief na te gaan of 2 dollar of 23 dollar duur of goedkoop is. Als we bovendien maar een paar ton gaan besparen, doen de kosten er waarschijnlijk ook niet erg toe. Maar als we over een reductie met miljoenen of zelfs miljarden tonnen praten, ligt het misschien meer voor de hand om over de totale kosten en baten te praten. Het bijkomende voordeel is dat de kosten beter vergelijkbaar worden met andere keuzes. Als deelnemers aan een democratisch debat maken we voortdurend (collectieve) keuzen om miljarden dollars, euro's en ponden uit te geven aan allerlei openbaar beleid, zoals onderwijs, gezondheidszorg, wegen en buitenlandse hulp.

De modellen die de totale kosten en baten van het broeikaseffect ramen, bestaan al sinds het begin van de jaren negentig en volgens het IPCC hebben ze allemaal min of meer dezelfde substantiële uitkomsten opgeleverd.[96] Uniek aan deze modellen is dat ze zowel een klimaatsysteem als een economisch systeem insluiten, met kosten voor het economisch systeem die voortvloeien uit zowel klimaatverandering als uit beperking van de uitstoot van broeikasgassen.

Deze geïntegreerde modellen proberen de kosten van alle verschillende effecten van klimaatverandering mee te nemen, waaronder die op landbouw, bosbouw, visserij, energie, watervoorziening, infrastructuur, orkaanschade, schade door droogte, kustbescherming, landverlies (als gevolg van de stijgende zeespiegel, denk aan Nederland), verlies van natte gebieden, verlies van bossen, verlies van soorten, verlies van mensenlevens, vervuiling en migratie.[97] De kosten worden uitgedrukt als de som van twee hoeveelheden: de kosten van aanpassingen (bouwen van dammen, verandering van gewassen, enzovoort) en de kosten die we maken vanwege de resterende niet-aangepaste consequenties (niet alle land wordt gespaard door dammen te bouwen, de productie kan dalen ondanks de invoering van nieuwe gewassen, enzovoort).[98]

Dus we hebben een model dat ons voor elk CO_2-beleid dat we kiezen laat zien wat de economische kosten van CO_2-beperking zijn *en* wat de baten zijn (de vermeden schade) van lagere temperaturen voor landbouw, natte gebieden, mensenlevens, enzovoort. Dit betekent dat we kosten en baten van zowel het Protocol van Kyoto als van meer ingrijpende maatregelen kunnen vergelijken. Op grond daarvan kunnen we ons vervolgens afvragen: Wat is de beste strategie om om te gaan met het broeikaseffect?

Voor het volledige Protocol van Kyoto met deelname van de VS blijken de totale kosten over de komende eeuw meer dan vijf biljoen dollar te bedragen.[99] Er is ook een milieuvoordeel: iets lagere temperaturen tegen het einde van de eeuw – ongeveer 0,16 graden Celsius.[100] Het totale voordeel voor de hele wereld is ongeveer 2 biljoen dollar. Maar bij elkaar laat dit zien dat het Protocol van Kyoto een slechte deal is: elke bestede dollar doet de wereld voor maar ongeveer 34 cent goed.

Misschien is het veelzeggend dat de VS de hoogste kosten zouden hebben gedragen, bijna zes biljoen dollar, met bijna triviale baten, wat waarschijnlijk grotendeels verklaart waarom de VS de minst betrokken partij waren. Hetzelfde patroon doet zich voor bij Canada en Australië: hoge kosten en geringe baten.

Europa daarentegen kwam er het beste af van de rijke wereld, met kosten van 1,5 biljoen waarvan bijna de helft terugkwam in baten. Dat is nog steeds geen goede deal, maar het verklaart zeker in belangrijke mate waarom Europa de prominentste supporter van Kyoto was.

Rusland en de andere overgangseconomieën zouden geweldig geprofiteerd hebben van Kyoto, omdat ze hun emissierechten tegen een hoge prijs hadden kunnen verkopen, voor een bedrag van bijna 3 biljoen dollar. Natuurlijk lijkt het politiek onaannemelijk dat tegen de tijd dat de westerse landen over de brug hadden moeten komen met dat geld, het publiek in Europa of de VS had ingestemd met jaarlijkse overmakingen van meer dan 50 miljard dollar voor wat in wezen hete lucht is.[101]

De rest van de wereld ten slotte is met een netto-voordeel van 1,4 biljoen dollar wat beter af, en iets minder dan de helft daarvan zou aan de landen met de laagste inkomens toekomen. Deze baten moeten echter in de context worden gezien van de rijke wereld die bijna 9 biljoen dollar ophoest. Voor elke bestede dollar doen de rijke landen voor ongeveer 16 cent goed in de ontwikkelingslanden.

Van Kyoto blijft, zoals de modellen laten zien, zonder de VS weinig over. Het komt erop neer dat Europa, Japan en Nieuw-Zeeland 1,5 biljoen dollar betalen, waarvan het meeste voor hete lucht en een beetje voor een minuscule temperatuursverandering van 0,04 graden Celsius in 2100.[102]

Misschien is het goed op te merken dat bij alle genoemde kosten en baten verondersteld is dat het beleid mondiaal en efficiënt wordt geïmplementeerd – dat de slimste maatregelen mondiaal gecoördineerd worden, met het oog op de vereiste reductie. Dus als de rijke landen geen hete lucht met Rusland willen verhandelen, zouden de kosten explosief, tot bijna het dubbele stijgen, vrijwel zonder dat dit enige extra baten zou opleveren.[103] Als beleidsmakers zouden besluiten CO_2-reducties toe te passen die duurder zijn dan nodig is, is er eigenlijk geen bovengrens meer voor de kosten. In het Verenigd Koninkrijk zou de CO_2-heffing uit hoofde van Kyoto na het vertrek van de VS ongeveer vijf dollar moeten bedragen.[104] Maar Londen eist ook van elektriciteitsproducenten dat ze 10 procent van hun elektriciteit uit erkende hernieuwbare bronnen winnen, onder de zogenaamde 'Renewables Obligation'. Momenteel worden de kosten daarvan geschat op 169 dollar per ton CO_2 en dat is dertig maal te duur.[105] En houd in gedachten dat de Kyoto-heffing waarschijnlijk te hoog is vergeleken met de kosten van ongeveer twee dollar per ton. Dus voor elke dollar die wordt uitgegeven aan de 'Renewables Obligation' verdient het Verenigd Koninkrijk 3 cent op zijn Kyoto-verplichting en doet het voor ongeveer 1 cent goed.

Geconfronteerd met het punt dat Kyoto uitvoeren een buitengewoon dure manier is om tot ver in de toekomst heel weinig goeds te doen, reageren veel mensen met de opmerking dat we veel meer zouden kunnen doen. Maar veel meer doen van wat een slecht idee is, is zelden slim, en dat blijkt ook uit de modellen. Koolstof nog verder beperken kost waarschijnlijk steeds meer terwijl het steeds minder goeds teweegbrengt. En het is nog steeds de moeite waard te bedenken dat de kosten politici dwingen de slimste instrumenten te kiezen die beschikbaar zijn. Dit resultaat is ook intuïtief aannemelijk. Als we een beetje beperken, is het gemakkelijk – vanzelfsprekend kan alles wat je doet vrij goedkoop verbeterd worden – om een beetje minder CO_2 uit te stoten. De metafoor is dat we het laaghangende fruit het eerst plukken, omdat je daar gemakkelijk bij kunt. Maar naarmate we meer gaan reduceren, wordt dat ook steeds duurder – we moeten de boom inklimmen voor het overgebleven schaarse fruit. Bovendien pakken we met de eerste reducties die we maken het hoogste, griezeligste deel van de temperatuurstijging aan, maar naarmate we meer reduceren, beginnen we meer normale temperaturen naar beneden te brengen. Dus terwijl de kosten bij elke extra reductie toenemen, nemen de baten af.

Dit is evident als we van Kyoto overstappen naar een paar van de meer ambitieuzere plannen die overwogen worden.[106] De temperatuurstijging stabiliseren op 2,5 graden Celsius doet meer goed – de temperatuur wordt met 0,48 graden verlaagd – maar tegen nogal hoge kosten, namelijk 15,8 biljoen dollar. Het is instructief dit te vergelijken met de totale schade van de opwarming van de aarde. Modellen laten zien dat de wereld, als er geen opwarming zou plaatsvinden, ongeveer 14,5 biljoen dollar rijker zou zijn. Dus de kosten van de opwarming hebben die hoogte. Als we derhalve op 2,5 graden stabiliseren, betalen we uiteindelijk meer voor een partiële oplossing dan de kosten van het hele probleem bedragen. Dat is een slechte deal.

Het meest ambitieuze plan is de temperatuurstijging te beperken tot 1,5 graden Celsius. Dit is in feite de officiële voorkeur van de EU. De EU heeft dit besluit herhaaldelijk opnieuw bevestigd. Zoals een van de modellen laat zien, is het mogelijk zo'n geringe temperatuurstijging te halen, maar slechts tegen de gigantische kosten van 84 biljoen dollar. Voor elke bestede dollar zou dit 13 cent aan goeds doen.[107]

In feite laten de modellen ook een reductie zien die meer goed doet dan zij kost. Dit initiatief behelst de invoering van een mondiale koolstofheffing die in evenwicht is met de toekomstige milieubaten als gevolg van de mindere uitstoot.[108] Het begint met een koolstofheffing van ongeveer 2 dollar per ton CO_2 nu, die oploopt tot ongeveer 27 dollar aan het eind van de eeuw, wat weerspiegelt hoe de schade toeneemt met meer CO_2 in de atmosfeer.[109] De totale impact is vrij beperkt – de temperatuur wordt slechts verlaagd met 0,1 graad tegen het eind van de eeuw. Het plan is uniek in die zin dat het ongeveer 600 miljard dollar kost maar twee keer zoveel oplevert aan baten, wat betekent dat elke dollar 2 dollar maatschappelijk goed doet.[110]

Deze uitkomst is verrassend en gaat in tegen de meeste voorstellen uit het debat over klimaatverandering. We proberen via Kyoto de CO_2 terug te dringen, maar in werkelijkheid is dat een slechte besteding van onze middelen. Velen, waaronder de EU, denken dat we veel verder moeten gaan, maar de economische modellen laten zien dat dit waarschijnlijk een nog slechter gebruik van onze hulpbronnen impliceert. In het algemeen accentueert dit dat we heel voorzichtig moeten zijn in onze bereidheid maatregelen te nemen tegen het broeikaseffect. Veel verder gaan dan het kleine, optimale initiatief is economisch niet verantwoord. En deze conclusie komt niet voort uit slechts één enkel model.

Alle wetenschappelijk beoordeelde economische modellen zijn het erover eens dat een kleine beperking van de uitstoot gerechtvaardigd is. Een eindconclusie van een bijeenkomst van alle economische modellenbouwers luidde: 'De huidige inschattingen bepalen dat het "optimale" beleid om een relatief bescheiden niveau van beheersing van CO_2 vraagt.'[111] In het laatste overzicht uit 2006 wordt het eerdere onderzoek als volgt samengevat: 'Deze onderzoeken bevelen aan dat de uitstoot van broeikasgassen wordt gereduceerd tot onder bij-ongewijzigd-beleid-voorspellingen, maar de voorgestelde reducties waren bescheiden.'[112]

Dit is zo'n degelijk resultaat omdat de economische kosten eerst komen, terwijl de baten pas veel verder in de toekomst liggen. Als we de uitstoot proberen te stabiliseren, blijken de kosten de eerste 170 jaar hoger te zijn dan de baten. Zelfs wanneer de baten die kosten laat in de tweeëntwintigste eeuw inhalen, duurt het nog altijd een tijdje voordat, rond 2250, de totale baten groter zijn dan de totale kosten. Dus zijn de kosten die een programma voor stabilisatie van emissies meebrengt, zoals één wetenschappelijk paper stelt, 'relatief groot voor de huidige generaties en blijven die de komende honderd jaar stijgen. De eerste generatie die feitelijk profijt heeft van het stabiliseringsprogramma wordt aan het begin van de vierentwintigste eeuw geboren.'[113] Het beperken van emissies is niet de beste manier om de wereld nu te helpen. Wat misschien verbazingwekkender is, is dat het evenmin de beste manier is om de mensen die in de vierentwintigste eeuw leven te helpen, daar we ons hadden kunnen toeleggen op het oplossen van vele andere problemen, waar toekomstige generaties veel meer bij gebaat zouden zijn.

We hebben duidelijk slimmere manieren nodig om met klimaatverandering om te gaan

Leven in een warmere wereld

Maar natuurlijk heb je weinig aan al die economenpraat als de hele wereld instort. Als velen of de meeste mensen doodgaan door de toenemende hitte, wat heb je er dan aan dat de belastingen lager zijn?

Deze wijdverbreide opvatting blijkt echter enorm overtrokken te zijn. En dat geldt niet alleen voor het Verenigd Koninkrijk, zoals we hierboven zagen. In 2006 is het eerste complete overzicht over de hele wereld gepubliceerd.[114] Wat dit heel duidelijk laat zien is dat klimaatverandering geen gigantische ontwrichting of enorme aantallen slachtoffers veroorzaakt. In werkelijkheid is de directe impact van klimaatverandering op de wereld in het algemeen *minder* doden in 2050, en ook niet zo weinig minder. In totaal worden jaarlijks 1,4 miljoen mensenlevens gespaard, door 1,7 miljoen minder sterfgevallen ten gevolge van hart- en vaatziekten en 365 000 meer doden door aandoeningen van de luchtwegen. Dit geldt zowel voor de VS en Europa (met elk ongeveer 175 000 gespaarde levens) als voor de rest van de geïndustrialiseerde wereld. Maar zelfs in China en India zullen jaarlijks meer dan 720 000 levens worden gespaard; de vermeden sterfte overtreft de extra sterfte met een factor 9. De enige regio waar de extra sterfte de bespaarde levens zal overtreffen is de rest van de ontwikkelingslanden, vooral Afrika. Hier zullen bijna 200 000 sterfgevallen worden vermeden, maar meer dan 250 000 extra mensen sterven.

De reactie van zowel mijn uitgever als die van verscheidene van mijn vrienden die dit hoofdstuk gelezen hadden, was veelzeggend – en misschien is uw reactie dezelfde. 'Ja, maar wat gebeurt er na 2050 – wanneer gaat de sterfte door de opwarming de sterfte door de kou overtreffen?' Dat is een goede vraag en een kwestie waar het onderzoek ook een antwoord op geeft. De uitkomst geldt niet alleen voor 2050. In de centrale ramingen van het model *blijft het aantal gespaarde levens op z'n minst tot het jaar 2200 de sterfte door hart- en vaatziekten en aandoeningen van de luchtwegen overtreffen.*[115] Het simpele antwoord op uw vraag is dus nee, sterfte door opwarming zal het aantal gespaarde levens van sterfte door kou niet overtreffen. Niet in 2050 of 2100, zelfs niet in 2200.

Maar net zo belangrijk is dat u (en in elk geval mijn vrienden en mijn uitgever) instinctief de noodzaak voelde de claim te bevragen dat de opwarming van de aarde positieve effecten zal hebben. We hebben kennelijk niet dezelfde onderzoekende houding als ons verteld wordt over negatieve gevolgen. We komen hierop terug bij de bespreking van malaria.

Nu kunnen we ook een antwoord geven op wat we kunnen en moeten doen. Veel commentaren wijzen erop dat het broeikaseffect de ontwikkelingslanden het hardst zal treffen Voor de sterfte door warmte en koude klopt dit. Maar de meeste commentatoren suggereren vervolgens dat we de koolstofemissies moeten beperken, misschien wel draconisch, om de derde wereld te helpen. Dit blijkt echter een uiterst twijfelachtig advies te zijn.

Wanneer we iedereen achter Kyoto zouden krijgen, inclusief de VS, zouden de temperaturen in 2050 ongeveer 0,07 graden Celsius lager uitkomen, ofwel: het zou een uitstel van de temperatuurstijging betekenen met nog geen drie jaar. Dit impliceert dat de ontwikkelingslanden tegen 2050 iets minder warm zullen zijn. Buiten China en India zouden er ongeveer 6 procent minder sterfgevallen zijn door ziekten van de luchtwegen; met andere woorden, er zouden 15 000 levens gespaard blijven die anders verloren waren gegaan. Dit schijnt te bevestigen dat CO_2-reductie de aangewezen weg is.

Maar ten eerste moeten we bedenken dat de wereld vijftig jaar lang jaarlijks ongeveer 180 miljard dollar zal betalen voordat dit voordeel realiteit wordt. Dat betekent ruwweg dat elk gespaard leven honderd miljoen dollar kost, wat veel meer is dan wat we in de ontwikkelde landen betalen om levens te redden, en zeker onnoemlijk veel meer dan het bedrag waarvoor levens in de ontwikkelingslanden kunnen worden gered – dat wordt geraamd op minder dan 2000 dollar.[116]

Ten tweede moeten we in herinnering houden dat er in de ontwikkelingslanden minder mensen gespaard zullen worden van sterfte door kou – meer dan 11 000. Dus in werkelijkheid hebben we minder dan 4000 levens gespaard (nu tegen een prijs van 300 miljoen dollar per persoon).

Ten derde kunnen we de thermostaat niet gewoon even anders zetten op plekken waar het algehele effect van Kyoto negatief is. We zouden de temperatuur ook overal elders veranderen – in de VS, Europa, Rusland, China en India. Hier is het effect van Kyoto op de sterfte als direct gevolg van temperatuurinvloeden een toename van 88 000 gevallen. Dus om jaarlijks 4000 mensen in de ontwikkelingslanden te redden, offeren we uiteindelijk meer dan een biljoen dollar en jaarlijks 80 000 mensenlevens op. Slechte deal.

Het broeikaseffect is niet het enige probleem

Dit betekent *niet* dat we niets moeten doen en het broeikaseffect maar moeten accepteren. We hebben maar naar één aspect gekeken: de directe impact van temperatuur. Opwarming brengt ook andere problemen mee – we zullen daar later op terugkomen – waarvan de gevolgen in het algemeen en op de lange termijn nog negatiever zijn.

Maar het besproken aspect, temperatuur, maakt ons drie dingen duidelijk. Ten eerste is het beeld van het broeikaseffect dat de media en milieuactivisten ons schetsen, zwaar vertekend. Wetenschapper James Lovelock stelt dat door met klimaatverandering samenhangende verwoestingen in de toekomst elk land op zichzelf aangewezen zal zijn, dat de 35 000 doden in Europa in 2003 slechts de voorbode waren voor een nieuw Stenen Tijdperk –: 'Voor het einde van deze eeuw komen miljarden van ons om en de weinige zich voortplantende paren die overleven bevinden zich op de noordpool, waar het klimaat nog draaglijk zal zijn.'[117] Dat staat in geen verhouding tot wat inzicht in klimaatverandering ons leert, maar toch wordt Lovelock toegejuicht door mensen als Crispin Tickell en Al Gore.[118] En uitgaan van de verkeerde feiten kan in potentie betekenen dat we ontstellend slechte beleidsafwegingen maken.

Ten tweede lijken we, pratend over het broeikaseffect, geobsedeerd door het reguleren van maar één parameter, namelijk het terugdringen van CO_2.[119] Maar hoewel aan de CO_2-knop draaien een deel van de oplossing zou kunnen zijn, moet onze eerste zorg toch zeker uitgaan naar bevordering van het welzijn van mens en milieu en daarvoor zijn veel meer knoppen beschikbaar. Terwijl het terugdringen van CO_2 een paar mensen voor dood door hitte zal behoeden, leidt het er tegelijkertijd toe dat meer mensen van kou zullen omkomen. Dit beklemtoont dat we met CO_2-reductie kritiekloos niet alleen negatieve maar ook positieve effecten van de opwarming van de aarde elimineren. We zouden op z'n minst aanpassingsstrategieën moeten overwegen die het mogelijk maken de positieve effecten van opwarming te behouden en die tegelijkertijd de schade beperken of elimineren.[120]

Ten derde is het broeikaseffect niet het enige probleem waar we iets aan moeten doen. Dat geldt vooral in verband met de derde wereld. Kijk naar de ramingen van de Wereldgezondheidsorganisatie over waar we aan doodgaan.[121] Volgens de WHO doodt de klimaatverandering nu ongeveer 150 000 mensen in ontwikkelingslanden, maar zoals we in de paragraaf over malaria zullen zien, is men daarbij vergeten rekening te houden met sterfte door koude, dus deze raming is een enorme overschatting.

Het is hoe dan ook duidelijk dat er voor de derde wereld vele andere en dringender kwesties spelen, bijvoorbeeld het feit dat er bijna 4 miljoen mensen sterven aan ondervoeding, 3 miljoen aan HIV/AIDS, 2,5 miljoen aan luchtvervuiling, meer dan 2 miljoen door gebrek aan vitaminen en mineralen (ijzer, zink en vitamine A) en bijna 2 miljoen door gebrek aan schoon water.

Zelfs als het broeikaseffect een paar of meer van deze problemen verergert (waar we nog op ingaan), blijft het van belang erop te wijzen dat de totale omvang van de problemen de bijdrage van klimaatverandering waarschijnlijk verre zal overtreffen. Dus heeft beleid gericht op het terugdringen van het totaal aan problemen veel meer effect dan beleid dat alleen het aandeel van de opwarming daarin aanpakt.[122] We moeten ons opnieuw afvragen of er geen betere manieren van helpen zijn dan beperking van de CO_2-uitstoot.

De vraag is: wat heeft voor ons prioriteit? Ik ben bij het beantwoorden van die vraag sterk betrokken geweest door de zogeheten Copenhagen Consensus. We stelden de volgende algemene vraag aan een paar van de slimste economen ter wereld: Waar zouden extra middelen het best kunnen worden ingezet? [123] We vroegen experts wat in hun ogen de beste oplossingen zijn voor bepaalde problemen. Het meest passende antwoord op het broeikaseffect zou een CO_2-reductie kunnen zijn, in antwoord op ondervoeding zou landbouwonderzoek moeten plaatsvinden en voor malaria zouden muskietennetten een oplossing kunnen zijn. De deskundigen zeiden niet alleen welke oplossingen volgens hen het beste waren – ze lieten ook zien hoevéél ze aan goeds zouden doen en hoeveel ze zouden kosten.[124]

Feitelijk schatten ze de dollarwaarde van elke oplossing in, zoals ze dat ook deden voor klimaat. Toen maakten ze een schatting van de voordelen die elk van de positieve invloeden van Kyoto zou opleveren voor landbouw, bosbouw, visserij, watervoorziening, schade door orkanen, enzovoort. Met betrekking tot malaria zou het positieve effect de waarde zijn van minder doden, minder zieken, minder afwezigen op de werkvloer, een grotere weerbaarheid tegen andere ziekten bij de bevolking en een toegenomen productie. De hoeveelheid dollars besteed aan het kopen, verdelen en gebruiken van muskietennetten zouden de kosten bepalen.

Een panel van topeconomen, onder wie vier Nobelprijswinnaars, maakte vervolgens de eerste expliciete mondiale prioriteitenlijst ooit (zie de tabel op p. 47). De lijst onderscheidde de mogelijkheden voor de wereld naar 'heel goed', 'goed' en 'redelijk', op grond van 'de hoeveel goeds die ze zouden doen voor elke bestede dollar. 'Slechte' mogelijkheden zijn die waar elke bestede dollar minder dan een dollar aan goeds zou opleveren.

Sommige van de topprioriteiten corresponderen met de grootste risicofactoren volgens de WHO.[125] Preventie van HIV/AIDS blijkt de beste investering te zijn die de mensheid kan doen – elke dollar die wordt besteed aan condooms en informatie levert ongeveer 40 dollar aan sociaal goeds op. Voor 27 miljard dollar kunnen we de komende jaren 28 miljoen levens redden.[126]

Ondervoeding kost jaarlijks bijna 4 miljoen levens. Het is misschien nog dramatischer dat ondervoeding meer dan de helft van de wereldbevolking treft door aantasting van het gezichtsvermogen, verlaging van het IQ, ontwikkelingsstoornissen en beperking van de menselijke productiviteit. Een investering van 12 miljard dollar kan ondervoeding voorkomen en de sterfte waarschijnlijk halveren, waarbij elke bestede dollar meer dan 30 dollar aan sociaal goeds oplevert.[127]

Door een eind te maken aan de landbouwsubsidies en het verzekeren van vrijhandel zou bijna iedereen beter af zijn. Uit modellen komt naar voren dat baten tot een bedrag van 2400 miljard dollar per jaar te realiseren zijn, waarbij de helft van die baten naar de derde wereld vloeit. Om dit te bereiken is het noodzakelijk de boeren in de eerste wereld om te kopen, maar de baten van elke ingezette dollar zou meer dan 15 dollar aan sociaal goeds opleveren.

Malaria ten slotte doodt jaarlijks meer dan 1 miljoen mensen. Ongeveer 2 miljard mensen worden jaarlijks besmet (velen herhaaldelijk) en raken veelal ernstig verzwakt. Toch zou een investering van 13 miljard dollar het aantal gevallen kunnen halveren, 90 procent van de pasgeborenen beschermen en de sterfte onder kinderen tot vijf jaar met 72 procent verlagen.[128]

De Nobelprijswinnaars plaatsen de mogelijkheden voor klimaatverandering aan het andere eind van het spectrum, onder de noemer 'slechte mogelijkheden' en onderstrepen daarmee wat we hierboven zagen: voor elke dollar die we uitgeven zouden we voor de wereld veel minder dan een dollar aan goeds terugkrijgen.

Maar de Copenhagen Consensus vroeg niet alleen topeconomen naar hun mening. Tenslotte (en gelukkig!) zijn het geen economen die de wereld regeren We vroegen toekomstige leiders – een groep van tachtig jonge studenten uit de hele wereld, van wie 70 procent uit ontwikkelingslanden afkomstig, de seksen gelijkelijk vertegenwoordigd, uit letteren, wis- en natuurkunde en sociale wetenschappen – wat zij

Mogelijkheden voor verbetering

	Probleem	Mogelijke Oplossingen
Heel goede mogelijkheden	1 Ziekten	Beheersing van HIV/AIDS
	2 Ondervoeding	Bieden van micronutriënten
	3 Subsidies en handel	Handelsliberalisering
	4 Ziekten	Beheersing van malaria
Goede mogelijkheden	5 Ondervoeding	Ontwikkeling van nieuwe landbouwtechnieken
	6 Sanitair en water	Kleinschalige watertechnologie voor huishoudens
	7 Sanitair en water	Gemeenschappelijk beheerde water- en sanitaire voorzieningen
	8 Sanitair en water	Onderzoek naar waterproductiviteit bij voedselproductie
	9 Overheid	Verlaging van de kosten voor de opzet van een bedrijf
Redelijke mogelijkheden	10 Migratie	Drempels verlagen voor migratie van geschoolde werknemers
	11 Ondervoeding	Verbetering baby- en kindervoeding
	12 Ondervoeding	Terugdringen van ondergewicht bij geboorte
	13 Ziekten	Verbetering van de basisgezondheidszorg
Slechte mogelijkheden	14 Migratie	Gastarbeiderprogramma's voor ongeschoolden
	15 Klimaat	Optimale koolstofbelasting ($25-300)
	16 Klimaat	Het Protocol van Kyoto
	17 Klimaat	Koolstofbelasting op basis van 'value at risk' ($ 100-450)

Mondiale prioriteitenlijst voor de besteding van extra middelen.
Copenhagen Consensus, 2004.

vonden. Nadat zij de verschillende deskundigen vijf dagen lang hadden ondervraagd, kwamen ze met een uitkomst die verrassende overeenkomsten vertoonde met die van de economen. Ze zetten ondervoeding en overdraagbare ziekten bovenaan en klimaatverandering op de op een na laatste plaats.[129]

In 2006 vroegen we een groot aantal VN-ambassadeurs hun prioriteitenlijst te maken, na twee dagen van intensieve discussies. Naast de drie grootste landen, China, India en de VS, namen uiteenlopende landen als Angola, Australië en Azerbeidzjan deel, evenals Canada, Chili, Egypte, Irak, Mexico, Nigeria, Polen, Somalië, Tanzania, Vietnam, Zimbabwe, Zuid-Korea en vele andere.

Politici maken niet graag keuzes – ze houden niet van kiezen tussen twee dingen en pretenderen liever dat ze alles wel zullen doen. Nadat ik de ambassadeurs bericht had, keek een aantal van hen naar de lijst van problemen waarmee de wereld zich geconfronteerd ziet en zei: 'Ik wil een 1 zetten bij al deze problemen.' Maar ze legden prioriteiten aan. Uiteindelijk kwamen ze met een met die van de economen vergelijkbare lijst en zetten overdraagbare ziekten, schoon drinkwater en ondervoeding bovenaan, en klimaatverandering bijna onderaan.[130]

Hier zouden we even halt moeten houden. Geen van deze fora stelde dat klimaatverandering niet reëel is of onbelangrijk. Maar ze vragen ons erover na te denken of we er niet beter aan doen de reële en dringende noden van de huidige generaties, waaraan we zo makkelijk en goedkoop kunnen tegemoetkomen, aan te pakken voordat we proberen iets te doen aan het langetermijnprobleem van klimaatverandering, waar we zo weinig aan kunnen doen terwijl het zoveel geld kost.

Natuurlijk zijn we geneigd te zeggen dat we het allemaal moeten doen – maar tegelijkertijd weten we ook dat we dat niet doen, de wereld heeft een gebrek aan hulpbronnen èn wilskracht om alle grote problemen aan te pakken. Als we ons op bepaalde kwesties concentreren, krijgen andere minder aandacht.

De fora wijzen er ook op dat we door ons te richten op deze directe problemen meer doen dan alleen hedendaagse problemen oplossen. Stel je voor dat je HIV/AIDS en malaria drastisch kunt reduceren. Denk je even in dat niet langer meer dan de helft van de wereldbevolking getroffen wordt door groeistoornissen als gevolg van ondervoeding. Zie voor je dat de landbouwsubsidies worden geschrapt, zodat de derde wereld zijn producten op de markten van de eerste wereld kan verkopen. Dat geeft niet alleen een directe impuls, het maakt hele gemeenschappen sterker, waardoor economieën sneller groeien en samenlevingen in 2100 veel sterker en rijker zullen zijn. Dat stelt die samenlevingen in staat toekomstige problemen beter aan te kunnen – of het nu om natuurlijke problemen gaat of om opwarming. Investeren in vandaag is ook investeren in morgen.

In de toekomst kijkend, verwacht de VN dat mensen zowel in ontwikkelde als ontwikkelingslanden rijker worden.[131] In de industrielanden zullen, net als in de afgelopen eeuw gebeurde, mensen hun inkomens zien verzesvoudigen. De inkomens in de ontwikkelingslanden zullen naar verwachting veel sneller toenemen, tot het twaalfvoudige.

Dit is van belang als we het over klimaatverandering hebben. In 2100, als veel van de problemen van de opwarming zich daadwerkelijk zullen voordoen, verdient de gemiddelde inwoner van de ontwikkelde landen naar verwachting ongeveer 100 000 dollar per jaar (in de waarde van nu), volgens het waarschijnlijkste scenario van de VN. Zelfs in het meest sombere scenario zou de gemiddelde inwoner boven de 20 000 dollar zitten.[132] Ook in dit hoogst onwaarschijnlijke geval zal de gemiddelde inwoner van de derde wereld rijker zijn dan een Portugees of Griek nu en ook rijker zijn dan de meeste West-Europeanen in 1980.[133] Veel aannemelijker is dat hij of zij rijker is dan de hedendaagse, gemiddelde Amerikaan, Deen of Australiër. Die rijkdom stelt deze landen natuurlijk in staat externe schokken beter op te vangen, of die nu komen door klimaatverandering of door de vele andere uitdagingen waar de toekomst ons ongetwijfeld mee zal confronteren.

En dit is het laatste deel van de reden waarom de Nobelprijswinnaars, jongeren en VN-ambassadeurs ziekte en ondervoeding zo hoog zetten en klimaat relatief laag. Als we proberen de ontwikkelingslanden te helpen door onze koolstofemissies te beperken, proberen we mensen in de verre toekomst te helpen, die dan veel rijker zullen zijn. We helpen geen arme Bangladeshi in 2100, maar veel waarschijnlijker een nogal rijke Nederlander. En voor het geval je je afvraagt of het broeikaseffect betekent dat Bangladesh in 2100 onder water staat: we zullen hieronder zien dat een rijk Bangladesh maar 0.00034 procent van het droge land verliest. De vraag wordt dan of we er niet beter aan doen een arme Bangladeshi van nu te helpen. Die heeft onze hulp zoveel meer nodig en voor hem of haar kunnen we zoveel meer doen. Een Bangladeshi van nu helpen minder ziek en beter gevoed te zijn en beter in staat deel te nemen aan de wereldmarkt, doet niet alleen evident goed, maar stelt die Bangladeshi ook in staat de eigen samenleving te verbeteren, de economie te laten groeien en een weerbaarder Bangladesh na te laten voor toekomstige generaties, die beter uitgerust zullen zijn om met de problemen van de opwarming om te gaan. Dat lijkt mij een overtuigende reden voor actie.

De missie van onze generatie

Toch is het duidelijk dat veel mensen in de ontwikkelde landen nog altijd buitengewoon veel aandacht hebben voor klimaatverandering. Bij een recent onderzoek in Australië werden zorgen over het milieu als absoluut eerste prioriteit voor de leiders van de wereld genoemd, vóór het elimineren van armoede of het aanpakken van terrorisme, en voor kwesties als mensenrechten en HIV/Aids-bestrijding.[134] Bij een ander onderzoek bleek dat zowel de VS als China, Zuid-Korea en Australië verbetering van het mondiale milieu een belangrijker doel van buitenlandse politiek vinden dan het bestrijden van de honger in de wereld.[135] Zuid-Korea zette het zelfs boven aan een lijst van de zestien grootste bedreigingen voor de wereld.[136]

We moeten ons afvragen waarom we zo gefixeerd zijn op klimaatverandering terwijl er zoveel andere gebieden zijn waar de nood ook groot is en waar we met onze inspanningen zoveel meer zouden kunnen doen.

Al Gore geeft daarvoor twee redenen. In de eerste plaats gaat het om een crisis die de hele planeet betreft. 'Wat op het spel staat is de overleving van onze beschaving en de leefbaarheid van de aarde.'[137] Maar dit blijkt ver bezijden de waarheid te zijn. Zoals we hierboven zagen, wordt dit niet ondersteund met wetenschappelijk onderzoek naar de gevolgen van temperatuurstijging in de komende eeuw. Als er al iets duidelijk wordt uit wetenschappelijk onderzoek is het dat er *minder* mensen zullen sterven met een gemiddeld hogere temperatuur. Natuurlijk heeft Gore verscheidene andere argumenten, waarop we hieronder nader zullen ingaan.

De tweede reden van Al Gore is waarschijnlijk veelzeggender en ligt dichter bij de waarheid. Hij vertelt ons hoe de opwarming van de aarde ons leven *zin* kan geven.

'De klimaatcrisis biedt ons ook de kans een voorrecht te ervaren dat maar weinig generaties in de geschiedenis hadden: *een missie voor een generatie*, de opwinding van een dwingend *moreel doel*; een gezamenlijke en vaak verenigende *zaak*; de spanning van door omstandigheden worden gedwongen de kleinzieligheid en de conflicten opzij te zetten die zo vaak de rusteloze menselijke behoefte om boven zichzelf uit te stijgen, verstikken; *de gelegenheid op te staan* [...] Wanneer we opstaan, zal het een openbaring zijn te ontdekken dat deze crisis in wezen helemaal niet over politiek gaat. Het is een morele en geestelijke uitdaging.'[138]

Hij legt ons uit hoe de opwarming van de aarde ons morele zekerheid kan schenken, zoals Lincoln meemaakte toen hij tegen de slavernij ten strijde trok, Roosevelt toen hij het fascisme bestreed en Johnson toen hij de rechten van minderheden bevocht.[139]

Het lijkt onrealistisch te verwachten dat klimaatverandering ons een helder en eenduidig doel verschaft. Als de tien jaar van getouwtrek over de relatief minimale beperkingen van Kyoto ons iets geleerd hebben, dan is het wel dat alles wat individuele landen biljoenen dollars kost fel omstreden is en eerder tot twisten dan tot kalmte leidt.

Maar misschien belangrijker is de vraag of we moeten meegaan in de opwinding over een missie voor onze generatie, domweg omdat we ons daar goed bij voelen. Zouden we daar eigenlijk niet alleen in moeten meegaan als het inderdaad het beste is dat onze generatie kan doen? En dat brengt ons, uiteraard, weer terug bij de vraag of er geen grotere problemen zijn die we eerst moeten aanpakken. Gore wijst er eerlijkheidshalve wel op dat onze generatie meer missies heeft:

'Het inzicht dat we zullen verwerven (door klimaatverandering aan te pakken) zal ons het morele vermogen geven andere, daaraan gerelateerde uitdagingen ter hand te nemen, die eveneens hoognodig opnieuw moeten worden aangemerkt als morele verplichtingen waarvoor praktische oplossingen bestaan: HIV/AIDS en andere pandemieën die zovelen teisteren; de armoede in de wereld; de voortgaande mondiale herverdeling van rijkdom van de armen naar de rijken; de voortgaande genocide in Darfur; de voortgaande hongersnood in Niger en elders; chronische burgeroorlogen; de verwoesting van de visstand in de oceanen; gezinnen die niet functioneren; gemeenschappen die niet communiceren; de erosie van de democratie in Amerika en de herfeodalisering van het publieke forum.'[140]

Naarmate de lijst vordert wordt het steeds duidelijker, enigszins ironisch, dat de lijst zelf prioriteitsstelling behoeft Gore vertelt ons in wezen dat we alles moeten doen, van klimaatverandering tot de democratie herstellen. En het zou prachtig zijn als we dat konden. Maar tot op heden hebben we geen van alle problemen erg goed aangepakt. Misschien zou het verstandig zijn eerst na de te denken over wat we het eerst moeten doen.

Gore vertelt ons dat we de stemmen van de toekomst moeten horen, die nu tot ons spreken. We moeten ons voorstellen dat zij zeggen:'Wat dachten jullie? Kon onze toekomst jullie niets schelen?'[141] Hij heeft volstrekt gelijk.

Willen we inderdaad dat toekomstige generaties zeggen dat we biljoenen dollars hebben uitgegeven en een klein beetje goed gedaan hebben voor rijke mensen in honderd jaar? Of willen we dat die toekomstige generaties ons bedanken voor het feit dat we miljarden arme mensen een nieuwe start en een beter leven gegeven hebben waardoor zij beter op de toekomst zijn ingesteld?

Willen we ons, met andere woorden, alleen maar goed *voelen*, of willen we echt iets goeds *doen*?

Slimmere strategieën

Dit betekent niet dat we helemaal niets moeten doen aan klimaatverandering. Het betekent dat we veel slimmer moeten zijn in wat we doen. We moeten kostbare en ondoelmatige strategieën als Kyoto laten varen en op zoek gaan naar nieuwe oplossingen. We zouden moeten gaan nadenken over hoe we klimaatverandering op lange termijn goedkoop kunnen aanpakken. Het grote probleem met het verminderen van koolstofemissies op een Kyoto-manier is dat dit nú heel veel kost en voor de toekomst zo weinig betekent. En zolang de kosten van koolstofreductie zo hoog zijn, zullen China en India nooit meedoen.

In plaats daarvan zouden we ons moeten toeleggen op het omlaag brengen van de toekomstige kosten van CO_2-reductie. Dat is wellicht minder romantisch dan het op ons nemen van een 'mondiale missie' maar het is wel veel efficiënter, lijkt een betere kans van slagen te hebben en helpt de mensheid daadwerkelijk.

3. De opwarming van de aarde: onze vele zorgen

In hoofdstuk 2 hebben we in kaart gebracht wat er gebeurt als alleen de temperaturen stijgen. Er is dan geen sprake van een catastrofe. Maar natuurlijk maken we ons waar het gaat om de opwarming van de aarde over veel andere dingen zorgen, die stuk voor stuk vaak worden voorgesteld als een ramp die op ons afkomt en die ons onder druk zet om al het andere te laten vallen en ons te concentreren op het terugdringen van CO_2. Die beweringen blijken echter vaak enorm overtrokken te zijn en weerhouden ons ervan om degelijke beleidsafwegingen te maken. Laten we elk van deze zorgen nader bezien.

Smeltende gletsjers

In de loop van het afgelopen millennium zijn de temperaturen, door natuurlijk oorzaken, omhoog en weer omlaag gegaan. [1] (In de afgelopen 150 jaar zijn de temperaturen door het broeikaseffect nog sneller opgelopen.) In het begin van het millennium, dus in het tijdsbestek vanaf het jaar 1000 tot ongeveer 1200, deed zich een relatief warme periode voor die bekend staat als de 'Middeleeuwse Warmteperiode'. [2] De term verwijst naar het toen warmere klimaat en de vermindering van het zee-ijs die de kolonisatie van het anders onherbergzame Groenland en Vinland (Newfoundland) door de Vikingen mogelijk maakten. [3] In Alaska was de gemiddelde temperatuur in de elfde eeuw 2 tot 3 graden Celsius hoger dan die nu is. [4] In de Rocky

Mountains lag de sneeuwgrens ongeveer 300 meter hoger dan nu het geval is.[5]

Het midden van het afgelopen millennium, een periode die wel de 'kleine ijstijd' wordt genoemd, gaf weer een duidelijke afkoeling te zien. Uit een hele reeks bronnen komen aanwijzingen van koudere continenten waar de gletsjers zich snel uitbreidden: in Groenland, IJsland, Scandinavië en de Alpen.[6] Het pakijs van de noordpool breidde zich kennelijk ver naar het zuiden uit: er zijn zes verslagen van Eskimo's die met hun kajaks in Schotland aan land kwamen.[7] Veel Europese lentes en zomers waren uitzonderlijk koud en nat en in heel Europa werd de teelt van gewassen aangepast aan een korter en minder betrouwbaar groeiseizoen, wat herhaaldelijk tot hongersnood leidde.[8] De barre winters werden vereeuwigd door de Vlaamse schilder Pieter Brueghel (1525-1569), die een nieuw genre in leven riep door in twee jaar minstens zeven winterlandschappen te voltooien.[9] Mogelijk de rampzaligste winter in Frankrijk, die van 1693, kostte naar schatting verscheidene miljoenen mensen het leven – ongeveer 10 procent van de bevolking.[10] Evenzo werden in de Chinese provincie Kiangsi warmweergewassen als sinaasappels opgegeven en maakten de eerste Europese kolonisten in Noord-Amerika gewag van buitensporig strenge winters, in een waarvan Lake Superior tot juni 1608 dichtgevroren bleef.[11]

Het is misschien de moeite waard op te merken dat veel van de gebeurtenissen tijdens de kleine ijstijd weliswaar als negatief worden gezien en weergegeven, maar dat dit niet blijkt te gelden voor de Middeleeuwse Warmteperiode.

Het is duidelijk dat een deel van de temperatuurverhoging sindsdien simpelweg een gevolg is van de kleine ijstijd. Maar het is ook duidelijk dat we nu een opwarmingstrend zien die verder gaat en die wijst op een door de mens veroorzaakte opwarming. Beide opwarmingstrends brengen teweeg dat de gletsjers zich terugtrekken. Veel activisten gebruiken afbeeldingen van terugtrekkende gletsjers als symbolen van het broeikaseffect – Al Gore vult achttien pagina's van zijn boek met 'ervoor-en-erna'-foto's van gletsjers.[12]

Maar er zijn nogal wat feiten die afbreuk doen aan deze tamelijk simpele boodschap. Ten eerste hebben gletsjers zich sinds de laatste ijstijd steeds uitgebreid en teruggetrokken. In Zwitserland hebben de afgelopen 10 000 jaar twaalf van zulke uitbreidingen en terugtrekkingen plaatsgevonden.[13] Een van de best bestudeerde gletsjers in Noorwegen – mijn naamgenoot Bjørnbreen – was volledig afwezig gedurende 3000 jaar verdeeld over twee periodes, ongeveer 7000 jaar geleden, en is in de afgelopen 10 000 jaar zes keer wedergeboren.[14] In feite waren de meeste gletsjers op het noordelijk halfrond tussen 9000 en 6000 jaar geleden klein of ze waren er helemaal niet.[15] Hoewel gletsjers sinds de ijstijd steeds gegroeid en gekrompen zijn, schijnen ze opgeteld elke keer weer wat groter teruggekomen te zijn, om hun absolute maximum te bereiken aan het einde van de kleine ijstijd.[16] Rond 1750, zo wordt aangenomen, waren er meer gletsjers op aarde dan op enig ander tijdstip sinds de ijstijden van 12000 jaar geleden.[17] Toen Bjørnbreen rond 1800 zijn piek bereikte, was hij in feite twee maal zo groot als elk van zijn vijf voorafgaande incarnaties.[18]

Dus het is niet zo verbazend dat we gletsjers zien krimpen nu we uit de kleine ijstijd komen. We vergelijken ze met hun absolute maximum tijdens de afgelopen tien millennia. Uit het best gedocumenteerde overzicht van gletsjers blijkt dat gletsjers zich sinds 1800 onafgebroken terugtrekken.[19] Het perfecte symbool van een gletsjer, de met sneeuw bedekte Kilimanjaro, slinkt al sinds 1880.[20] Toen Hemingway in 1936 zijn The Snows of Kilimanjaro schreef, had de berg in 56 jaar al meer dan de helft van zijn gletsjeroppervlak verloren.[21] Dat is meer dan hij de zeventig jaar daarna is kwijtgeraakt. Sinds het gedocumenteerde onderzoek naar de Kilimanjaro in 1881 is begonnen, is het centrale thema in feite de dramatische afname van zijn gletsjers geweest.[22]

Bovendien is de Kilimanjaro zijn ijs niet kwijtgeraakt door oplopende temperaturen (de temperatuur is, vrij stabiel, onder het vriespunt gebleven) maar aan de overgang naar een droger klimaat rond 1800.[23] Dus is de Kilimanjaro geen goed schoolvoorbeeld van het broeikaseffect. In het laatste satellietonderzoek wordt geconcludeerd dat 'de resultaten suggereren dat de gletsjers op de Kilimanjaro het overblijfsel zijn van een vroeger klimaat in plaats van een gevoelige indicator van klimaatverandering in de twintigste eeuw'.[24]

Toch krijgen we vaak te horen dat we de CO_2-uitstoot moeten beperken om het terugtrekken van de gletsjers tot staan te brengen. Greenpeace vertelt ons – met de Kilimanjaro op de achtergrond in beeld – dat het gehele ijsveld van de berg in 2015 als gevolg van de klimaatverandering verdwenen kan zijn.[25] 'Dit is de prijs die we betalen als we de klimaatverandering ongehinderd laten voortgaan.'[26] Maar natuurlijk zouden we nu aan de Kilimanjaro juist niets kunnen doen, daar deze zijn ijs verliest vanwege een droger klimaat. En zelfs als we zouden toegeven dat de teloorgang ervan deels te maken heeft met de opwarming van de aarde, zou niets van wat we kunnen doen voor 2015 ook maar de geringste impact hebben.

Wanneer Greenpeace ons vertelt dat 'de snel smeltende gletsjers van de Kilimanjaro (...) het feit symboliseren dat de klimaatverandering het eerst en het hardst zal worden gevoeld door het milieu en de volken van Afrika'[27] haalt de organisatie twee zaken door elkaar. Nee, de Kilimanjaro is geen goed symbool van klimaatverandering en ja, klimaatverandering zal zeker in de ontwikkelingslanden harder aankomen.

Hoewel foto's van de prachtige gletsjers van de Kilimanjaro in combinatie met vermanende woorden over CO_2 het in de westerse media en bij opiniemakers ongetwijfeld goed doen, komen ze nauwelijks tegemoet aan de reële problemen van de Tanzaniaanse boeren op de berghellingen. Uit onderzoek blijkt dat zij heel andere zorgen hebben, zoals ongedierte en veeziekte, gebrek aan kapitaal om zaden, kunstmest en pesticiden te kopen, kostbare scholing, HIV-infecties, malaria en gezondheidszorg van slechte kwaliteit.[28] We moeten de vraag durven stellen of we hen het beste helpen met een beperking van de CO_2-uitstoot, die geen verschil zou maken voor de gletsjers, of met maatregelen tegen HIV, die goedkoper, sneller en veel effectiever zouden zijn.

Toch zijn de zorgen waar het gaat om gletsjers die rivieren voeden allerszins reëel. Gore wijst op de Himalaya-gletsjers op de hoogvlakte van Tibet. Ze vormen de grootste ijsmassa buiten Antarctica en Groenland en zijn de bron voor rivieren die 40 procent van de wereldbevolking bereiken.[29] Een stabiele gletsjer is geen permanente bron van water in de rivieren (als dat zo was zouden ze snel verdwijnen) maar fungeert als een 'watertoren' waarin 's winters water wordt opgeslagen in de vorm van ijs om dat vervolgens 's zomers weer vrij te geven.[30] Op deze manier leveren smeltende gletsjers tot wel 70 procent van het water dat 's zomers door de Ganges stroomt en 50 tot 60 procent van het water in andere grote rivieren.[31] De zorg is dat als de gletsjers helemaal verdwijnen, de totale hoeveelheid water die per jaar beschikbaar is waarschijnlijk hetzelfde zou blijven (met ruwweg dezelfde hoeveelheid neerslag) maar dat die heel anders zou worden verdeeld, wat mogelijk tot ernstige droogte leidt in de zomer.[32] Dit kan voor een groot deel worden verholpen door betere wateropslag, maar dat zou natuurlijk extra en hoge kosten met zich meebrengen.

Hier echter verdienen twee punten aandacht. Ten eerste neemt door het smelten van gletsjers de hoeveelheid water in rivieren in feite *toe*, vooral 's zomers, waardoor veel van de armste mensen in de wereld juist meer water krijgen.[33] De gletsjers in de Himalaya zijn sinds het einde van de kleine ijstijd significant gekrompen en dat heeft ertoe geleid dat de hoeveelheid water die beschikbaar is in de afgelopen eeuwen steeds is toegenomen, wat mogelijk heeft bijgedragen aan een hogere productiviteit in de landbouw.[34] Natuurlijk zullen de gletsjers op den duur droog komen te staan als het smelten blijft doorgaan.[35] Dus in essentie betekent de opwarming van de aarde voor gletsjers dat een groot deel van de wereld de komende vijftig jaar meer water kan gebruiken voordat er geïnvesteerd moet worden in extra wateropslag. Deze vijftig jaar of meer biedt samenlevingen de ruimte om veel van hun meer urgente zorgen eerst aan te pakken en hun economieën te laten groeien, zodat ze zich de aanleg van voorzieningen voor wateropslag te zijner tijd ook kunnen veroorloven.

Nu wringt u zich misschien de handen en zegt dat we die maagdelijke gletsjers toch moeten behouden. En natuurlijk zou dat in de beste van alle werelden, waar geen concurrerende behoeften bestaan, geweldig zijn. Maar in een wereld waar van alles aan de hand is loont het misschien te bedenken dat ontwikkelingslanden het van groter belang achten om eindige natuurlijke hulpbronnen, zoals gletsjers, te gebruiken om wat rijker te worden, in plaats van de meer welvarenden er een esthetisch genoegen mee te bieden. Zeker is dat wij in de ontwikkelde wereld dat zelf ook deden, toen we een groot deel van onze bossen kapten en rijk werden.[36] Bovendien is het wellicht de moeite waard over het alternatief na te denken. In de gebergten Karakoram en Hindu Kush van het Upper Indus Basin zijn de zomertemperaturen afgeweken van de mondiale trend en sinds 1961 ongeveer 1 graad gedaald.[37] Het gevolg is een geruststellende verdikking en uitbreiding van de gletsjers van de Karakoram maar – voorspelbaar genoeg – is de afvloeiing in de rivieren de Hunza en de Shyok met ongeveer 20 procent afgenomen.[38] Dit is van belang, omdat deze meer dan 25 procent van de instroom van het Tarbela-stuwmeer leveren, die een van 's werelds grootste geïntegreerde irrigatienetwerken bedient. Dat leidt tot een prangende vraag. Hebben we liever meer of juist minder water beschikbaar?

Ten tweede is de vraag wat we feitelijk kunnen doen. We kunnen Kyoto implementeren tegen hoge kosten, maar vrijwel geen invloed uitoefenen op het klimaat in de Himalaya in 2050. Gletsjers trekken zich al eeuwenlang terug, de accumulatie neemt al sinds 1840 af als gevolg van een verandering in de passaatwinden en zelfs doortastende en snelle vermindering van de CO_2-uitstoot zal daar heel weinig aan veranderen. Maar afgezien van alle andere, meer urgente kwesties waarmee we ons zouden moeten bezighouden, zouden we er ook goed aan doen te investeren in een betere waterhuishouding, zodat India en China het extra water nu beter kunnen gebruiken en zich kunnen voorbereiden op de terugkeer van de rivieren naar hun 'normale' waterstroom maar met meer water in de winter en minder in de zomer.

Hoewel er vaak op gewezen wordt dat de smeltende gletsjers ertoe leiden dat we op den duur minder water hebben, laat men na erop te wijzen dat het nu een meevaller is. Terwijl bepleit wordt dat we de grote, moeilijke CO_2-knop omdraaien, terwijl dat weinig effect zal hebben en veel kost, kunnen we ons beter kunnen afvragen of er andere, soepeler en efficiënter knoppen om te draaien zijn, waarmee we veel meer goeds kunnen doen.

Stijgende zeespiegels

Een ander van de grootste met doembeelden omgeven gevolgen van klimaatverandering is de stijging van de zeespiegels. Misschien is dat niet verbazend, omdat de meeste culturen sinds mensenheugenis legendes kennen van catastrofale overstromingen, die de hele aarde bedekten en die maar door een paar dieren en planten overleefd werden.[39] In de westerse samenleving is de bekendste versie het verhaal van Noach, die bij de zondvloed met zijn ark redde wat hij redden kon. Veel commentatoren buiten de doem van de vloed doelbewust uit, zoals Bill McKibben,die over het broeikaseffect en onze verantwoordelijkheid daarvoor zegt: 'We zijn bezig aan een roekeloze rit – door veel van de rest van de planeet en veel van de rest van de schepping te verdrinken.'[40]

Wanneer de zeespiegel stijgt, komt dat niet alleen doordat het ijs op zee smelt, want dat verplaatst zijn eigen gewicht – als je ijsblokjes in een glas water stopt, gaat het waterniveau niet omhoog wanneer ze smelten.[41] Dus in tegenstelling tot wat dikwijls wordt beweerd, leidt het smelten van de noordpool niet tot een hogere zeespiegel, omdat de pool al drijft. Dat de zeespiegels stijgen heeft twee andere oorzaken. Ten eerste zet water, net als alle andere dingen, uit als het warmer wordt. Ten tweede verhoogt de afvloeiing van op het land gelegen gletsjers het mondiale watervolume. In de afgelopen veertig jaar hebben gletsjers ongeveer 60 procent en uitzetting van het water 40 procent bijgedragen aan de stijging van zeespiegels.[42]

In het 2007-rapport schat de VN dat de zeespiegel in de loop van deze eeuw ongeveer 30 centimeter zal stijgen.[43] Hoewel dit geen te verwaarlozen hoeveelheid is, is het van belang te beseffen dat deze stijging geenszins zonder historische precedent is. Sinds 1860 hebben we een stijging van de zeespiegel van ongeveer 29 centimeter gezien, en toch heeft dat kennelijk niet tot ernstige ontwrichting geleid.[44] Voorts is het belangrijk dat we ons realiseren dat de nieuwe voorspelling *lager* is dan de vorige raming van het IPCC, terwijl het Amerikaanse milieubureau EPA in de jaren tachtig al meer dan 1,80 meter voorspelde.[45]

In de publieke discussie wordt het gevaar van een stijgende zeespiegel vaak sterk gedramatiseerd. Een berucht omslagverhaal van *U.S. News & World Report* voorspelde: 'Opwarming van de aarde kan tot droogtes, ziekte en politieke chaos leiden' en tot andere 'vreselijke effecten, van pestilentie en hongersnood tot oorlog en vluchtelingenstromen.'.[46] We komen later op deze zorgen terug, maar de belangrijkste prognose met betrekking tot de stijging van de zeespiegel luidde: 'Tegen het midden van de eeuw zouden de chique art décohotels die nu de South Beach van Miami flankeren er vol water en verlaten bij kunnen staan.'

Maar de zeespiegel zal tegen 2050 ongeveer 12 centimeter gestegen zijn – niet meer dan de stijging die we sinds 1940 hebben gehad en minder dan de stijging die de art déco-hotels sinds de jaren 1920 en 1930 hebben getrotseerd.[47] Aangezien de zeespiegel in de loop van de eeuw langzaam verandert, is het mogelijk met rationele economische voorzorgen bescherming te garanderen voor gebouwen die een hogere waarde hebben dan de kosten van die bescherming en niet te bouwen op plekken waar de kosten hoger zijn dan de baten.[48] De totale kosten van de VS voor bescherming en verlies van onroerend goed bij een zeespiegelstijging van een meter (meer dan driemaal de stijging die in 2100 te verwachten is) bedragen, aldus het IPCC, ongeveer 5 tot 6 miljard dollar over de eeuw.[49] Gegeven de omstandigheid dat een adequate bescherming van Miami maar een fractie van dat bedrag zou kosten en gegeven het feit dat in 2006 de waarde van het onroerend goed in Miami Beach in de buurt kwam van de 23 miljard,[50] en dat het art déco Historic District na Disney de grootste toeristentrekker van Florida is en jaarlijks meer dan 11 miljard dollar aan de economie bijdraagt,[51] betekent twaalf centimeter domweg niet dat de hotels van Miami in het water komen te staan en verlaten worden.

Maar dat is natuurlijk precies het omgekeerde van wat we vaak van broeikasactivisten horen. In *An Inconvenient Truth* wordt dit misschien wel het krachtigst tot uitdrukking gebracht. In een schokkende scène zien we hoe grote delen van Florida, inclusief heel Miami, onder zes meter water komen te staan.[52] Gore gaat nog verder door ons al even indringende scènes te laten zien van de San Francisco Bay die overstroomt, van Nederland dat van de kaart wordt geveegd, van Peking en Shanghai die onder water komen te staan, van Bangladesh dat voor 60 miljoen mensen onbewoonbaar wordt en zelfs van hoe New York met zijn World Trade Center Memorial overstroomd wordt.

Hoe is het mogelijk dat een van de meest gezaghebbende stemmen over klimaatverandering straffeloos iets kan beweren dat zo drastisch afwijkt van de meest gefundeerde wetenschappelijke gegevens? Het IPCC maakt een raming van 30 centimeter, Al Gore vermenigvuldigt die met 20. In technische zin spreekt Al Gore de VN niet tegen, omdat hij simpelweg zegt: 'Als Groenland smelt of afbrokkelt en in de zee schuift – of als de helft van Groenland en de helft van Antarctica smelten of afbrokkelen en in de zee schuiven – zou de zeespiegel wereldwijd tussen de vijf en zes meter stijgen.'[53] Hij stelt eenvoudig een hypothese op en laat ons vervolgens in even levendige als schokkende beelden zien wat er – hypothetisch dus – met Miami, San Francisco, Amsterdam, Peking, Shanghai, Dhaka en New York zou kunnen gebeuren.[54]

Gore heeft gelijk dat hij Groenland en Antarctica als belangrijkste illustraties presenteert ter ondersteuning van zijn hypothetische zes meter. De VN schatten in dat verreweg de belangrijkste bijdrage aan de stijging van de zeespiegel, die zich in de loop van de eeuw zal voordoen, van de uitzetting van warmer water zal komen – dat alleen al zal voor 22 van de bijna 30 centimeter tegen 2100 zorgen.[55] Smeltende gletsjers en ijsplateaus zullen over een eeuw ongeveer 8 centimeter bijdragen.[56] En Groenland alleen draagt naar verwachting 3,5 centimeter bij.[57] Samen is dat 34 centimeter over de komende eeuw. Maar naarmate de wereld opwarmt zal Antarctica niet noemenswaardig beginnen te smelten (het is er nog veel te koud), maar omdat de opwarming van de aarde ook in het algemeen tot meer neerslag leidt, zal zich op Antarctica in feite ijs ophopen, wat de zeespiegel 5 centimeter verlaagt.[58] Vandaar de totale raming van ongeveer 30 centimeter.

Waar zijn dan die ontbrekende 5,7 meter? Alle klimaatmodellen zijn het redelijk eens over het aandeel van uitzettend water, dus het is onwaarschijnlijk dat ze daar te vinden zijn.[59] Ook zullen ze zich niet in de smeltende gletsjers ophouden, want zelfs als alle gletsjers en ijskappen volledig zouden verdwijnen, zou dat hoogstens 30 centimeter toevoegen.[60] Als Groenland echter geheel zou smelten, zou dat ruim 7 meter bijdragen. Als Antarctica in zijn geheel in de oceaan zou schuiven, zou dat een schokkende 56 meter toevoegen.[61]

Maar gebeurt dat? De beschikbare analyses vertellen een heel ander verhaal. Laten we ze afzonderlijk bekijken; Groenland en Antarctica zijn immers heel verschillend. Terwijl Antarctica omgeven wordt door ijsschotsen en in een gebied ligt waar aan het oppervlak weinig tot geen ijs smelt, ligt Groenland in een gebied waar de temperaturen hoog genoeg zijn om 's zomers juist veel ijs te laten smelten.[62]

Het ICPP heeft erop gewezen dat Groenland over het geheel genomen een beetje massa verliest.[63] Enkele van de analyses laten de laatste jaren (2002-2005) een sneller massaverlies zien, maar begin 2007 werd bij twee van de grootste gletsjers in Groenland weer een verminderend verlies van ijsmassa waargenomen.[64] Zelfs volgens de meest extreme ramingen waarin Groenland binnen enkele jaren zou smelten, zou voor een zeespiegelstijging van zes meter nog minstens duizend jaar nodig zijn. In een recent overzicht van alle belangrijkste modellen ligt de bijdrage van Groenland in de komende eeuw tussen minder dan 5 centimeter zeespiegelstijging en een kleine daling.[65]

In een ander overzicht laten alle modellen duidelijk zien dat zowel Groenland als Antarctica door de eeuw heen kleine bijdragen zullen leveren.[66] Bovendien neemt Antarctica in het algemeen meer water op dan Groenland verliest, zoals het IPCC voorspelt. In feite schat het IPCC in dat 20 centimeter de grootste additionele bijdrage is die van Groenland verwacht kan worden, maar dat is alleen mogelijk in een model waarin de toename van de CO_2 twee tot vier keer zo hoog is als tegen 2100 wordt verwacht.[67] Er is, kortom, heel weinig ondersteuning voor de veronderstelling dat de zeespiegel 6 meter zal stijgen.

In 2006 kregen we eindelijk de beschikking over de langste reeks temperatuurgegevens voor Groenland en daaruit blijkt waarom we wel veel meer over smelten zullen horen, want de temperaturen zijn in de jaren negentig inderdaad dramatisch gestegen.[68] Toch schijnt de algemene opwarmingstrend sinds 1940 aan Groenland te zijn voorbijgegaan; in plaats daarvan is het er tot de jaren negentig afgekoeld (iets waar we weinig over hebben gehoord). In feite zijn de temperatuurstijgingen die we nu zien van dezelfde orde van grootte als die in de jaren 1920 en 1930 en toen ging de stijging nog sneller.[69] Het warmste jaar in Groenland was 1941 en de twee warmste decennia waren de jaren dertig en veertig.[70]

Het gigantische ijsplateau van Antarctica begon zich zo'n 35 miljoen jaar geleden te vormen en is sindsdien een permanent element geweest in het mondiale milieu.[71] Het ijsplateau is gemiddeld meer dan anderhalve kilometer dik en op sommige plekken zelfs meer dan 3 kilometer dik.[72] Tijdens de laatste ijstijd was vooral het westelijke ijsplateau veel groter en in het huidige interglaciaal heeft Antarctica zich aan de hogere temperaturen aangepast door per saldo ijs te verliezen.[73]

Verrassend voor velen is dat de neerslag zo gering is dat het grootste deel van het continent een woestijn is (waarmee het 's werelds grootste woestijn is). De temperaturen zijn echter zo laag (ongeveer -34 graden Celsius) dat er vrijwel niets smelt of verdampt, waardoor de sneeuw de neiging heeft zich op te hopen.

Veel van de aandacht die de wereld voor Antarctica heeft, is evenwel gericht op wat maar een heel klein stukje is, het Antarctische Schiereiland, dat zich uitstrekt tot op minder dan 1000 kilometer van Zuid-Amerika. Hier wordt het warmer, maar de overige 96 procent van Antarctica is afgekoeld.[74] Op de Zuidpool zijn de temperaturen al sinds het begin van de metingen in 1957 omlaag gegaan.[75]

Het kleine Antarctische Schiereiland is echter aanzienlijk warmer geworden, meer dan 2 graden sinds de jaren zestig, een veelvoud van de mondiale opwarming.[76] Gore laat in zijn film zien hoe snel het ijs smelt en hoe een heel niet erg poëtisch 'Larsen-B' genaamd ijsplateau begin 2002 binnen 35 dagen uiteenvalt.[77] Het belang dat we daaraan toekennen hangt af van of we geloven dat Larsen-B sinds mensenheugenis intact is gebleven en nu, door opwarming uit elkaar vallend, de voorbode is van dramatisch hogere zeespiegels.[78] Maar beide aannamen zijn onjuist.

Uit onderzoek blijkt dat het gebied van Larsen in het midden van de huidige interglaciale periode een 'omvangrijk uiteenvallen van ijsplateaus' beleefde.[79] Het is waarschijnlijk dat het gebied van Larsen vanaf ongeveer 6000 jaar geleden tot zo'n 2000 jaar geleden open water was.[80] Het maximale ijsplateau dateert pas van de kleine ijstijd van een paar honderd jaar geleden, en een groot deel daarvan is vervolgens ingestort – net als de gletsjers.

Bovendien veroorzaakte het uiteenvallen van het ijsplateau geen stijging van de zeespiegel, omdat het al dreef.[81] Hoewel het er waarschijnlijk toe leidde dat andere ijsplateaus sneller de zee ingleden en gletsjers zich definitief terugtrokken, laat het verhaal een belangrijk feit onvermeld.[82] De neerslag op het Antarctische Schiereiland neemt, waarschijnlijk als gevolg van de klimaatverandering toe, waardoor het afsmelten waarschijnlijk meer dan gecompenseerd wordt.[83] Dat wil zeggen dat, niettegenstaande de spectaculaire beelden van Larsen-B, het Antarctisch Schiereiland waarschijnlijk betrokken is bij een algehele *verlaging* van de zeespiegel.

Dit is ook het verhaal van het continent. Terwijl het grootste deel van Antarctica zo koud is dat ijs er niet eens begint met smelten, betekent meer warmte meer neerslag en dus een toename van de Antarctische ijslaag, ofwel een daling van de zeespiegel, en dat in alle modellen.[84] Hoewel onderzoeken niet met zekerheid uitwijzen of Antarctica op dit moment ijs ophoopt of verliest, voorspellen alle modellen voor de komende eeuw toenemende accumulatie.[85]

Bedreigde pinguïns?

Al Gore laat ons ook zien welke dramatische gevolgen de keizerpinguïns, de dieren die in 2005 figureerden in de documentaire *March of the Penguins*, ondervinden van de stijgende temperaturen op het Antarctisch Schiereiland.[86] Deze pinguïnkolonie, maar 500 meter bij het baanbrekende Franse onderzoeksstation Dumont D'Urville vandaan, wordt al sinds 1952 contant geobserveerd. De kolonie had tot de jaren zeventig constant een omvang van ongeveer zesduizend broedende paren gehad en daalde toen abrupt naar ongeveer drieduizend paren; sindsdien is deze stabiel gebleven.[87] Er is mogelijk een verband met klimaatverandering, hoewel de plotselinge afname dit minder aannemelijk maakt.[88] Maar het is maar één en een vrij kleine kolonie tussen de ongeveer veertig kolonies rond Antarctica, maar, vanwege de ligging, wel de best bestudeerde.[89] Sommige van de grootste kolonies bestaan elk uit meer dan 20 000 paren en verscheidene ervan groeien mogelijk.[90] De IUCN schat dat er bijna 200 000 paren zijn, dat de populatie stabiel is en labelt deze als de 'minst zorgbehoevende'.[91]

Bovendien is bij een andere belangrijke Antarctische pinguïn, de Adéliepinguïn, in hetzelfde gebied in de afgelopen twintig jaar een toename waargenomen van meer dan 40 procent, wat illustratief is voor het probleem dat mensen soms domweg iets toeschrijven aan het broeikaseffect, maar daarbij vaak niet het hele verhaal vertellen.[92]

Dit betekent, samengevat, niet dat zich door de opwarming van de aarde geen stijging van de zeespiegel zal voordoen, maar die stijging zal geen 6 meter of meer zijn, maar – geheel in lijn met de voorspellingen van het IPCC – deze eeuw ongeveer 30 centimeter bedragen, dus ongeveer evenveel als we in de afgelopen 150 jaar hebben meegemaakt.

Maar wat zullen de gevolgen zijn van deze zeespiegelstijging? Vaak wordt ons het beeld voorgehouden dat de samenleving de almaar stijgende zeespiegel passief accepteert.[93] Maar dat lijkt alleszins onaannemelijk, want we hebben de afgelopen 150 jaar niet passief zitten toekijken hoe de golven steeds hoger werden. Rationele landen zullen strategieën kiezen die in feite de kosten verlagen terwijl de zeespiegel stijgt.

Laten we eens kijken naar een paar van de beste modellen en het meest waarschijnlijke toekomstscenario.[94] Momenteel hebben jaarlijks 10 miljoen mensen te maken met overstromingen langs de kust (en ongeveer 200 miljoen mensen wonen in gebieden waar een overstromingsgevaar geldt). Zelfs als er geen broeikaseffect zou zijn, zou dit aantal toenemen doordat zich meer mensen op gevaarlijke plekken vestigen, doordat de bevolking toeneemt én doordat kustgebieden aantrekkelijker worden gevonden. Dit is evident in de VS, waar de totale bevolking in de afgelopen eeuw is verviervoudigd, maar de bevolking langs de kusten van Florida tot ruim het vijftigvoudige is uitgegroeid.[95]

Bovendien daalt in veel landen en steden de bodem – in wezen zinkt die. Venetië is hiervan misschien het bekendste voorbeeld. Dit zinken heeft vele verschillende oorzaken. In Santa Clara in Californië bijvoorbeeld, is door vrijwel continu watergebruik tussen 1920 en 1970, voordat het oppompen van water streng gereguleerd werd, het grondwaterniveau 50 meter gedaald, waardoor de bodem van de vallei ongeveer 4 meter is gezakt.[96]

Dus wat gebeurt er omstreeks 2085? Als we niets doen, zullen we, zelfs zonder opwarming van de aarde, een scherpe toename zien van het aantal mensen dat te maken krijgt met overstromingen, tot 25 miljoen per jaar, terwijl het aantal mensen in de gevarenzone oploopt tot 450 miljoen. Het lijkt net als hierboven nogal onaannemelijk dat we geen relatief goedkope maatregelen zouden nemen als het aanleggen van waterverdediging (zoals in Londen de Thames Barrier), zeedijken, rivierdijken en kustbescherming, en – in een enkel geval – het opgeven van land. Als we slim investeren, zullen we tegen 2085 geen last hebben van overstromingen, gewoon omdat we rijker zijn en ons betere bescherming kunnen veroorloven.

Door de opwarming van de aarde en de stijgende zeespiegel zullen veel meer mensen door overstromingen getroffen worden – als we niet veranderen. Met meer dan 30 centimeter zeespiegelstijging zal het water jaarlijks ongeveer 100 miljoen mensen overspoelen. Dit zijn de cijfers die vaak worden rondgebazuind, maar die gaan vanzelfsprekend volledig voorbij aan het feit dat samenlevingen maatregelen nemen. Als ze er 150 jaar geleden, toen ze veel armer waren, mee om konden gaan, is het aannemelijk dat ze dat efficiënter zullen doen als ze veel rijker zijn.

Het is zelfs waarschijnlijk dat tegen vrij lage kosten jaarlijks geen 100 miljoen mensen, maar minder dan 1 miljoen mensen met overstromingen te maken krijgen. Vandaag de dag worden 10 miljoen mensen overstroomd; over tachtig jaar, bij een hogere zeespiegel, meer opwarming en veel meer mensen, zal dit aantal niet vertienvoudigd, maar met een tiende *afgenomen* zijn, omdat rijke samenlevingen veel effectiever maatregelen tegen overstromingen kunnen nemen.

In feite zijn de resultaten nog beter. Als we uitgaan van een milieuvriendelijker toekomst, waarin de zeespiegelstijging minder zou zijn, kunnen we instinctief minder overstromingen verwachten. Zo'n milieuvriendelijke toekomst zou echter ook een minder rijke zijn – het IPCC verwacht dat mensen in de jaren 2080 gemiddeld 72 700 dollar zullen verdienen, terwijl ze in een milieuvriendelijker wereld maar 50 600 dollar zouden verdienen.[97] Ondanks dat de zeespiegelstijging een derde lager uitvalt, zouden in de milieuvriendelijke wereld *meer* mensen met overstromingen geconfronteerd worden, gewoon omdat ze ook armer zouden zijn.[98]

We zullen heel weinig droog land kwijtraken door de hogere zeespiegel. Naar schatting zullen vrijwel alle landen in de wereld bijna overal een bijna maximale kustbescherming aanleggen, simpelweg omdat dat vrij goedkoop is. Dat was ook wat we zagen toen we het over de historische binnenstad van Miami hadden. Voor meer dan 180 van de 192 landen op de wereld zal kustbescherming minder dan 0,1 procent van hun BBP kosten en nagenoeg 100 procent bescherming bieden.[99]

Zelfs enkele van de kwetsbare landen die vaak symbool staan voor de rampzalige gevolgen van het broeikaseffect blijven dan vrijwel geheel beschermd. Micronesië, een federatie van 607 kleine eilanden in de westelijke Stille Oceaan met een totaal grondgebied van maar vier maal dat van Washington DC, zal het hevigst worden getroffen.[100] Als er niets gebeurt, zal Micronesië aan het eind van de eeuw zo'n 21 procent van zijn grondgebied kwijt zijn.[101] Met bescherming zal het slechts 0,18 procent van zijn grondgebied verliezen. Maar als we in plaats daarvan kiezen voor een op het milieu gerichte toekomst van minder zeespiegelstijging en minder economische groei, zal Micronesië uiteindelijk een *groter* areaal kwijtraken, namelijk een van 0,6 procent, ofwel meer dan driemaal zoveel. Armere landen hebben immers minder middelen beschikbaar om zich te beschermen tegen de stijgende zeespiegel, ook al verloopt deze stijging minder snel.

Merk ook op dat het meest kwetsbare land waarschijnlijk meer dan 99,8 procent van zijn grondgebied zal behouden – geen echte catastrofe dus. Voor Tuvalu zal het landverlies met bescherming maar 0,03 procent zijn, terwijl in de milieuvriendelijke wereld het inkomen lager en het landverlies drie keer hoger zal zijn. Voor de Malediven bedraagt het verlies zonder bescherming 77 procent, maar met bescherming kan dit beperkt blijven tot 0,0015 procent. Voor Vietnam zal het verlies aan grondgebied ongeveer 0,02 procent bedragen en in Bangladesh zal het – misschien verrassend – zo goed als nihil zijn, namelijk 0,000034 procent. Maar ook hier zou het verlies in een milieuvriendelijke wereld veel groter zijn.

Waarom zijn deze verliezen zoveel lager dan je meestal hoort? Dit is het gevolg van het simpele feit dat elk land te maken heeft met kosten en baten. Micronesië zou 21 procent van zijn grondgebied verliezen en dat zou het land 12 procent van zijn BBP kosten, terwijl het voor 7,4 procent van zijn BBP vrijwel alles kan behouden, waardoor bescherming een betere deal is. Voor alle andere landen ligt de verhouding nog gunstiger en is de bescherming dus ook een betere keus.

Het landverlies van 77 procent van de Malediven is zelfs meer waard dan het hele BBP van het land (122 procent), terwijl bescherming ongeveer 0,04 procent van het BBP zal kosten, waardoor bijna elke vierkante meter het behouden waard is.[102] Terwijl Vietnam zonder bescherming zo'n 15 procent van zijn land zou verliezen en een BBP-verlies van 8 procent zou lijden, bedragen de kosten van bescherming ook daar ongeveer 0,04 procent van het BBP.

Een andere manier om dit uit te leggen is wijzen op het feit dat wij, ondanks de zeespiegelstijging sinds 1850, maar een heel gering landverlies hebben toegestaan, precies omdat de waarde van het land veel hoger was dan de kosten van bescherming ervan. Het spreekt vanzelf dat dit met rijkere landen en een beperktere hoeveelheid land de komende eeuw zo zal blijven.

Toch vertelt een hele menigte opinieleiders ons dat de gevolgen rampzalig zijn en we onze manier van leven moeten veranderen. Tony Blair zegt: 'De zeespiegel stijgt en zal volgens de voorspellingen voor 2100 nog 88 centimeter stijgen waardoor wereldwijd 100 miljoen mensen die nu onder de zeespiegel leven, worden bedreigd.'[103] En dus moeten we Kyoto implementeren.

Maar net als met betrekking tot temperatuurstijging het geval was, vertellen de modellen ons dat Kyoto een heel gering effect zal hebben op de zeespiegel. Als iedereen, ook de VS en Australië, Kyoto zou implementeren en zich de hele eeuw lang aan de overeenkomst zou houden, zou dat de stijging van de zeespiegel in 2100 ongeveer vier jaar uitstellen, tegen aanzienlijke kosten.[104] De wereld zou armer zijn, maar niet veel beter in staat met de problemen om te gaan.

Voorts vertelt Greenpeace ons dat de Malediven in de zee zullen verdwijnen en 'als de huidige opwarmingstrend doorzet, steden als Londen, Bangkok en New York uiteindelijk onder de zeespiegel zullen verdwijnen – waardoor miljoenen verdreven worden en gigantische economische schade wordt aangericht'.[105] De oplossing is snelle reductie van de CO_2-uitstoot, en dat is 'onze enige hoop om een desastreuze zeespiegelstijging te voorkomen'. Maar dat is allesbehalve wat de beste modellen ons vertellen. De schrille boodschap van de door de zee verzwolgen Malediven staat haaks op de feitelijke raming van 0,0015 procent verlies van droog land. Er zal heel weinig droog land verloren gaan, omdat het nu eenmaal lonend is om maatregelen te nemen teneinde groter verlies te voorkomen.'

Als ons doel verhoging van het welzijn van mensen en het milieu is, en niet alleen het reduceren van koolstofemissies, moeten we ons in alle openheid afvragen wat de beste manier is om dat te doen. Te weinig aan klimaatverandering doen is zeker verkeerd, maar blijkbaar geldt dat ook voor te veel doen. Als we ervoor kiezen ons te richten op een wereld waarin wij en in het bijzonder de ontwikkelingslanden rijker worden, zullen we vermoedelijk een verwaarloosbaar verlies aan grondgebied zien. Alleen als onze angst ons doet kiezen voor het pad van een milieugerichte en veel minder rijke toekomst, zullen onze daden – ondanks alle goede bedoelingen – tot meer landverlies en een verlaging van het menselijk welzijn leiden.

Extreem weer, extreme hype

Heviger en meer frequente orkanen zijn een van de standaardvoorstellingen geworden van zorgen over de opwarming van de aarde. De National Resources Defense Council beweert: 'Opwarming van de aarde veroorzaakt geen orkanen, maar maakt ze heviger en gevaarlijker.'[106] Friends of the Earth verkondigt: 'Orkanen in Florida. Stormen in Groot-Brittannië. Extreme weersverschijnselen doen zich volgens de voorspellingen frequenter voor als gevolg van klimaatverandering.'[107] Greenpeace laat weten: 'Er zijn sterke aanwijzingen dat extreme weersverschijnselen – zoals orkanen – ... toenemen (en zwaarder en meer frequent worden) als gevolg van klimaatverandering.'[108] De aangedragen oplossing is onveranderlijk beperking van de CO_2-uitstoot en implementatie van Kyoto.

Door het hevige orkaanseizoen van 2005 en de verwoesting van New Orleans door orkaan Katrina heeft deze boodschap veel meer weerklank gekregen. Al Gore besteedt 26 pagina's foto's aan de ellende in New Orleans en noemt elke orkaan van 2005 apart. Toen Robert F. Kennedy de tragedie in New Orleans aanschouwde weet hij deze aan de VS die 'het Kyoto-protocol van de rails hadden doen lopen' en zei hij: 'Nu leren we allemaal wat het is om de bittere vruchten te eten van de afhankelijkheid van fossiele brandstoffen.'[109] Slechts één dag nadat Katrina Louisiana verwoestte, beweerde Ross Gelb: 'De echte naam (van de orkaan) is "opwarming van de aarde".'[110] Deze beweringen zijn net zo overdreven als alle verhalen over de ijsberen. Ze zijn enorm overtrokken en ze leiden ertoe dat we ons over de verkeerde dingen zorgen maken.

Heeft de opwarming van de aarde vaker en krachtiger orkanen veroorzaakt, en wat zal er in de toekomst gebeuren? Laten we in dit verband kijken naar de laatste consensus-uitspraak van de World Meteorological Organization van de Verenigde Naties (de moeder-organisatie van het IPCC), die recenter en specifieker dan, maar in het algemeen in overeenstemming is met het IPCC-rapport uit 2007.[111] Daarin worden drie krachtige en specifieke punten gemaakt.

1 Hoewel er heden zowel bewijs is voor als bewijs tegen het bestaan van een waarneembaar antropogeen (door de mens veroorzaakt) signaal in de data over tropische cyclonen, kunnen op dit punt thans geen definitieve conclusies worden getrokken.[112]

Feitelijk maken ze ons duidelijk dat de stellige uitspraken over meer en heviger orkanen (of tropische cyclonen, zoals onderzoekers ze noemen) die door de mens zouden worden veroorzaakt, domweg niet door de feiten worden ondersteund. We weten het gewoon nog niet. Het is niet waar dat er sprake is van 'wetenschappelijke consensus over de aanname dat opwarming van de aarde orkanen krachtiger en destructiever maakt,' zoals Al Gore beweert.[113]

2 Geen enkele tropische cycloon kan direct worden toegeschreven aan klimaatverandering.

De stellige publieke uitspraken over de orkaan Katrina worden domweg niet ondersteund door de feiten.

Maar het derde punt van de WMO-consensus is misschien wel het belangrijkste. We maken ons zelden druk over orkanen op zich – waar we ons druk over maken is de schade die ze aanrichten. Eisen ze slachtoffers en veroorzaken ze grootschalige ontwrichting? En zullen ze met het broeikaseffect nog dodelijker en verwoestender worden? Het antwoord is – misschien verrassend – dat het hele orkaandebat zich bezijden deze belangrijke vraag afspeelt.

3 De toenemende impact op de samenleving van tropische cyclonen

is grotendeels toe te schrijven aan toenemende concentraties van bevolking en infrastructuur in kustgebieden.[114]

Daar het theoretische debat over de vraag of orkanen al of niet toe-nemen waarschijnlijk niet op korte termijn in een eenduidig ant-woord zal resulteren, gaan de meeste waarnemers er maar toe over erop te wijzen dat de *schade* als gevolg van orkanen dramatisch en snel stijgt. Al Gore sluit zijn bespreking van orkanen af met een verwijzing naar de historisch gestegen stijging van de kosten van orkanen en overstromingen en beweert dat dit de 'onmiskenbare economische impact van de opwarming van de aarde' is.[115] Hij zegt dat aan het weer gerelateerde rampen, die 'gevolg zijn van klimaat-verandering' tegen 2040 wel 1 biljoen dollar kunnen kosten.[116] De bedragen zijn juist. Maar het is onjuist ze toe te schrijven aan op-warming van de aarde.

De mondiale kosten van aan het klimaat gerelateerde rampen zijn in-derdaad over de afgelopen halve eeuw onstuitbaar toegenomen.[117] Maar die kosten over een lange tijdsduur vergelijken heeft weinig zin als je daarbij geen rekening houdt met veranderingen in demografie en economische welvaart. Wereldwijd zijn we nu met tweeënhalf keer zoveel mensen als in 1950, iedereen is drie keer zo rijk geworden, en we hebben onze welvaart onder meer gebruikt om naar mooie kust-landschappen te verhuizen – risicogevoelige gebieden.[118]

Er zijn dus veel meer mensen die in veel kwetsbaarder gebieden wonen met veel meer activa die verloren kunnen gaan. In Florida, in de counties Dade en Broward, wonen nu meer mensen dan er in 1930 woonden in alle 109 counties langs de kust van Texas tot Virginia, aan de Golf van Mexico en de Atlantische Oceaan samen.[119]

Als we naar de orkaanschade in de VS over de afgelopen 105 jaar kijken, lijkt die de bewering van Gore te staven – dat de economische kosten dramatisch oplopen – waarbij slechts drie jaar in het recente verleden eruit springen. Orkaan Andrew brak in 1992 alle voorgaande records, de orkanen Charley en Ivan zetten in 2004 nieuwe records, die op hun beurt weer in het niet vielen bij Katrina en de andere orka-nen van 2005.[120]

Maar een groep onderzoekers begon zich af te vragen of de eerste helft van de eeuw misschien zoveel goedkoper af was omdat er minder mensen en minder activa waren die schade konden oplopen. Dus stelden ze de hypothetische vraag hoeveel de schade zou hebben bedragen als alle orkanen van de laatste 105 jaar de VS zouden hebben getroffen zoals die nu is, met het huidige aantal mensen en de huidige welvaart. Die vraag veranderde het beeld totaal. Als de grote orkaan van Miami vandaag had toegeslagen, zou die de grootste schade ooit in de geschiedenis van Amerikaanse orkanen hebben aangericht. Als deze orkaan net ten noorden van waar orkaan Andrew in 1992 toesloeg aan land was gekomen, zou deze categorie 4-orkaan recht het art déco-district zijn binnengeploegd en daar voor 150 miljard dollar schade hebben aangericht, bijna het dubbele van de schade die Katrina teweegbracht.[121] Toen de orkaan in 1926 toesloeg, werden alle gebouwen in de binnenstad beschadigd of verwoest, maar daar die veel minder talrijk en veel minder waardevol waren, was de totale schade (in hedendaagse dollars) maar een tweehonderdste deel daarvan, namelijk 0,7 miljard dollar.

Hetzelfde geldt voor de op een na hevigste orkaan, die van 1900, die Galveston rechtstreeks trof en de hele stad onder 2 tot 5 meter water zette.[122] Als deze vandaag had toegeslagen, zou de schade ongeveer 100 miljard dollar hebben belopen, maar in 1900, toen er minder en eenvoudiger gebouwen waren, was de schade 'slechts' ongeveer 0,6 miljard.[123]

Wanneer we de schade die alle orkanen vandaag zouden hebben aangericht onderling vergelijken, staat Katrina op de derde plaats met 81 miljard dollar, gevolgd door de Galveston-orkaan in 1900 met 68 miljard dollar, en dan komt de orkaan Andrew met 56 miljard dollar. Er is geen sprake van een in de loop van de eeuw toenemende schade door warmere en nieuwere orkanen die steeds erger worden. Wat we zien is veeleer het effect van meer mensen met meer spullen die zich ophouden op plaatsen waar ze meer risico lopen, zoals de WMO-consensus uitlegt.

Wat dit ook duidelijk maakt, is dat de schade zal blijven toenemen zolang meer mensen met meer spullen dichter bij zee gaan wonen. Daarom is het aannemelijk dat de kosten in de toekomst hoger zullen worden. De Association of British Insurers heeft berekend dat 'de verliezen dubbel zo groot zouden zijn geweest, als gevolg van toegenomen bebouwing langs de kust en stijgende activaprijzen' wanneer orkaan Andrew in 2002 in plaats van in 1992 had toegeslagen.[124] Een recent rapport van de verzekeringsbranche stelt: 'Verliezen door catastrofes zullen naar verwachting ruwweg elke tien jaar verdubbelen wegens stijging van de bouwkosten, toename van het aantal gebouwen en veranderingen in hun kenmerken.'[125] Dat is de reden waarom de VN in 2040 1 biljoen dollar orkaanschade verwacht – dat is niet het 'gevolg van klimaatverandering'.

Hoe kunnen we potentiële slachtoffers van toekomstige Katrina's, Charleys en Andrews het beste helpen? Onderzoek laat zien wat in de loop van de komende halve eeuw de relatieve impact zal zijn van klimaat- en sociale verandering op schade door orkanen.[126] In essentie maakt het ons duidelijk wat doelmatiger is: de grote knop van het klimaat omdraaien of de knoppen van het sociale beleid omzetten.

Wanneer de samenleving hetzelfde blijft – er gaan niet meer mensen aan de kust wonen, er komen geen dure en dichtbebouwde wijken meer bij – en het klimaat wordt warmer en veroorzaakt de toename in orkanen volgens het *worst case*-scenario, is het totale effect in 2050 een toename van de orkaanschade met minder dan 10 procent. Met andere woorden: als we de klimaatfactoren nu tot staan zouden kunnen brengen, zouden we 10 procent meer schade vermijden tegen het midden van deze eeuw.

Aan de andere kant, als het klimaat hetzelfde blijft – er komt geen verdere opwarming – maar meer mensen bouwen meer en duurdere gebouwen dichter bij zee, zoals ze in het verleden hebben gedaan, zouden we de orkaanschade in 2050 met bijna 500 procent zien toenemen.

Dus als we verschil willen maken, welke knop moeten we dan eerst kiezen – de knop die de schade met nog geen 10 procent vermindert of die waarmee de toename van de schade met 500 procent voorkomen wordt? Het verschil in efficiëntie tussen de klimaatknop en de maatschappelijke knop is een factor van meer dan 50. Dit lijkt te suggereren dat beleid gericht op maatschappelijke factoren in plaats van op klimaat het snelste het meeste effect zal hebben. Maar natuurlijk moeten we ons ook afvragen *in hoeverre* we de knoppen redelijkerwijze kúnnen omdraaien.

Wat betreft de klimaatknop is het duidelijk dat alleen al die op de stand Kyoto zetten uitzonderlijk moeilijk is geweest. Als we iedereen, inclusief de VS en Australië, zouden kunnen overhalen aan Kyoto deel te nemen en zich helemaal tot 2050 aan de steeds restrictiever reducties te blijven houden, zou dat in essentie betekenen dat de temperatuur in 2050 iets lager is, en dat zich een iets geringere toename – een van ongeveer 0,5 procent – van de orkaanschade zou voordoen.[127]

Hoe zit het met de maatschappijknop? We verkeren mogelijk een beetje in het ongewisse over de vraag hoe we het zelfs maar zouden aanpakken om die knop om te draaien, domweg omdat we er heel weinig over horen. Het is duidelijk dat we zouden kunnen proberen mensen ervan te weerhouden naar zee te verhuizen of ze te verbieden mooiere huizen te bouwen, maar dat zou nogal irreëel en ongewenst zijn. Maar er zijn vele andere mogelijkheden. We zouden kwetsbaarheid beter in kaart kunnen brengen – sommige Amerikaanse gemeenschappen zijn nog nooit onderzocht op het overstromingsrisico dat ze lopen. Dat zou het gemakkelijker maken evacuatieplannen te maken, de gemeenschap voor te lichten en noodhulp te distribueren.[128] We kunnen kwetsbaar land onder controle houden, onder meer met bestemmingsplannen, regelgeving, heffingen en aankoop van risicodragend land door de overheid. We kunnen afzien van door de staat gesubsidieerde goedkope verzekeringen die mensen aanmoedigen om zich in gebieden met een hoog risico te vestigen. We kunnen de bouwcodes verbeteren, zodat gebouwen hevige wind beter kunnen weerstaan en we kunnen de bestaande codes beter handhaven. We kunnen beschermende infrastructuur, waaronder zee- en rivierdijken, onderhouden en verbeteren. We kunnen investeren in betere voorspellingen, betere waarschuwingssystemen en efficiëntere evacuatiemethoden. We kunnen de aantasting van het milieu terugdringen, en voorkomen dat het verlies van vegetatie het vermogen van de bodem om water op te nemen vermindert en hellingen destabiliseert waardoor gevaarlijke aardverschuivingen ontstaan. Ook kunnen we zorgen voor natte gebieden en stranden die als natuurlijke barrières tegen orkanen fungeren.

Laten we gewoon eens kijken naar een enkel eenvoudig voorbeeld. Na de orkaan Katrina ontdekte een verzekeringsmaatschappij dat de vijfhonderd beschadigde locaties die alle preventieve maatregelen tegen orkanen hadden uitgevoerd, vergeleken met de locaties waar dat niet was gebeurd, maar een achtste van de schade hadden geleden. [129] Voor het bedrag van 2,5 miljoen dollar hadden deze eigenaren 500 miljoen dollar aan schade vermeden. Vaak kunnen eenvoudige structurele maatregelen, zoals verankering en het vastzetten van dakspanten en muren met behulp van riemen, klemmen of kleefstoffen, enorme voordelen opleveren om orkaanschade te minimaliseren. [130]

Omdat ongeveer 90 procent van de totale schade met eenvoudige ingrepen kan worden voorkomen, kunnen we voorzichtig aannemen dat we de toename van de verliezen op z'n minst kunnen halveren met goedkope en eenvoudige beleidsmaatregelen. Dat zou in de komende halve eeuw een reductie van orkaanschade met 50 procent betekenen.

In een wereld met toenemende orkaanschade als gevolg van zowel de opwarming van de aarde als maatschappelijke factoren, zou Kyoto dus waarschijnlijk de totale toename van de schade met ongeveer 0,5 procent kunnen reduceren en zouden eenvoudige preventieve maatregelen diezelfde schade met ongeveer 50 procent kunnen reduceren – ofwel: honderd keer beter. Bovendien zijn met Kyoto miljarden dollars aan kosten gemoeid terwijl de preventieve maatregelen verscheidene ordes van grootte goedkoper zouden zijn. Dus als we er belang aan hechten potentiële slachtoffers van toekomstige Katrina's en Andrews te helpen, lijkt er geen discussie over mogelijk dat we ons eerst op maatschappelijke factoren moeten richten.

In een notendop: Katrina heeft ons inderdaad de ogen geopend. Wat de tragedie in New Orleans veroorzaakte was niet de orkaan zelf – het was geen 'killer' van categorie 5 maar een gewone orkaan van categorie 3 die al jaren werd voorspeld. [131] Modellen en simulaties hebben herhaaldelijk laten zien dat New Orleans niet was voorbereid op een direct treffen. [132] In de woorden van een van de experts: het was 'een ramp waar je op kon wachten' en anders dan bij eerdere gelegenheden was het geluk van New Orleans dit keer op.

Een klimatoloog merkte op: 'Het is waarschijnlijk dat deze orkaan zou hebben plaatsgevonden los van enige recente toename van de broeikasgassen.' [133] Aan de andere kant is het duidelijk dat de catastrofe plaatvond als gevolg van slechte planning, slecht onderhoud van rivierdijken en milieu-aantasting van de natte gebieden die de stad afschermen. Dus als u in de jaren negentig belast was geweest met het helpen van potentiële slachtoffers van toekomstige Andrews, zou u niet eerst hebben uitgedokterd hoe u de broeikasgassen zou kunnen terugdringen, maar had u stevig geïnvesteerd in betere planning, betere rivierdijken en gezonder natte gebieden. En die les blijft staan als we proberen de verliezen van toekomstige Katrina's te voorkomen.

Het is misschien ontnuchterend te beseffen dat terwijl de geïndustrialiseerde wereld (en de grote verzekeringsmaatschappijen) zich zorgen maken over de stijgende financiële kosten, orkanen in de derde wereld veel minder kosten, maar veel meer dodelijke slachtoffers eisen.[134] Toch blijft ook hier de boodschap dezelfde. We weten dat effectieve maatregelen – anders dan investeringen in CO_2-reductie – die de verliezen door rampen beperken, mogelijk zijn, zelfs in situaties van armoede en grote bevolkingsdichtheid.[135] Tijdens het orkaanseizoen van 2004 leerden we dat van Haïti en de Dominicaanse Republiek, die het eiland Hispaniola delen. Zoals Julia Taft van het Ontwikkelingsprogramma van de VN (UNDP) uitlegde: 'In de Dominicaanse Republiek, die geïnvesteerd heeft in orkaanschuilkelders en netwerken voor noodevacuatie, vielen minder dan tien doden te betreuren, in Haïti vielen er naar schatting 2000... Haïtianen liepen honderd keer meer kans om te komen bij een vergelijkbare storm dan Dominicanen.'

We moeten ons afvragen hoe we het meest goed kunnen doen. In de woorden van twee van de topspecialisten op het gebied van orkaanverliezen:

'Zij die de noodzaak van reductie van broeikasgassen rechtvaardigen door de oplopende humanitaire en economische tol van natuurrampen wereldwijd uit te buiten, zijn ofwel slecht geïnformeerd of oneerlijk... Het voorschrijven van emissiereductie om de toekomstige effecten van rampen af te wenden is te vergelijken met iemand die een zittend bestaan lijdt, te dik is en te veel drinkt vertellen dat een gordel dragen de beste manier is om zijn gezondheid te verbeteren.'[136]

Overstromende rivieren

Het verhaal van de overstromende rivieren is in grote lijnen hetzelfde als dat van de zorgen over orkanen. Het probleem kreeg hernieuwde aandacht door ongewoon zware overstromingen in de jaren negentig en de eerste jaren van de eenentwintigste eeuw in plaatsen in de VS, Polen, Duitsland, Frankrijk, Spanje en het Verenigd Koninkrijk.[137] Heel vaak wordt een expliciet verband gelegd met klimaatverandering. Na de zware overstromingen in Praag en Dresden in 2002 gebruikten zowel de Britse premier Blair als de Franse president Chirac als de Duitse kanselier Schröder de overstroming als illustratief voor de gevolgen van opwarming van de aarde en betoogden ze dat we ons daarom aan Kyoto moeten houden.[138] Volgens Schröder laat deze overstroming zien dat 'klimaatverandering niet langer een sceptische prognose is, maar een harde werkelijkheid. Deze uitdaging vraagt om beslissende actie' waaronder hij de eis verstond dat 'alle staten het Protocol van Kyoto ratificeren'.[139]

En ja, het klopt dat opwarming van de aarde op den duur tot meer neerslag zal leiden, vooral tot zware regenval.[140] Modellen laten ook zien dat dit tot meer overstromingen zal leiden.[141] Er zijn ook wat aanwijzingen dat er al sprake is van toenemende regenval, hoewel het IPCC nog niet in staat is geweest een verband te leggen met opwarming.[142] Dus lijkt het erop dat Schröder misschien een punt heeft.

Maar er zijn twee problemen met het argument van Schröder. Ten eerste lijkt de toenemende regenval zich niet te vertalen in een toename van overstromende rivieren. Dit is de conclusie uit een wereldwijde steekproef onder bijna tweehonderd rivieren, waarvan er 27 inderdaad steeds hogere doorstroming, maar meer rivieren (31) een lagere doorstroming van water lieten zien en de grote meerderheid geen trend vertoonde.[143] Dit geldt ook voor het kleinere aantal rivieren over de hele wereld waarover we lange tijdreeksen hebben.[144] Waarom is dat zo?

Wanneer we de Amerikaanse rivieren bestuderen, zien we dat toenemende neerslag een toenemende doorstroming veroorzaakt, maar als we nagaan *wanneer* die toename plaatsvindt, blijkt dat dit meestal in het najaar gebeurt, wanneer er in het algemeen minder doorstroming is en minder overstromingsrisico, terwijl de toenemende neerslag zelden in het voorjaar en bij een hoge doorstroming voorkomt.[145] Ook in Europa bleek uit een onderzoek naar twee grote rivieren, de Oder en de Elbe (die in 2002 Praag en Dresden onder water zetten) dat in de loop van de afgelopen eeuwen de zomerse overstromingen geen trend laten zien en de winterse overstromingen zelfs zijn *afgenomen*.[146] Dit is duidelijk gecorreleerd aan historische aanwijzingen die veel grotere overstromingsrisico's laten zien in de koudere klimaten van de kleine ijstijd.[147] Met veel sneeuw en late dooi werden opgezwollen rivieren dikwijls door zich opstapelend ijs geblokkeerd waardoor het waterpeil steeg en er overstromingen en dijkdoorbraken volgden.[148] Dit patroon was de voornaamste oorzaak van overstromingen van de benedenloop van de Rijn tijdens de kleine ijstijd, waarbij in Nederland bijna alle dijken door opgehoopt ijs doorbraken. Dit soort overstromingen is, als gevolg van de opwarming, in de twintigste eeuw sterk afgenomen.[149] Op dezelfde manier blijkt uit een analyse van de Duitse rivier de Werra dat het de grootste overstromingsrivier in het eerste decennium van de achttiende eeuw was.[150] De overstromingen van de Moldau in Tsjechië zijn de afgelopen eeuw afgenomen.[151]

We schijnen een uiterst selectief geheugen te hebben als het om overstromingen gaat, in onze aanname dat onze tijd bijzonder is. En in zekere zin is die dat ook, maar misschien niet op de manier die we ons voorstellen. In het algemeen neemt het aantal doden en gewonden als gevolg van overstromingen af; in periodes vóór de negentiende eeuw zijn er grote aantallen mensen omgekomen terwijl het dodental in de twintigste eeuw aanzienlijk lager is en in de jaren negentig van de vorige eeuw nog lager werd.[152] Overstromingen nemen een belangrijke plaats in in onze hele geschiedenis. Op twee na vonden de 56 grote overstromingen die Florence sinds 1177 troffen voor 1844 plaats.[153]

Wat in onze tijd opvalt is dat de *economische* verliezen de afgelopen jaren sterk gestegen zijn, en zo'n 25 procent uitmaken van alle economische verliezen als gevolg van natuurrampen in de afgelopen 55 jaar.[154] Maar net als bij orkanen lijkt deze trend meer verband te houden met andere factoren dan klimaatverandering, en dat is het tweede probleem met het verhaal van kanselier Schröder.

Ongeacht wat de toekomst van het klimaat brengt, de gevolgen van overstromingen kunnen in ernst blijven toenemen. Zoals het Amerikaanse Congressional Office of Technology Assessment aangaf: 'Kwetsbaarheid voor schade door overstroming zal waarschijnlijk blijven toenemen', vooral doordat de bevolking in overstromingsgevoelige gebieden blijft groeien, waardoor er meer eigendommen en meer mensen gevaar lopen, terwijl de verwoesting van natte gebieden die de kans op overstromingen verminderen blijft doorgaan.[155]

Dit is in niet geringe mate te wijten aan het grootschalig gebruik van rivierdijken. In de VS is ongeveer 40 000 kilometer rivierdijken te vinden – genoeg om de hele wereld langs de evenaar te omcirkelen. Het probleem is dat mensen waar rivierdijken zijn minder voorzorgsmaatregelen nemen ('we zitten veilig achter de dijk'), en dat ze meer mensen aanmoedigen zich met duurdere gebouwen achter de dijken te vestigen. Dit zou prima zijn als het overstromingsrisico tot nul zou zijn gereduceerd, maar zoals de National Academy of Science stelt is het 'kortzichtig en dwaas om zelfs het meest betrouwbare stelsel van rivierdijken als absoluut veilig te beschouwen'.[156] Dus de schade is waarschijnlijk groter wanneer het dijkenstelsel een keer faalt, en dat is onvermijdelijk.

Bovendien leiden rivierdijken zelf tot meer overstromingen.[157] Stel je hebt een rivier van een kilometer breed.[158] Neem nu aan dat deze door een rivierdijk wordt afgeknepen tot 500 meter. Als de rivier dezelfde hoeveelheid water moet verwerken, moet het waterniveau op het smalle punt en stroomopwaarts hoger stijgen. Op vergelijkbare wijze kunnen rivierdijken stroomafwaarts het hoogwaterniveau opstuwen door het vermogen van de bedding om water op te slaan te reduceren. Op plaatsen die vroeger overstroomd zouden zijn, ontneemt een rivierdijk die het land beschermt de rivier ook de mogelijkheid van wateropslag, waardoor het hoogwater sneller en in grotere hoeveelheden stroomafwaarts gaat. Dus overal waar een rivierdijk wordt aangelegd, betekent dit dat het waterniveau zowel stroomopwaarts als stroomafwaarts zal stijgen, wat er weer toe leidt dat anderen hun dijken verhogen; het gevolg is een onprettig haasjeover-spel omdat niemand de laagste dijk wil.

Deze stijging van hoogwater is systematisch gedocumenteerd voor de benedenloop van de rivier de Missouri. Stromen die in het begin van de twintigste eeuw volledig bedwongen werden door het Missouri-kanaal leiden nu tot overstromingen en extreem hoge waterstanden zijn nu 4 meter hoger dan ze in de jaren 1930 zouden zijn geweest.[159]

Net als bij orkanen is hier sprake van een situatie waarin verreweg het grootste deel van de schade het gevolg is van maatschappelijke in plaats van klimaatsfactoren.[160] In 1929 bedroeg de gemiddelde jaarlijkse schade door overstromingen ongeveer een half miljard dollar (tegen de huidige waarde). Nu ligt de schade in de buurt van de 5 miljard – dat is tien keer zo veel. Maar natuurlijk hebben we ook veel meer mensen met meer bezittingen die in of nabij uiterwaarden wonen.

Eén manier om het tij te keren is onderzoeken wat de omvang is van de goederen van de natie die elk jaar door overstromingen worden beschadigd. Dit geeft duidelijk een ander beeld. In 1929 raakte van elke 1 miljoen dollar aan goederen 200 dollar beschadigd, terwijl nu van elke 1 miljoen maar 70 dollar verloren gaat. Dit wijst uit dat naarmate de samenleving over meer tastbare rijkdommen beschikt, er bij overstromingen meer schade wordt geleden, maar in feite gaat het daarbij om een steeds kleiner deel ervan. Over het geheel genomen richten overstromingen niet meer maar minder schade aan.

Dit betekent niet dat we er niet naar zouden moeten streven overstromingen nog minder schadelijk te maken, maar net als bij orkanen moeten we ons wel afvragen waar we het eerst het meest kunnen bereiken.

Het enige grootschalige onderzoek naar de invloed van klimatologische en sociale factoren op overstromingen is een *Foresight*-studie van de Britse regering. Hierin wordt aangetoond dat we door Kyoto te implementeren in staat zouden zijn de schade door overstromingen langs de kust en van rivieren met 3 procent te verminderen.[161] Aan de andere kant zijn er, als we ons zouden toeleggen op de aanpak van concrete oorzaken van overstromingen, allerlei kansen om de stijgende trend van de schade te keren, te stabiliseren en misschien zelfs om te buigen. We zouden mensen beter informeren over de risico's, wat tot minder achteloze bebouwing en meer voorzorgsmaatregelen zou leiden. Dit zou ook betekenen dat we geen subsidies meer verstrekken voor bebouwing in uiterwaarden – anders dan wat nu rondom St. Louis gebeurt.[162] We zouden een stringentere ruimtelijke planning in acht nemen, zoals nu al het geval is in plaatsen als Denver en Boulder, Colorado, Austin, Texas, Phoenix, Arizona en Charlotte, North Carolina. Daar beperken een streng gelimiteerde inbreuk op natuurgebieden en geleide stadsontwikkeling het overstromingsgevaar.

We zouden selectiever gebruik maken van rivierdijken en sommige uiterwaarden gebruiken waar ze voor bedoeld zijn – af en toe overstroomd worden, waardoor ze als buffers werken voor het overige gebied. We zouden van sommige gebieden weer natte gebieden kunnen maken, wat zowel de overstromingen zou tegengaan als de kwaliteit van het milieu ten goede zou komen.

De kosten van dergelijk beleid zouden verscheidene ordes van grootte lager liggen dan de biljoenen dollars van Kyoto en het zou veel sneller effect sorteren. Het Britse *Foresight*-onderzoek laat zien dat verstandig, zinnig waterbeheer minimale kosten meebrengt en tot een reductie van de schade leidt van 91 procent.[163]

Het is de moeite waard te beseffen wat het verschil in efficiëntie is tussen Kyoto en waterbeheer. Om het Verenigd Koninkrijk als voorbeeld te gebruiken: voor ongeveer 0,01 procent van het BBP krijg je het voordeel van vermindering van de schade van 0,12 procent van het BBP – een baten-kostenverhouding van 11. Bij Kyoto krijg je voor kosten die 0,5 procent van het BBP bedragen een voordeel van 0,00009 procent van het BBP.[164] Of om het onder één noemer te brengen: elke dollar die aan Kyoto wordt uitgegeven zou indien uitgegeven aan waterbeheer, 1300 keer zoveel goeds opleveren in termen van overstromingsrisico.

De overstromingen lopen niet uit de hand; de kosten nemen af in verhouding tot onze totale welvaart. Ze zijn geen signaal van het broeikaseffect en van toenemende hevige regenval, maar de financiële consequenties van overstromingen nemen sterk toe vanwege de toegenomen bevolking en de rijkdommen achter rivierdijken die het én af en toe laten afweten én tot meer overstromingen elders leiden.

We komen terug op kanselier Schröder die er op aandrong dat we toekomstige overstromingsslachtoffers in Dresden zouden helpen door ons te richten op Kyoto. Hier zouden enorme bedragen mee gemoeid zijn, terwijl het op de korte termijn nauwelijks effect heeft, omdat het problemen die zich voordoen aan het eind van de eeuw vijf jaar uitstelt. In wezen is het een belofte aan de burgers van Dresden dat hun stijgende overstromingsschade een heel klein beetje langzamer zal stijgen.

Aan de andere kant kan maatschappelijk beleid gericht op betere informatie, meer stringent bouwbeleid, minder subsidies, uiterwaarden en meer natte gebieden, de verliezen, tegen veel lagere kosten en veel sneller, beperken of zelfs stabiliseren. Moet dat dus dan niet onze eerste prioriteit moeten zijn?

Een nieuwe ijstijd in Europa

De angst dat de opwarming van de aarde de Warme Golfstroom tot staan brengt is waarschijnlijk – in elke geval tot nu toe – de enige kwestie waaraan zowel een Hollywoodfilm als een *worst case*-scenario van het Pentagon zijn gewijd. Toch is het ook een van de minst gefundeerde angsten.

De Warme Golfstroom en de daarmee samenhangende zeestromen lopen van de Golf van Mexico omhoog langs de Amerikaanse kust naar Newfoundland. Daar vertakt hij zich, waarbij de grootste stroom naar de Canarische Eilanden loopt, maar de stroom waar het in het bijzonder om gaat, loopt door naar de Britse eilanden en Europa en de Noorse Zee.[165] Naarmate er meer water uit de warme stroom verdampt wordt deze steeds zouter en kouder, totdat de stroom in de zeeën tussen Noorwegen en Newfoundland zinkt en langs de bodem van de oceaan terugkeert, waarmee de zogeheten Noord-Atlantische thermohaline circulatie (ook wel bekend als de 'Atlantische transportband') wordt voltooid.

Ongeveer 8200 jaar geleden, toen in Noord-Amerika de laatste ijskap van de ijstijd smolt, vormde zich een gigantisch zoetwaterreservoir rond het gebied van de Grote Meren. Op een dag brak de ijsdam en een ongekende hoeveelheid zoet water stroomde de Noordelijke Atlantische Oceaan in die het zinkende zoute water van de transportband verstoorde.[166] Dit zorgde in Europa voor een kleine ijstijd van bijna duizend jaar. Klimaatwetenschappers maken zich nu zorgen dat zoiets weer kan gebeuren. Natuurlijk is er nu geen ijskap uit de ijstijd of een gigantisch zoetwaterreservoir, maar smeltwater uit Groenland zou zo'n verschijnsel teweeg kunnen brengen.[167]

Cruciaal voor de relevantie van dit verhaal is echter de vraag of het smeltwater van Groenland dezelfde omvang heeft als het oude zoetwaterreservoir – dat is niet het geval. Het IPCC verwacht dat Groenland goed is voor ongeveer een duizendste deel van wat er achtduizend jaar geleden gebeurde. Een team van modelbouwers onderzocht wat er zou gebeuren als Groenland zou smelten in een tempo dat driemaal zo hoog ligt als het IPCC verwacht – of in hun woorden bij 'de bovengrens van mogelijke smelttempo's'.[168] Hoewel ze een afname van de Warme Golfstroom zien, concluderen ze dat 'de algehele kenmerken ervan niet veranderen en dat abrupte klimaatverandering op gang gebracht door het smelten van de Groenlandse ijskap geen realistisch scenario is voor de eenentwintigste eeuw.'[169]

Dit heeft echter beslist geen eind gemaakt aan de angst. De zorg over het onderbreken van de Golfstroom werd voor het eerst geuit in de jaren tachtig, door geochemicus Wallace Broecker, die de theorie een week voordat de wereld in Japan bijeenkwam om het Protocol van Kyoto te bespreken, naar voren bracht. [170] Het idee werd in 1998 gepopulariseerd door William Calvin met een artikel getiteld 'The Great Climate Flip-Flop'(De grote klimaatommekeer) dat de omslag van The Atlantic sierde. Hierin zet hij uiteen hoe de opwarming van de aarde een abrupte afkoeling met huiveringwekkende gevolgen zou kunnen veroorzaken. 'Het Europese klimaat zou meer op dat van Siberië kunnen gaan lijken. Omdat zo'n afkoeling te snel zou gaan om aanpassingen te realiseren in de agrarische productiviteit en in onze voorraden, zou het potentieel een beschavingsverwoestende zaak zijn, die waarschijnlijk zou leiden tot een ongekende bevolkingscrash.'[171]

Deze gedachtegang werd opgepikt door een denktank van het Pentagon en in 2003 verwerkt in een mondiaal scenario. In 2004 onthulde het blad Fortune 'De nachtmerrie van het Pentagon over het weer', een verhaal dat de hele wereld oversnelde met krantenkoppen als 'Nu vertelt het Pentagon Bush: klimaatverandering zal ons vernietigen'.[172] Het onderzoek schetst een 'plausibel' scenario en heeft het nadrukkelijk over een herhaling van de onderbreking van de Golfstroom van 8200 jaar geleden.[173] Het voorspelt een verdrievoudiging van de temperatuurstijging, heviger orkanen en stormen, waardoor tegen 2007 het Nederlandse Den Haag onleefbaar zou zijn. Omstreeks 2010 begeeft de Warme Golfstroom het en omstreeks 2020 is 'het Europese klimaat vergelijkbaar met dat van Siberië'. Doordat de abrupte afkoeling de productiviteit verlaagt, zullen er 'waarschijnlijk agressieve oorlogen worden gevoerd om voedsel, water en energie'. Omstreeks 2030 lijkt een kernoorlog een passende uitkomst.

Het is niet moeilijk te vatten hoe dergelijke verhalen Hollywood inspireerden tot de blockbuster *The Day After Tomorrow*.[174] De film is een alibi voor adembenemende speciale effecten, zoals Manhattan dat begraven wordt onder tot dertig verdiepingen hoog opwaaiende sneeuw en Azië dat getroffen wordt door dodelijke hagelstenen, maat grapefruit. De helikopter van de Britse koningin bevriest in de lucht en talrijke orkanen van 400 kilometer per uur treffen Los Angeles. Temidden van dat alles bindt de onbevreesde paleoklimatoloog Denis Quaid zijn sneeuwschoenen onder om de tocht van Washington D.C. naar New York te maken om zijn zoon te redden. De boosdoener is de vice-president, die een opvallende gelijkenis vertoont met de echte vice-president Dick Cheney. De Cheney-dubbelganger wijst het Protocol van Kyoto arrogant van de hand – het is te duur – en doet zorgen over klimaatverandering van de hand als paniekzaaierij. De scriptschrijvers redden hem van de dood om hem tijdens het hoogtepunt in de film een openbare 'mea culpa'-verklaring te laten uitspreken, *live* uitgezonden op Weather Channel: 'We dachten dat we de kwetsbare systemen van de aarde straffeloos konden aantasten. We hadden ongelijk... ik had ongelijk.'

Het probleem met deze griezelige voorspellingen is dat ze weliswaar tot prachtiges special effects leiden, maar weinig zin hebben. Zelfs als we voorbijgaan aan het feit dat Groenland niet de ontwrichtende hoeveelheid zoet water kan leveren, zal onderbreking van de Warme Golfstroom er niet toe leiden dat Europa een met dat van Siberië vergelijkbaar klimaat krijgt. Bij de gebeurtenissen van achtduizend jaar geleden koelde Europa waarschijnlijk zo'n 1,5 graad Celsius af.[175] Ter vergelijking: het gemiddelde temperatuurverschil tussen Siberië en Europa is 13 graden.[176] Uit schattingen op grond van modellen komen soortgelijke conclusies over de toekomst naar voren.[177]

MIT-oceaanfysicus Carl Wunsch heeft er in *Nature* op gewezen dat de ijstijdpaniek sterk overtrokken is. 'Feitelijk,' zegt hij, 'zijn het windsysteem uitschakelen of de draaiing van de aarde stoppen, of beide, de enige manieren om een oceaancirculatie teweeg te brengen zonder Warme Golfstroom.'[178]

De laatste paniekgolf over de Warme Golfstroom deed zich eind 2005 voor. In de afgelopen 47 jaar hebben wetenschappers de Warme Golfstroom maar vijf keer gemeten, met een schip dat langs 25 graden noorderbreedte van Afrika naar de Bahama's voer.[179] Hun laatste meting deden ze in 2004 en plotseling ontdekten onderzoekers dat er nu mogelijk 30 procent minder water in de richting van het verre noorden kwam dan voorheen.

De krantenkoppen waren voorspelbaar. *National Geographic* riep ons toe: 'Mini-ijstijd kan al snel komen.'[180] *New Scientist* koos het nieuws als een van de belangrijkste verhalen van 2005, dat liet zien dat 'de opwarming van de aarde spoedig uit de hand gaat lopen' en dreigt 'West-Europa in ijzige winters te storten en wereldwijd klimaatsystemen te bedreigen'.[181] De *Sydney Morning Herald* wist er zelfs een mondiale kwestie van te maken en verwees in een artkel met de kop 'Wetenschappers voorzien mondiale koude-explosie' naar *The Day after Tomorrow.*[182]

Een enkeling meende dat die vrees wat voorbarig was. Als de Golfstroom inderdaad zou vertragen, hadden we de temperaturen 1 of 2 graden moeten zien dalen, maar zo'n verandering is niet waargenomen.[183] Carl Wunsch betoogde dat het hier om een hype ging: 'Het verhaal spreekt tot de verbeelding, maar het is een zeer extreme interpretatie van de gegevens. Het is alsof je op vijf willekeurige dagen de temperatuur in Hamburg meet en dan concludeert dat het klimaat warmer of kouder wordt.'[184]

Om meer greep op de Warme Golfstroom te krijgen, verspreidden wetenschappers in 2004 negentien observatieposten dwars over de Atlantische Oceaan, die sindsdien continu gegevens aanleveren. Eind

2006, bij de eerste wetenschappelijke bijeenkomst over de verzamelde gegevens, werd duidelijk dat er geen tekenen zijn dat de Golfstroom zwakker wordt. Het blad *Science* kopte met: 'Vals alarm: Atlantische transportband is toch niet vertraagd.'[185] Een kop uit *New Scientist* luidde: 'Geen nieuwe ijstijd voor West-Europa.'[186] Helaas schijnt geen enkel ander nieuwsmedium dit belangrijk genoeg te hebben gevonden om aan hun lezers door te geven.[187]

Dat is ook de reden geweest waarom het IPCC-rapport van 2006 heel helder is over de Warme Golfstroom: 'Geen van de huidige modellen simuleert een abrupte afname of afsluiting.'[188] De IPCC-modellen suggereren iets tussen geen verandering en een Golfstroom-reductie van 50 procent in de komende eeuw, maar geen van alle laat een volledige afsluiting zien.

Maar is het desondanks niet erg dat de Golfstroom misschien tot 50 procent kan afnemen? Nogmaals, dat hangt af van hoe je ernaar kijkt. Als ons doel nadrukkelijk is de Golfstroom hetzelfde niveau te laten houden, ja, dan is het erg (net als enige andere verandering, positief of negatief, van welke omvang dan ook). Maar als – plausibeler – ons doel is de kwaliteit van het bestaan en het milieu te verhogen, is het misschien zelfs een *voordeel*[189] Als de warme Golfstroom de komende eeuw afzwakt, zal dat gebeuren terwijl de temperaturen in het algemeen stijgen als gevolg van de opwarming van de aarde. Alle geavanceerde modellen laten zien dat het netto-resultaat nog altijd opwarming van alle landmassa's is, zodat afzwakking van de Golfstroom betekent dat de opwarming in Europa *minder* zal zijn – naar we mogen aannemen het doel van alle huidige klimaatbeleid. Het IPCC wijst erop dat Europa warmer zal worden, zelfs als de Golfstroom volledig tot stilstand komt:

Europa zal nog altijd met opwarming te maken krijgen, aangezien de opwarming door CO_2 de met de afname van de Golfstroom geassocieerde afkoeling overtreft. Bijgevolg zijn catastrofale scenario's over het begin van een ijstijd, veroorzaakt door het tot staan komen van de Golfstroom, slechts speculaties en geen enkel klimaatmodel heeft een dergelijk resultaat opgeleverd. In feite bestaat er voldoende inzicht in de processen die tot een ijstijd leiden en zijn deze volledig verschillend van wat hier besproken wordt, zodat we dit scenario met alle vertrouwen kunnen uitsluiten.[190]

Malaria in Vermont

Voor de Klimaatconferentie in Milaan in 2003 publiceerde de Wereldgezondheidsorganisatie een boek waarin werd geschat dat de stijging van de temperatuur sinds 1970 in 2000 150 000 sterfgevallen zou hebben veroorzaakt.[191] Groene organisaties, politieke partijen en opinieleiders zijn dit cijfer eindeloos blijven herhalen.[192] Het is niet verwonderlijk dat een krant met een kop als 'Aantal slachtoffers klimaatverandering op 150 000 gesteld' goed verkoopt.[193]

Maar laten we een kijkje nemen áchter dit cijfer. De WHO bracht een 300 pagina's dikke bundel met een groot aantal interessante papers uit, maar de 150 000 doden werden maar in één hoofdstuk opgevoerd.[194] Daarin proberen de auteurs de effecten op sterftecijfers te schatten van kou en warmte, ondervoeding, diarree, malaria en overstromingen.[195]

Het effect van overstromingen blijkt minimaal te zijn, en heeft, zoals we hierboven al zagen, ook meer te maken met maatsschappelijke veranderingen. In dit en het volgende hoofdstuk zullen we verder kijken naar malaria en ondervoeding. Maar met cijfers rond sterfte door kou en warmte gebeurde iets merkwaardigs. Terwijl de auteurs drie pagina's besteden aan koude- en warmtedoden[196] blijft sterfte door kou en hitte *buiten beschouwing* als ze de cijfers bij elkaar optellen, wat tot een totaal aantal slachtoffers van 153 000 leidt.[197]

Als dit nu was omdat sterfte door kou en hitte een onbetekenende kwestie was, zou het begrijpelijk zijn, maar zoals we hierboven zagen, blijkt dit niet het geval te zijn. Als we een ruwe schatting maken van het aantal levens dat gespaard en het aantal levens dat verloren gegaan is door de temperatuurstijging van 0,36 graden Celsius sinds de jaren 1970, levert dat feitelijk ongeveer 620 000 voorkomen sterfgevallen door koude en 130 000 extra sterfgevallen door warmte op.[198] Dit heeft natuurlijk een enorme invloed op het totale resultaat: in plaats van 150 000 sterfgevallen door de opwarming van de aarde, overleven jaarlijks bijna 200 000 meer. Opnieuw is het van belang te benadrukken dat we de opwarming van de aarde om die reden moeten toejuichen. Ten eerste moeten we bedenken dat opwarming ook andere gevolgen heeft dan sterfgevallen door tempratuur en ziekte. Ten tweede is er een groter verlies van levensjaren en daarmee van potentieel, omdat veel van de ziekten jonge kinderen doden terwijl sterfte door kou in het algemeen oude mensen treft. Niettemin heeft dit cijfer van 150 000 doden door klimaatverandering enorme invloed gehad, al was het gebaseerd op een onvolledige calculatie. Als alle relevante gegevens waren meegenomen was er waarschijnlijk precies het omgekeerde beeld uitgekomen.

Je ziet soortgelijke beweringen op veel andere terreinen van ziekte en opwarming van de aarde, het vaakst waar het gaat over malaria, een ziekte waarmee jaarlijks een half miljard mensen besmet raken en waaraan meer dan een miljoen mensen doodgaan.[199] Kofi Annan, voormalig secretaris-generaal van de VN, zegt in dit verband: 'Een warmere wereld is een wereld waar infectieziekten als malaria en gele koorts zich verder en sneller zullen verspreiden.'[200] Dat roept de angst op dat malaria zelfs de kusten van de ontwikkelde landen zal bereiken. Het beroemde coververhaal van *U.S. News & World Report* waarin onder water staande art déco-hotels in Miami worden voorzien, voorspelde ook dat malaria in de toekomst 'een bedreiging kan worden voor de publieke gezondheid in Vermont'.[201]

Zoals in de meeste verhalen zit er een kern van waarheid in de bewering dat malaria met de stijging van de temperatuur zal toenemen, maar veel van de publieke uitspraken over het verband tussen opwarming en malaria overschrijden alle grenzen van redelijkheid. De malariaparasiet gaat dood bij temperaturen onder de 16 graden Celsius.[202] Dus bij stijgende temperaturen kan malaria zich uitbreiden. In wezen is het eenvoudig om een model te maken dat berekent hoeveel mensen er in gebieden leven waarvan de temperatuur in de loop van de komende eeuw van onder de 16 graden naar boven de 16 graden zal oplopen. Uit die modellen blijkt dat er ongeveer 300 miljoen mensen in die gebieden wonen, en dat die derhalve tegen de jaren 2080 'het risico lopen malaria te krijgen'.[203] Dit betekent echter per se niet dat er

300 miljoen mensen meer besmet zullen worden door malaria, maar uitsluitend dat dit aantal de bovengrens markeert. In feite komt uit dezelfde modellen naar voren dat in 2007 meer dan 5,5 miljard mensen het risico lopen malaria te krijgen – namelijk 84 procent van de wereldbevolking.[204] Dat is meer dan tienmaal zoveel als de 500 miljoen mensen die elk jaar geïnfecteerd worden en maakt duidelijk dat er vele factoren naast het klimaat zijn die bepalend zijn voor het risico dat malaria vormt.[205]

De misschien wel belangrijkste factor wordt duidelijker als we beseffen dat malaria nog maar vijftig tot honderd jaar geleden in het grootste deel van de ontwikkelde wereld endemisch was. Toen ik voor het eerst las over malaria in Engeland tijdens de kleine ijstijd, over de laatste malaria-epidemie in Nederland in 1943-1946 en over het feit dat, in 1933, 30 procent van de bevolking in het dal van de rivier de Tennessee getroffen werd door malaria, kon ik maar moeilijk geloven dat ik daar nooit eerder iets over gehoord had.[206] Maar het bewijsmateriaal is overstelpend – dat varieert van van acht verwijzingen naar malaria bij Shakespeare tot zorgvuldig gereconstrueerde, aan malaria gerelateerde sterftecijfers uit 43 counties in Engeland en Wales tussen 1840 en 1910.[207] Dit laat ons vooral zien hoe snel we vergeten en hoe snel we de dingen uit hun verband rukken.

Tot aan de jaren 1940 was malaria endemisch in 36 staten van de VS, waaronder Washington, Oregon, Idaho, Montana, North Dakota, Minnesota, Wisconsin, Iowa, Illinois, Michigan, Indiana, Ohio, New York, Pennsylvania en New Jersey.[208] De arts Curry begon zijn in 1811 geschreven boek *A View of the Diseases Most Prevalent in de U.S.A.* met een beschrijving van malaria: 'Een koorts van intermitterende of afnemende aard of vorm is een endemie in Amerika, en elk jaar gedurende het herfstseizoen min of meer epidemisch in alle laaggelegen en vochtige gebieden in elk deel van het continent.'[209]

In Californië merkte de permanente secretaris van de California State Board of Health in 1875 op 'dat malariakoortsen en tering de meest voorkomende ziektevormen zijn'.[210] Deskundigen schatten dat in de negentiende en het eerste deel van de twintigste eeuw 'malaria in Florida meer gezondheidsklachten en sterfgevallen heeft veroorzaakt dan alle andere door insecten overgedragen ziekten samen'.[211] In 1920 had bijna 2 procent van de Amerikaanse bevolking elk jaar malaria, en tegen het midden van de jaren 1930 deden zich in de VS nog altijd jaarlijks meer dan 400 000 gevallen voor.[212] Pas na de Tweede Wereldoorlog werden er Centers for Disease Control opgezet, met als eerste taak de bestrijding van malaria. (Het is ook om die reden dat het hoofdkantoor van CDC in Atlanta zit; de ziekte werd vooral aangetroffen in het zuidoosten.)[213] Tussen 1947 en 1949 werden meer dan 4,5 miljoen Amerikaanse woningen bespoten en in 1951 beschouwde men malaria als uitgeroeid. De uiteindelijke uitroeiing was het gevolg van verschillende factoren: verbetering van de openbare gezondheidszorg, betere voeding, meer mensen die in steden woonden (waar muggen zich moeilijker kunnen handhaven), betere toegang tot medicijnen, grootschalige drainage en, ten slotte, het muggenbestrijdingsprogramma waarbij woningen bespoten werden.[214]

Veelzeggend is misschien dat uit een analyse uit 1944 van malaria in Mississippi blijkt dat het aantal sterfgevallen door malaria afnam van 1500 in 1916 tot minder dan 400 in 1937.[215] Aangezien het aantal sterfgevallen van jaar tot jaar bleef fluctueren, gingen de makers van de analyse na of dat in verband te brengen was met regenval of temperatuur. Dat bleek niet het geval. Omdat Mississippi sterk afhankelijk was van één product – katoen – was het inkomen van de meeste mensen echter sterk wisselend, afhankelijk van hoge of lage katoenprijzen. Dus als we het aantal sterfgevallen afzetten tegen het inkomen in Mississippi, zien we een omgekeerd evenredig verband: bij hoge inkomens is het aantal sterfgevallen door malaria laag en vice versa.

Als je erover doordenkt, is dat eigenlijk ook logisch. Als je een hoog inkomen hebt, eet je gezonder en onderhoud je je huis beter – je plaatst horren – en als je ziek wordt, kun je je betere medische voorzieningen veroorloven en medicijnen kopen. In een periode van lage inkomens heb je minder te eten, krijg je achterstallig onderhoud aan je huis en is goede medische zorg te duur.

Wat de geschiedenis van malaria in Europa en de VS laat zien is dat we malaria hebben geëlimineerd terwijl de wereld de afgelopen anderhalve eeuw warmer werd. Hoewel temperatuur wel effect heeft op malaria, is dit beslist niet de belangrijkste oorzaak. Van veel groter invloed zijn factoren als voeding, gezondheidszorg, riolering, muggen-verdelging, inkomen en de beschikbaarheid van medische behandelingen.

Dat is ook waarom de verwachting dat het malariarisico terugkomt in Europa en de VS ongegrond lijkt. Een recent Europees onderzoek concludeert dat de kans op malaria in het Verenigd Koninkrijk als gevolg van klimaatverandering met 15 procent zal toenemen. Maar aangezien daar een effectieve nationale gezondheidszorg bestaat, betekent dit cijfer in wezen dat er 15 procent meer malariagevallen dan nul gevallen zullen komen. Dus luidt de conclusie voor het Verenigd Koninkrijk: 'In de negentiende eeuw zou een toename van het risico met 15 procent belangrijk zijn geweest in Groot-Brittannië, maar het is hoogst onwaarschijnlijk dat een dergelijk toename ook nu nog tot de terugkeer van inheemse malaria leidt.'[216] Een vergelijkbare studie voor de VS met een – overigens zeer pessimistische – samenvatting van de gezondheidsrisico's concludeert dat de terugkeer van malaria als gevolg van een warmer klimaat 'onwaarschijnlijk' lijkt zolang de huidige infrastructuur en het stelsel van gezondheidszorg gehandhaafd blijven.[217] We krijgen geen malaria in Vermont.

Tegenwoordig doen veel van dezelfde problemen zich voor in Afrika, bezuiden de Sahara. Er loopt een strook over het midden van het werelddeel waar de temperatuur en de neerslag uitstekende condities scheppen voor malaria.[218] In een groot deel van het gebied hebben zwakke, arme en vaak corrupte regeringen het voor het zeggen: die hebben moeite met de implementatie, handhaving en bekostiging van grootschalige ontwatering en besproeiing. Bovendien maken de zorgen over DDT van zowel westerse regeringen en NGO's als van de lokale bevolking het moeilijk dit middel te gebruiken, terwijl het nog altijd de meest kosten-effectieve insecticide is en de milieu-effecten ervan waarschijnlijk te verwaarlozen zijn.[219] De bevolking heeft ook een zwakke gezondheid: ondervoeding en HIV gaan vaak hand in hand met malaria, waardoor alle drie verergerd worden.[220] Tegelijk maakt de armoede het moeilijker om preventieve maatregelen te nemen en effectieve medicijnen te krijgen.

In de afgelopen twintig jaar is de malariasterfte in Afrika bezuiden de Sahara toegenomen terwijl de sterfte in het algemeen er is afgenomen.[221] Tegelijkertijd zijn de temperaturen over het geheel genomen gestegen, een gegeven dat gemakkelijk leidt tot de conclusie dat de opwarming van de aarde hier de boosdoener is.[222] Er bestaat een omvangrijke literatuur die tracht de geldigheid van die claim te verifiëren. Daaruit blijkt in het algemeen dat temperatuur op z'n best maar een factor uit een lange lijst van belangrijke factoren is.[223] Het recente overzicht van de Wereldbank concludeert dat de belangrijkste oorzaak van de toenemende sterfte niet hogere temperaturen of toenemende armoede is, maar het feit dat chloroquine – het belangrijkste middel om malaria te behandelen in de afgelopen vijftig jaar – het steeds meer laat afweten, omdat de malariaparasiet resistent wordt.[224] Er zijn nieuwe en effectieve combinatiebehandelingen op basis van artemisinine beschikbaar, maar helaas zijn die ongeveer tien keer zo duur.[225]

Dus wat moeten we doen? Dat hangt ervan af of de opwarming van de aarde echt effect heeft op malaria. Een manier om een bovengrens te stellen aan het belang van die opwarming is kijken naar projecties van risicolopende populaties. Dit zijn de modellen die laten zien dat in de jaren 2080 bijna 300 miljoen mensen meer in gebieden zullen wonen waar malaria kan voorkomen doordat de stijgende temperaturen het gebied vergroten waar de parasiet zich kan verspreiden.[226]

Ook hier is het van belang erop te wijzen dat dit een absolute bovengrens is, en wel om verschillende redenen. Ten eerste vindt veel van de uitbreiding plaats in Europa en de VS, waar een goede gezondheidszorg en infrastructuur voorkomen dat malaria terugkeert. Ten tweede houdt de analyse geen rekening met betere technologie en hogere inkomens.[227] Als ontwikkelingslanden hun gemiddelde inkomen per hoofd zien toenemen van 5000 dollar nu tot 100 000 in 2100 is het vanzelfsprekend onrealistisch om te veronderstellen dat dit niet tot betere bescherming en minder malaria zal leiden.[228] Ten slotte verdisconteren de modellen niet dat malaria zal worden teruggedrongen door toenemende urbanisatie.[229]

Dit wordt ook weerspiegeld in een zorgvuldige analyse waarbij onderzoekers probeerden te zien of een hoger aantal risicodragende mensen ook *feitelijk* tot meer malaria leidt. Hun bevindingen 'lieten opmerkelijk weinig verandering zien, zelfs bij de meest extreme scenario's'.[230]

Laten we evengoed proberen het *worst case*-scenario te vinden voor het effect dat het klimaat op malaria kan hebben. Dezelfde modellen die uitwijzen dat er door de opwarming meer dan 300 miljoen meer mensen risico zullen lopen, laten zien wat er zou gebeuren *zonder* klimaatverandering. Hier voorzien ze een toename van 4,4 miljard risicolopende mensen in 1990 tot 8,8 miljard in 2085.[231] Het aantal mensen dat risico loopt zal dus 9,1 miljard zijn op een totale bevolking van 10,7 miljard.

Maar let op de verhoudingen. In 2085 zullen 8,8 miljard mensen het risico lopen malaria te krijgen als gevolg van maatschappelijke factoren, terwijl daar 0,3 miljard risicogevallen bijkomen als gevolg van de opwarming van de aarde. Dus zelfs als we de opwarming vandaag volledig zouden kunnen stilzetten (wat we niet kunnen) zouden we het risico op malaria in 2085 met maar 3,2 procent reduceren.[232] Het is realistischer dat aanvaarding van het Protocol van Kyoto het risico op malaria over tachtig jaar met 0,2 procent zal verlagen.[233] Zoals het team van het model zegt: zelfs met een stringent klimaatbeleid 'is er weinig duidelijk effect te verwachten, zelfs omstreeks de jaren 2080'. [234]

Vergelijk dit met de huidige verwachting dat we de malaria-incidentie in 2015 nagenoeg kunnen halveren voor de prijs van ongeveer 3 miljard dollar per jaar – ofwel: 2 procent van de kosten van Kyoto.[235] Dit was prioriteit nummer vier in de Copenhagen Consensus. Aangezien we dat binnen een decennium kunnen doen, terwijl klimaatbeleid een halve eeuw of meer zal kosten, is het verschil in het feitelijke aantal mensen dat we daarmee helpen nog veel spectaculairder. Kyoto zou tot 2085 ongeveer 70 miljoen mensen behoeden voor malaria (ofwel 0,1 procent van alle malaria-infecties). Ter vergelijking: een simpele en goedkope halvering van de malaria-incidentie omstreeks het jaar 2015 zou meer dan 28 miljard mensen voor malaria behoeden.[236] Dit beleid brengt ruwweg vierhonderd keer zoveel goeds teweeg, tegen een vijftigste van de kosten.[237]

Als we naar door malaria getroffen landen kijken zien we, niet verbazend, dat de arme landen het zwaarst getroffen worden. In Zambia is van de armste 20 procent van de kinderen meer dan 70 procent geïnfecteerd, terwijl dat voor maar 30 procent van de rijkste 20 procent geldt.[238] Zo is ook in 22 verschillende landen de kans op het bezit van een met insecticide behandelde klamboe in arme huishoudens aanzienlijk kleiner dan in rijke huishoudens.[239] De kans is kleiner dat kinderen op het platteland – die vaak ook armer zijn – klamboes gebruiken en een behandeling ondergaan.[240] En in het algemeen worden rijke kinderen vaker behandeld voor malaria.[241]

In veel opzichten verschilt dit niet van de omstandigheden in Mississippi in de jaren 1930: als je arm was, liep je een aanzienlijk hoger risico malaria op te lopen, geen behandeling te krijgen en er aan dood te gaan. Maar in Mississippi gaan mensen niet meer dood aan malaria, gewoon omdat de staat en de omliggende samenleving nu rijk genoeg zijn om het te voorkomen. Het inkomen per hoofd in Mississippi was in 1930 202 dollar, ofwel 1974 dollar nu – vergelijk dat met het huidig inkomen van 24 925 dollar.[242] In de afgelopen zeventig jaar is Mississippi twaalf keer zo rijk geworden, en dat is dezelfde ontwikkeling die we in de loop van deze eeuw in ontwikkelingslanden zullen zien.

In Afrika bezuiden de Sahara is het inkomen per hoofd nog altijd lager dan in het Mississippi van de jaren 1930, namelijk slechts 745 dollar.[243] Uit onderzoek blijkt dat hun persoonlijke welvaart mensen in staat stelt zich meer bescherming en behandeling te permitteren als landen een inkomen per hoofd van ongeveer 3100 dollar hebben; ondertussen is de samenleving in staat algemene gezondheidszorg te bieden, alsmede milieubeheer in de vorm van het spuiten in woningen en muggenverdelging.[244] Dus zelfs bij heel pessimistische veronderstellingen over de groei in Afrika is het aannemelijk dat Afrika de drempel van 3100 dollar rond 2080 zal overschrijden. En daar alle andere regio's die drempel eerder zullen overschrijden, betekent dit in essentie dat malaria aan het einde van deze eeuw (en met effectieve en goedkope medicijnen nog eerder) uitgeroeid zal zijn.

Naar verluidt is ons doel malaria en andere besmettelijke ziekten terug te dringen. Wat we hierboven gezien hebben is dat malaria een ziekte is die sterk verband houdt met economische ontwikkeling en die maar in geringe mate te maken heeft met klimaatverandering. Malaria was nog maar een eeuw geleden in Europa en de VS endemisch, maar terwijl ze uit de kleine ijstijd kwamen hebben deze samenlevingen malaria bestreden en overwonnen, gewoon door grotere welvaart en een goed sociaal beleid. Als we ontwikkelingslanden willen helpen in hun strijd tegen malaria, kunnen we voor de gemakkelijke weg kiezen die het aantal infecties met meer dan 28 miljard zal verlagen. We kunnen ook de duurdere weg van Kyoto kiezen, minder goeds teweegbrengen en het aantal infecties met maar 70 miljoen verlagen.

Het probleem is dat het klimaatargument vaak het enige is dat je hoort. Een recent persbericht van Associated Press besteedt 774 woorden aan het bericht dat het klimaat malaria in Kenia verergert en deelt aan het eind summier, in twaalf woorden, mee: 'Preventieve programma's zoals het uitdelen van klamboes kan de verspreiding van malaria tot staan brengen.'[245] De WHO zegt onomwonden dat het met elkaar in verband brengen van ziekte en klimaatverandering 'een neiging weerspiegelt om alle verschijnselen in verband te brengen met populair-wetenschappelijke thema's en dit geldt mogelijk ook voor malaria-epidemieën in Afrika.'[246] De WHO constateert echter dat niet klimaatverandering de ware reden voor het opnieuw opkomen van malaria in Kenia is, maar resistentie tegen medicijnen, gebrek aan muggenbestrijding en uiteenlopende beleidsproblemen.[247]

Betekent meer hitte meer sterfte door honger?

Genoeg te eten hebben is misschien wel een van de meest elementaire en belangrijkste problemen voor veel mensen op de wereld. Het is dan ook het eerste van de zeven zogeheten VN-Millennium Ontwikkelingsdoelen die de wereld zichzelf heeft gesteld: het deel van de mensheid dat nu nog honger lijdt halveren.[248]

Veel mensen zijn bezorgd dat klimaatverandering ons toekomstig vermogen onszelf te voeden ernstig zal ondermijnen. Je hoort voortdurend verhalen die beweren dat de opwarming van de aarde 'het aantal mensen dat honger lijdt sterk zal doen toenemen' en dat we voor een 'catastrofe' staan waarbij 'hele gebieden ongeschikt worden voor het verbouwen van voedsel'.[249] Hoewel er een greintje van waarheid in deze beweringen zit, zijn ze ook sterk overtrokken en – wanneer het ons echt gaat om voedselveiligheid en om de mensen die honger lijden – leiden ze er opnieuw toe dat we ons op verkeerde oplossingen richten.

Om de kwestie in perspectief te plaatsen: de beschikbaarheid van voedsel is de afgelopen vier decennia spectaculair toegenomen. Voor de gemiddelde inwoner van ontwikkelingslanden is het aantal beschikbare calorieën met 40 procent toegenomen terwijl het percentage mensen dat ondervoed is, teruggelopen is van meer dan 50 naar minder dan 17 procent.[250] De VN verwacht dat deze gunstige trends zich minstens tot 2050 zullen voortzetten, met een toename van nog eens 20 procent van het aantal calorieën, terwijl de ondervoeding tot onder de 3 procent daalt. Toch betekent 3 procent in 2050 nog altijd dat er 290 miljoen mensen ondervoed zijn, maar ze zullen geen honger meer lijden omdat we te weinig voedsel produceren. Ze lijden honger omdat ze niet genoeg geld hebben om vraag naar extra agrarische productie te scheppen.

Enkele grootschalige onderzoeken hebben het effect onderzocht van klimaatverandering op de agrarische productie, in combinatie met het mondiale stelsel van handel in voedingsmiddelen.[251] Ze komen, stuk voor stuk, tot vier cruciale bevindingen:

Ten eerste voorzien alle modellen een grote toename van de landbouwproductie – meer dan een verdubbeling van de graanproductie in de komende eeuw.[252] Dus zullen we steeds beter in staat zijn de wereld te voeden.[253]

Ten tweede zal de impact van de opwarming van de aarde waarschijnlijk negatief, maar over het geheel genomen zeer bescheiden zijn. Volgens de meest pessimistische modellen en inschattingen van de gevolgen van de klimaatswijziging, is de totale reductie, vergeleken met een scenario zonder klimaatverandering, 1,4 procent.[254] Een geringere klimaatsimpact en het meest optimistische model voorspellen zelfs een netto-*toename* van de agrarische productie, met 1,7 procent.[255]

Om deze cijfers in het juiste perspectief te plaatsen: de gemiddelde groei van de landbouwproductie over de afgelopen dertig jaar was 1,7 procent.[256]

Met andere woorden: in het meest negatieve scenario bedraagt het productieverlies van 1,4 procent over de komende eeuw minder dan één jaar van de huidige productiviteitsgroei.[257] Ofwel, het totale verlies door klimaatverandering in de eenentwintigste eeuw is equivalent met een verdubbeling van de mondiale landbouwproductie in, zeg, 2081 in plaats van in 2080.

Dit zal dan ook heel weinig effect hebben op de wereldeconomie. Het totale agrarische BBP zal waarschijnlijk variëren van een reductie van 1,5 procent tot een toename omstreeks 2080.[258] De landbouw zal echter minder dan 1 procent van het totale BBP uitmaken, dus de totale economische impact zal minuscuul zijn en in het ergste geval een economisch verlies van 0,015 procent bedragen.[259]

Ten derde zal er mondiaal weinig veranderen, maar regionaal niet. De opwarming van de aarde heeft in het algemeen negatieve effecten op de landbouw in de derde wereld, terwijl het effect op de landbouw in de eerste wereld in het algemeen positief zal zijn. Dit komt doordat hogere temperaturen goed zijn voor boeren op hogere breedtes waar meer warmte tot langere groeiseizoenen, meer oogsten en hogere opbrengsten leidt. Voor boeren in tropische landen – doorgaans derdewereldlanden – betekenen hogere temperaturen lagere agrarische productie. Maar voor beide gebieden geldt CO_2 als zodanig als een positieve factor, omdat het als bemesting functioneert en gewassen overal sneller doet groeien.[260]

In de somberste scenario's betekent dit voor de ontwikkelingslanden een afname van 7 procent van de opbrengst, en voor de ontwikkelde landen een toename van de opbrengst met 3 procent.[261] Voor zwaargetroffen gebieden kan dit een relatieve achteruitgang van de opbrengst betekenen met 10 tot 20 procent over de komende eeuw. Op het eerste gezicht is dat een ernstige zaak. Het betekent echter niet dat deze landen met een absolute productieafname te maken krijgen. Door hogere opbrengsten, betere technologie en meer bouwland is het nog steeds zeer wel mogelijk dat de productie in deze gebieden toeneemt met 270 procent in de loop van de eeuw.[262]

In de komende eeuw zullen ontwikkelingslanden in toenemende mate afhankelijk worden van voedselimporten uit ontwikkelde landen. Dit verschijnsel is echter niet primair verbonden met de opwarming van de aarde, maar een consequentie van meer mensen en minder landbouwareaal in de ontwikkelingslanden. Zelfs zonder opwarming zou de invoer van de minst ontwikkelde landen deze eeuw om demografische redenen verdubbelen.[263] Door de opwarming zal deze invoer verder toenemen met 10 tot 40 procent.[264]

We moeten evenwel bedenken dat in 2080 de consumenten in ontwikkelingslanden veel rijker zullen zijn dan ze nu zijn. Een team van modelbouwers wijst erop dar de toekomstige consumenten in de derde wereld 'grotendeels losstaan van processen van agrarische productie, omdat ze in de steden wonen en vooral afhankelijk zijn van voedselprijzen en inkomens in plaats van van veranderingen in de binnenlandse landbouwproductie.

Ten vierde zal de opwarming van de aarde waarschijnlijk tot meer ondervoeding leiden. In het meest aannemelijke scenario betekent dit dat het aantal ondervoede mensen in 2080 oploopt van 108 miljoen tot 136 miljoen.[265] (Volgens andere scenario's leidt opwarming van de aarde in feite tot *minder* ondervoede mensen.) Het is van belang deze cijfers in hun verband te zien. Zoals we hierboven zagen, zijn er nu ongeveer 800 miljoen mensen ondervoed. In de komende eeuw komen er minstens 3 miljard mensen bij op aarde, en toch is het waarschijnlijk dat er uiteindelijk veel minder mensen honger zullen lijden – ongeveer 136 miljoen.

Hoeveel mensen er uiteindelijk honger zullen lijden, hangt evenwel veel minder af van het klimaat dan van demografische ontwikkelingen en van inkomen.[266] Uit het IPCC-scenario blijkt dat bevolking en inkomen een verschil kunnen maken van tussen de 90 en 1065 miljoen meer ondervoede mensen, terwijl door het klimaat 28 miljoen meer mensen ondervoed zullen zijn.

Ook hier hebben we te maken met een kwestie waarin sociaal beleid er veel meer toe doet dat klimaatkeuzes. Als we kiezen voor een samenleving waar we de klimaatverandering tot staan kunnen brengen, kunnen we op z'n best het aantal ondervoeden met zo'n 28 miljoen verlagen (maar als we pech hebben, krijgen we uiteindelijk zelfs *meer* ondervoeden). Als we voor een samenleving kiezen met grotere bevolkingen of met minder economische groei, hebben we uiteindelijk mogelijk 975 miljoen meer ondervoeden. Het is duidelijk dat we het scenario moeten vinden dat het laagste absolute aantal ondervoeden oplevert, wat correleert met hoog inkomen.

Als dit klinkt als een terugkerend thema, dan klopt dat. Zelfs de modelbouwers zelf wijzen erop: 'Wat uit de onderzoeken (naar malaria, honger, water enzovoort) naar voren komt, is dat de veranderingen die voortvloeien uit verschillende ontwikkelingspaden, veelal belangrijker zijn dan klimaatverandering zelf, door de invloed die ze hebben op de schaal en verdeling van de mondiale en regionale impact.'[267]

Een andere manier om hiernaar te kijken is je het besef eigen maken dat in een rijke wereld de laatste 108 of 136 miljoen mensen die honger lijden het resultaat zijn van *politieke* prioriteit, en we kunnen het ons uitstekend veroorloven om die prioriteiten te veranderen of te elimineren.[268] Een team van modelbouwers zegt het als volgt: 'Om het heel onverbloemd te zeggen, voor de rijke samenlevingen – zelfs de momenteel arme samenlevingen zullen naar verwachting economische niveaus bereiken die naar inkomen per hoofd het huidige OESO-gemiddelde overtreffen – is honger een marginale zaak en dat blijft zo met klimaatverandering.'[269]

Klimaatbeleid is dus niet de beste strategie om een geringe vermindering van honger teweeg te brengen. Als we Kyoto zouden implementeren, zou dit de ondervoeding in 2080 met 2 procent hebben verminderd voor ongeveer 180 miljard dollar per jaar.[270] Maar als het ons er echt om gaat de hongerigen te helpen, kunnen we veel meer doen. We zouden ons kunnen toeleggen op eenvoudige maatregelen zoals investeringen in de landbouw – verbetering van de bodemgesteldheid, waterbeheer en agrotechnisch onderzoek – en directe maatregelen als schoolmaaltijden en aanvullende voedingsstoffen (zoals jodium in zout).[271] De VN schat in dat we het aantal mensen dat honger lijdt omstreeks 2015 met 229 miljoen mensen kunnen hebben verlaagd voor ongeveer tien miljard dollar per jaar.[272]

Opnieuw is het goed even stil te staan bij deze uitkomsten. We kunnen voor 10 miljard dollar per jaar voorkomen dat in de loop van deze eeuw 229 miljoen mensen honger lijden. Als we hetzelfde bedrag zouden uitgeven aan Kyoto, kunnen we tegen het eind van de eeuw een achttiende van dat aantal helpen. Als we naar het effect over de hele eeuw kijken, is dat het equivalent van het voorkomen van slechts 39 000 ondervoeden per jaar.[273] Het verschil tussen beide prestaties is een factor van ruim vijfduizend.[274] Telkens als onze investeringen in het klimaat één persoon van de honger redt, had een vergelijkbare investering in direct hongerbeleid meer dan vijfduizend mensen kunnen redden. Dit is uiteraard de reden waarom in de uitkomsten van de Copenhagen Consensus ondervoeding op de tweede plaats staat (direct na HIV), het schrappen van landbouwsubsidies op de derde en agrarisch onderzoek op de vijfde plaats.

Ik geloof dat het van groot belang is dat we deze feiten onder ogen zien. Als we ons echt om de hongerigen in de wereld bekommeren, kunnen we dan niet beter vijfduizend mensen redden in plaats van één?

Watertekorten

Al Gore vertelt ons dat de verwoestende droogte en honger in de Sahel net onder de Sahara niet het gevolg is van natuurlijke oorzaken, corruptie of wanbeheer. Nee, hoe meer we begrijpen van de opwarming van de aarde, 'hoe meer het erop lijkt dat wij de ware schuldigen zijn'.[275] In de visie van Gore ligt de oorzaak van een significant deel van de narigheid waar de Sahel mee kampt bij CO_2.

Water is een belangrijke indicator voor menselijk welzijn. In milieukringen maakt men zich er al lang zorgen over en wordt betoogd dat we op een watercrisis afstevenen. Toch zijn de wijdverbreide beweringen over een 'grootschalige ramp' misleidend. Het is waar dat er zich *regionale* en *logistieke* problemen met water kunnen voordoen. We moeten leren beter gebruik te maken van water, maar in essentie is er water genoeg.[276] De VN vat het in zijn waterrapport van 2006 zo samen: 'Watergebrek wordt primair veroorzaakt door een inefficiënt aanbod van diensten en niet zozeer door watertekorten.'[277] De World Water Council stelde het in zijn samenvatting nog duidelijker: 'Er is momenteel een watercrisis. Maar de crisis gaat niet over een tekort aan water om in onze behoeften te voorzien. Het is een crisis van zulk slecht watermanagement dat miljarden mensen – en het milieu – er ernstig onder lijden.'[278]

De gebruikelijke manier om waterproblemen te meten is met behulp van de zogeheten 'waterstress-index'. [279] Deze brengt de hoeveelheid water die per persoon beschikbaar is in een neerslaggebied in kaart en merkt het aantal mensen dat minder heeft dan 1000 kubieke meter per jaar aan als 'in hoge mate watergestrest'.[280] Het spreekt vanzelf dat zo'n limiet niet hard is, aangezien technologie (druppelsgewijze irrigatie bij de landbouw) en import (het invoeren van graan in plaats van dat zelf te verbouwen) de behoefte aan water drastisch kunnen verlagen.

Wanneer we vooruitkijken naar het eind van de eeuw, is het duidelijk dat er meer mensen zullen lijden onder waterstress. Maar dat is het gevolg van een toenemende bevolking – als meer mensen eenzelfde hoeveelheid water moeten delen, zullen er meer mensen onder de grens van de waterstress komen. Dit gezichtspunt gaat echter voorbij aan het feit dat toenemende economische vaardigheden een vermindering van beschikbaar water waarschijnlijk ruimschoots zullen compenseren. Tenslotte zal in een geïndustrialiseerde samenleving de grote meerderheid niet bezig zijn in waterintensieve bedrijfstakken als landbouw en dus kunnen deze bedrijfstakken in hoge mate daar gevestigd worden waar het meeste water beschikbaar is.

Onze vraag is echter wat de invloed van klimaatverandering op waterstress is. Een van de grootste modellen van de Britse Foresight-groep heeft dit berekend op basis van de bevolking en het beschikbare water in 1300 grote stroomgebieden over de hele wereld.[281] Het opmerkelijke resultaat is dat de opwarming van de aarde het aantal mensen dat in watergestreste stroomgebieden leeft zelfs *vermindert*, waarbij warmere scenario's minder waterstress opleveren dan koude scenario's.

Momenteel leven er in stroomgebieden ongeveer 2 miljard mensen die watergestrest zijn. Zonder opwarming van de aarde zal dit aantal toenemen tot ongeveer 3 miljard tegen het eind van de eeuw. Met opwarming zal het aantal lager zijn dan nu: minder dan 1,7 miljard. De reden is dat een warmere wereld ook meer neerslag betekent – in het algemeen voorspellen modellen ongeveer 5 procent meer neerslag in 2100.[282] Dat betekent niet dat alle regio's in gelijke mate meer regen krijgen. Het grootste deel van de aarde, waaronder Zuid- en Oost-Azië en delen van Afrika, wordt natter, maar andere delen worden droger, vooral het gebied rond de Middellandse Zee, Centraal- en Zuidelijk Afrika en het Zuiden van de VS.

Als we naar Afrika kijken, dan heeft Gore gelijk dat de opwarming omstreeks 2080 naar alle waarschijnlijkheid 28 miljoen mensen zal toevoegen aan het aantal watergestresten in Centraal-Afrika. Eenzelfde trend zal zich voordoen in Zuidelijk en Noord-Afrika, waar 15 miljoen meer mensen watergestrest zullen worden. Maar daar moet wel bij vermeld worden dat 23 miljoen mensen in West-Afrika en 44 miljoen in Oost-Afrika minder waterstress zullen ondervinden. In totaal zullen in Afrika met de opwarming van de aarde 24 miljoen mensen *minder* watergestrest worden. Door alleen de aandacht te vestigen op de negatieve kanten krijgen we niet de juiste informatie.

Het is van belang erop te wijzen dat de extra neerslag, om van nut te zijn, mogelijk moet worden opgevangen voor het droge seizoen (zoals dat ook het geval is met de huidige neerslag).[283] Maar waar het op neerkomt is dat door de opwarming van de aarde in de toekomst feitelijk minder mensen watergestrest zullen zijn. Dus als we ervoor kiezen maatregelen te nemen tegen klimaatverandering, kan dat best andere heilzame effecten hebben, maar krijgen we ook te maken met meer mensen die watergestrest zijn.

Terwijl klimaatbeleid niet zal bijdragen aan een betere beschikbaarheid van water (en de toegang tot water zelfs kan verminderen), zijn er andere, zeer heilzame en goedkope manieren om de toegang tot water en sanitaire voorzieningen te verbeteren, iets wat nog altijd nodig is voor een miljard mensen die geen toegang hebben tot schoon drinkwater en de anderhalf miljard mensen zonder sanitaire voorzieningen. We kunnen voor al die mensen, voor ongeveer 4 miljard dollar per jaar, binnen een decennium elementaire water- en sanitaire voorzieningen regelen.[284]

Daarmee kunnen we jaarlijks bijna een miljard gevallen van diarree voorkomen.[285] Het zou ook een belangrijk maar vaak over het hoofd gezien effect hebben op 3 miljard mensen: door die toegang besparen ze zich per persoon jaarlijks ongeveer tweehonderd uur lopen naar water en het wachten op water en bij toiletten, wat een totale geldwaarde heeft van meer dan 200 miljard dollar.[286] Voorzien in schoon water en sanitair was dan ook de zesde prioriteit op de lijst van de Copenhagen Consensus.

Maar de opwarming van de aarde had toch schadelijke gevolgen voor water? Hoe zit het met de bewering dat de Sahel in de jaren tachtig en negentig onder een langdurige droogte heeft geleden en dat 'wij aan het lijden in Afrika hebben bijgedragen'?[287] Het is volstrekt juist dat de Sahel ernstig geleden heeft, en dat er klimaatmodellen zijn die de droogte in de Sahel verklaren als je er de temperaturen van de omliggende wateren in stopt.[288] Maar toen twee groepen onderzoekers zich afvroegen of alle klimaatmodellen de droogte in de Sahel konden simuleren, was het antwoord een overduidelijk 'nee'.[289] Van de negentien modellen konden er maar acht de droogte genereren en zelfs het beste model kon een droogte met die omvang, aanvang en duur niet verklaren.[290] Zeven modellen leverden zelfs excessieve regenval op. Eén onderzoeksteam concludeert: 'Het is waarschijnlijk dat de droogtecondities een natuurlijke oorsprong hebben.'[291]

Opwarming van de aarde betekent meer neerslag en leidt ertoe dat er voor meer mensen meer water beschikbaar zal zijn. De toekomstige uitdaging op watergebied is niet primair de regulering van opwarming, maar ervoor zorgen dat 3 miljard mensen toegang krijgen tot schoon drinkwater en sanitair. Dit zou opmerkelijk weinig geld kosten – 4 miljard dollar – en enorme voordelen opleveren in termen van gezondheid en kwaliteit van leven voor de helft van de wereldbevolking.

4. De politiek van het broeikaseffect

Klimaatbeleid is niet onze enige optie

Dit debat gaat over de missie van onze generatie. Wat willen we in de komende veertig jaar bereiken? De aarde warmt op en de gevolgen daarvan zijn ingrijpend en vooral negatief. Er zullen meer mensen van de warmte omkomen, de zeespiegel stijgt, er komen mogelijk zwaardere orkanen en meer overstromingen, er zal meer malaria, honger en armoede zijn. Gezien de lijst van kwalijke gevolgen is het niet verbazend dat een hele reeks milieu-organisaties, opinieleiders en politici de conclusie trekken dat we iets moeten doen om een eind te maken aan de opwarming van de aarde. Het probleem met deze analyse is dat die voorbijgaat aan een simpel maar belangrijk feit. Het terugdringen van CO_2 – zelfs in aanzienlijke mate – heeft niet veel effect op die lijst van problemen. Zoals we in dit hele boek hebben gezien, kunnen we in feite aan al die problemen, van ijsberen tot watertekorten, met klimaatbeleid weinig doen en juist heel veel met andere, maatschappelijke ingrepen.

Als we stellen dat het ons gaat om mensen die sterven als gevolg van klimaateffecten, zoals gebeurd is tijdens de hittegolf in Europa in de zomer van 2003, moeten we ons afvragen waarom we daarbij vooral denken aan het doorvoeren van dure CO_2-reducties. Die zullen er hoogstens toe leiden dat toekomstige gemeenschappen wat minder snel opwarmen, waarbij er nog altijd meer sterfgevallen door warmte zullen zijn. Opwarming voorkomt bovendien meer sterfte door kou, en dus moeten we ons de vraag stellen waarom we aan duur beleid denken dat in feite tot *meer* doden als gevolg van de temperatuur leidt.

Toch stelt ander maatschappelijk beleid ons in staat zowel van de voordelen van de opwarming te profiteren – minder sterfte door de kou – als maatregelen te nemen tegen de geringere maar toenemende sterfte door warmte: koele steden met water, parken en witte oppervlakken, een betere beschikbaarheid van airconditioning en medische zorg. Dit zou aanzienlijk goedkoper zijn en veel meer positief effect sorteren. Zouden we daarvan niet liever de missie van onze generatie maken?

We maken ons zorgen over laaggelegen eilanden en mensen die overstroomd worden als gevolg van de stijgende zeespiegel. Maar we moeten ons afvragen waarom we het allereerst hebben over beperking van koolstofemissies die tot minder stijging van de zeespiegel zal leiden, maar waardoor de eilandbewoners ook slechter af zijn, omdat ze uiteindelijk meer droge grond verliezen.

We geven uiting aan onze zorgen over toenemende orkaanschade bijvoorbeeld in de VS en de vreselijke gevolgen daarvan voor derdewereldlanden. Maar waarom zouden we ons toeleggen op CO_2-beperking als dat de schade hoogstens 0,5 procent beperkt? Als we de schade door orkanen willen beteugelen, kunnen we veel meer bereiken met maatschappelijk beleid, zoals betere bouwvoorschriften en het verstevigen en verbeteren van dijken en minder gesubsidieerde verzekeringen. Met dergelijk beleid kan de schade met meer dan 50 procent worden gereduceerd tegen een fractie van de kosten van klimaatbeleid.

Dit patroon gaat ook op voor de andere grote kwesties die aan de orde komen in verband met de opwarming van de aarde. Voor iedere ijsbeer die we met Kyoto sparen kunnen we, door de jacht een halt toe te roepen, meer dan achthonderd ijsberen redden. Wat moet de missie van onze generatie zijn?

Met Kyoto kunnen we in een eeuw ongeveer 140 000 sterfgevallen door malaria voorkomen. Tegen een zestigste van de kosten daarvan kunnen we malaria direct aanpakken en 85 miljoen sterfgevallen voorkomen. Telkens als we één persoon van de dood door malaria redden met klimaatbeleid hadden we met hetzelfde geld 36 000 mensen kunnen redden met malariabeleid. Wat moet onze eerste missie zijn?[1] Wanneer we onze aandacht richten op waterschaarste, zien we dat er door de opwarming in feite meer water beschikbaar komt. Zo bleek dat door de klimaatverandering per saldo 1,2 miljard mensen betere toegang tot water zouden krijgen, terwijl dat er door Kyoto juist *slechter* op zou worden. Is dat een goed argument voor klimaatbeleid?

Ja, door de opwarming van de aarde neemt de kans op overstromingen toe, maar ander beleid is veel en veel effectiever om daar iets tegen te doen: geen subsidie geven voor bouwen in uiterwaarden, strengere planning en minder rivierdijken, waardoor de uiterwaarden weer als natuurlijke buffers kunnen fungeren en er meer natte gebieden komen. Voor elke dollar die we aan Kyoto besteden kunnen we 1300 keer zo veel bereiken met slimmer maatschappelijk beleid.

Neem honger. Ja, de opwarming van de aarde zorgt er waarschijnlijk voor dat er meer mensen ondervoed raken. Maar dit probleem aanpakken door alleen maatregelen te nemen die de klimaatverandering moeten tegengaan is simpelweg veel te inefficiënt. Voor elke persoon die we met Kyoto helpen, kunnen eenvoudige maatregelen, zoals investeringen in de landbouw, vijfduizend mensen redden.

Bij al die keuzes moeten we ons keer op keer de vraag stellen: als we een missie voor onze generatie moeten kiezen, welk beleid zouden we dan het eerst uitvoeren? We zijn geobsedeerd geraakt door de 'grote knop' van klimaatverandering en hebben ons laten aanpraten dat we de meeste wereldproblemen kunnen oplossen als we die ene knop nu maar omzetten. Maar dat is aantoonbaar onjuist.

We moeten ermee leren leven dat vermindering van de uitstoot domweg niet veel uitmaakt voor de meeste van de grote problemen van de wereld, ook al leidt CO_2 tot opwarming van de aarde, wat belangrijk is. Van ijsberen tot armoede, we kunnen immens veel meer bereiken met andere maatregelen. Dit betekent niet dat we niets aan de opwarming moeten doen. Het betekent wél dat we moeten beseffen dat snelle en omvangrijke beperking van de koolstofuitstoot hoge kosten zal meebrengen, moeilijk en politiek omstreden zal zijn en uiteindelijk waarschijnlijk vrij weinig zal uitmaken voor het klimaat en de samenleving. Bovendien zal het waarschijnlijk onze aandacht afleiden van de vele andere kwesties waarin we zoveel meer goeds voor de wereld en het milieu kunnen bereiken.

Wat we moeten doen: een drastische toename van R&D

Het fundamentele probleem met de huidige benadering van het klimaat is dat steeds strengere emissiebeperkingen, zoals volgens Kyoto en een mogelijk nog strikter Kyoto II, waarschijnlijk niet uitvoerbaar zijn. Het is misschien goed af te rekenen met de mythe dat de problemen uitsluitend toe te schrijven zijn aan het feit dat het verdrag door een recalcitrante regering-Bush is afgewezen. Ten eerste was er voortdurend een meerderheid in de Amerikaanse Senaat tegen zelfs een afgezwakte versie van Kyoto. Maar afgezien van de VS en Australië, dat het verdrag ook niet geratificeerd heeft, is mogelijk nog belangrijker dat veel van de deelnemers aan Kyoto – waaronder Canada, Japan, Spanje, Portugal, Griekenland, Ierland, Italië, Nieuw-Zeeland, Finland, Noorwegen, Denemarken en Oostenrijk – de doelstellingen van het verdrag voor CO_2-reductie niet halen, terwijl er geen of weinig zicht op is dat ze dat voor het verdrag in 2012 afloopt wel gaan doen.[2] Als Bush zich gewoon bij de vele andere landen had gevoegd die naar buiten toe doen of ze zich aan Kyoto houden, maar in feite weinig animo tonen om het verdrag ook echt na te leven, was allang duidelijk geweest dat het nooit zou werken.

In plaats daarvan is Kyoto helaas het symbool geworden van het verzet tegen een unilateralistische VS en daardoor politiek opnieuw tot leven gewekt, zonder dat er vraagtekens zijn gezet bij de efficiëntie of haalbaarheid ervan. En dat is waar het werkelijk om gaat: dat Kyoto tegelijk onmogelijk ambitieus én, in termen van milieu, onbetekenend is. Het wil in vijftien jaar patronen van energieverbruik veranderen die een eeuw oud zijn, maar kost uiteindelijk een fortuin en levert vrijwel niets op.

Het loont erop te wijzen dat een vergelijkbaar probleem zich voordoet ten aanzien van de nieuwe belofte van de EU, de eerste echte toezegging sinds Kyoto in 1997. In maart 2007 beloofde de EU dat Europa de uitstoot voor 2020 unilateraal zou reduceren tot 20 procent onder het niveau van 1990.[3] Dit betekent een emissiereductie van 25 procent ten opzichte van het niveau dat anders in 2020 zou zijn bereikt.[4] Maar het effect op de temperaturen blijkt nog geringer te zijn dan dat van Kyoto; de opwarming tegen het einde van de eeuw zou ongeveer twee jaar worden uitgesteld. De kosten zouden in 2020 ongeveer 90 miljard dollar per jaar bedragen.[5] We zien dus hetzelfde patroon bij zowel een volledig geïmplementeerd Protocol van Kyoto als bij dit nieuwe EU-besluit – ze hebben een nogal beperkt effect én kosten tamelijk veel.

Het reguleren van CO_2-emissies is gewoon erg moeilijk. De ontwikkeling ervan in de afgelopen halve eeuw vertelt een eigen, duidelijk verhaal: ze zijn onophoudelijk blijven toenemen – zelfs onder het bestuur van Clinton en Gore zijn ze met 11 procent toegenomen.[6] Als we de emissies van 1990 op 100 stellen, stonden ze in 1997, toen het protocol tot stand kwam, al op 109. Als Kyoto was doorgevoerd, zou het die trend niet hebben gekeerd – de verwachte emissies in 2010 zouden 133 zijn geweest in plaats van 142.

Maar zelfs dat relatief bescheiden doel halen was een heel karwei geweest. Het veranderen van nationale energiesystemen vergt veel tijd en brengt gigantische kosten mee. De landen die op weg zijn hun doelen te halen, waren een eind op weg om dat ook zonder Kyoto te doen.[7] De twaalf landen die hun emissies sinds 1990 het meest gereduceerd hebben, behoren allemaal tot het voormalige Oostblok en hebben drastische economische inzinkingen doorgemaakt. Duitsland, dat eveneens aanzienlijke beperkingen heeft gerealiseerd, lukte dat vooral doordat het een voormalig Oostblokland in zich heeft opgenomen, en de reducties van Groot-Brittannië zijn voornamelijk het gevolg van de ingrepen van Margaret Thatcher in de jaren tachtig, bedoeld om de Britse mijnwerkersbonden te breken en het landelijke energiesysteem de overstap te laten maken van kolen naar gas – om redenen die vooral politiek en economisch waren, en niets met het milieu te maken hadden. In 1997, toen Kyoto werd opgesteld, lagen de Duitse en Britse emissies beide al 9 procent onder de niveaus van 1990.

Maar veel andere landen – vooral de VS, Australië en Canada – hebben veel meer moeite gehad met het halen van de doelen; die hebben allemaal te maken met een bevolkingsgroei van meer dan 10 procent per decennium, wat natuurlijk leidt tot een verhoging van de nationale uitstoot. Zonder de VS zal Kyoto slechts leiden tot een geringe emissiereductie – ongeveer 0,5 procent, van 142,7 tot 142,2.

Feitelijk deden we zulke toezeggingen met Kyoto niet voor het eerst. Bij de milieutop in Rio in 1992 beloofden we de emissies tegen 2000 terug te dringen tot het niveau van 1990.[8] De OESO-landen kwamen in 2000 ruim 12 procent boven die doelstelling uit. Deze pogingen laten duidelijk zien dat emissiereducties politiek (en economisch) uiterst moeilijk te verwezenlijken zijn.

En kijk eens naar de toekomst. Het Internationale Energie Agentschap verwacht dat de uitstoot razendsnel zal blijven stijgen, niet in de laatste plaats door China, India en de andere ontwikkelingslanden. De OESO zal de eigen emissies tot 2030 met zo'n 20 procent verhogen, terwijl de ontwikkelingslanden hun emissies meer dan zullen verdubbelen. Het is heel moeilijk en kostbaar hieraan iets te veranderen. Dat is de reden waarom een Kyoto II met stringentere CO_2-beperkingen en meer deelnemende landen, waaronder zowel de VS als ontwikkelingslanden, buitengewoon moeilijk te verkopen zal zijn. De meeste deskundigen die daarover ondervraagd zijn verwachten dan ook dat een eventueel Kyoto II tamelijk zwak zal zijn.[9]

Er doen zich een economisch, een politiek en een technologisch probleem voor met het proces van steeds grotere reducties van CO_2-uitstoot waar Kyoto voor staat. Het fundamentele *economische* probleem met zowel Kyoto als striktere opvolgers ervan is dat uit alle macro-economische modellen blijkt dat het slechte investeringen zijn.Dit raakt ook direct aan het grotere *politieke* probleem van Kyoto. Ten eerste zal het toenemend moeilijker worden om mensen ervan te overtuigen dat ze aanzienlijke bedragen moeten betalen ten behoeve van een milieuwinst die vrijwel verwaarloosbaar is en zich pas over een eeuw voordoet. Ten tweede zal de bereidheid tot samenwerking ondermijnd worden naarmate de kosten toenemen, doordat sommige landen wegkomen met 'liftersgedrag' of – wat waarschijnlijker is – doordat veel landen beweren de beperkingen te accepteren, maar die in de loop van het proces opgeven zonder dat hier duidelijke sancties tegenover staan. Ten derde zullen de hoge emissiereducties en de geringe resultaten de steun voor toekomstige verdragen doen afbrokkelen. Het is duidelijk dat de kans op een succesvol vervolg afneemt als we er met Kyoto niet in slagen een substantiële reductie te realiseren. Het is verdedigbaar dat het *technologische* probleem van het Kyotoproces het belangrijkste is. Op de lange termijn zal de opwarming van de aarde alleen substantieel worden beperkt als we erin slagen de overstap te maken naar een economie die niet afhankelijk is van fossiele brandstoffen. Veel voorstanders van Kyoto zullen aanvoeren dat de emissierestricties van Kyoto een impuls zullen geven aan nieuwe investeringen in onderzoek en ontwikkeling (R&D) die ons in staat zullen stellen sneller zo'n overstap te maken. Maar dat is het paard achter de wagen spannen. Als we technologie willen, moeten we in technologie investeren. Als we eisen dat de koolstofemissies onmiddellijk worden gereduceerd, mag het ons niet verrassen als het leeuwendeel van de investeringen zich op dat specifieke doel richt.

In het verdrag van Kyoto ontbreekt elke voorziening om R&D te stimuleren. Het is dan ook niet verbazend dat R&D op de voor de opwarming belangrijke terreinen – hernieuwbare energie en energie-efficiëntie – sinds het begin van de jaren 1980 is afgenomen en we, sinds Kyoto van kracht is, geen verhoging zien.[10] Dit laat zien dat de Kyotobenadering domweg niet leidt tot forse R&D-investeringen in koolstofvrije of koolstofarme energietechnologieën, hoewel de opwarming van de aarde daarom vraagt.

Als beperking van CO_2-uitstoot 20 dollar per ton kost zou de rijke wereld misschien bereid zijn een paar – zij het vaak symbolische – reducties door te voeren tegen die hoge prijs, maar is het uitermate onaannemelijk dat we China, India en de andere ontwikkelingslanden zover krijgen. Om de klimaatverandering aan te pakken moeten we ervoor zorgen dat de kosten daarvan drastisch omlaag gaan – als we de CO_2-uitstoot kunnen reduceren voor zeg 2 dollar per ton, is het veel waarschijnlijker dat we iedereen kunnen overhalen tot omvangrijke reducties.

Daarom suggereer ik dat een wereldwijde commitment aan R&D in niet-koolstofuitstotende energietechnologieën, die gericht zijn op verlaging van de kosten van toekomstige CO_2-reductie, een passender antwoord is op klimaatverandering. We moeten niet zonder verder nadenken aansturen op een Kyoto II, dat tegen hoge economische kosten, met geringe baten en zwakke politieke toezeggingen nog striktere normen oplegt, en tegelijkertijd nalaat het fundamentele probleem aan te pakken met het vinden van nieuwe energietechnologieën, die ons moeten helpen de eenentwintigste eeuw door te komen.

In plaats daarvan zouden we ons moeten committeren om 0,05 procent van ons BBP te investeren in niet-koolstofuitstotende energietechnologieën. Deze aanpak zou ongeveer 25 miljard dollar per jaar kosten. Het zou de middelen voor R&D ongeveer vertienvoudigen[11] en toch zeven keer zo goedkoop zijn als Kyoto en nog veel meer keer zo goedkoop als Kyoto II. Het zou gemakkelijk zijn alle landen erbij te betrekken, omdat rijke landen automatisch het grootste deel betalen. Het zou elk land in staat stellen zich toe te leggen op een eigen visie op de toekomstige energiebehoefte, of die nu voorschrijft dat het land zich concentreert op hernieuwbare energie, kernenergie, kernfusie, koolstofopslag, conservering of op een zoektocht naar nieuwe, meer exotische mogelijkheden.

Het geld zou moeten worden besteed aan onderzoek van alle soorten, experimenteel en toegepast; proefprogramma's om veelbelovende nieuwe technieken te testen en tonen; publiek-private partnerschappen ter stimulering van participatie door de particuliere sector in riskante ondernemingen (zoals die nu worden gebruikt om farmaceutische bedrijven ertoe aan te zetten vaccins te ontwikkelen tegen tropische ziekten); opleidingprogramma's om het aantal wetenschappers en technici die aan R&D-programma's kunnen werken uit te breiden; programma's voor publieke aanbesteding die een voorspelbare markt scheppen voor veelbelovende nieuwe technieken; prijzen voor het bereiken van belangrijke technologische mijlpalen; multilaterale fondsen voor internationale samenwerking op onderzoeksgebied; internationale onderzoekscentra die bijdragen aan de opbouw van de mondiale innovatiecapaciteit (zoals de agrarische onderzoekscentra die aan de wieg stonden van de Groene Revolutie in de landbouw van de jaren 1970); en politieke prikkels om de invoering van bestaande en nieuwe energiebesparende technieken in te voeren, die op hun beurt de stapsgewijze leerprocessen en innovatie bevorderen die ertoe leiden dat de prestaties snel verbeteren en de kosten snel dalen.[12]

Voorbereidende studies geven aan dat zo'n niveau van R&D afdoende zou zijn om de CO_2-concentraties te stabiliseren op het dubbele van het niveau van voor de industrialisatie, wat feitelijk betekent dat zo'n investering de temperatuurstijging vanaf heden zou kunnen beperken tot ongeveer 2,5 graden Celsius.[13]

Een dergelijke massale mondiale onderzoeksinspanning zou bovendien potentieel reusachtige innovatie-spin-offs hebben, variërend van onderzoek naar energieopslag dat tot betere batterijen voor onze mobiele telefoons zou leiden, tot geheel onverwachte vondsten die onze wereld dramatisch verbeteren. Het Apollo-maanprogramma, dat in totaal 200 miljard dollar kostte, is misschien wel het bekendst vanwege zijn spin-offs, die uiteenlopen van miniaturisering van computers tot CT- en MRI-scanners.[14]

Omdat de kosten zoveel lager zijn en er veel onmiddellijke baten zijn in termen van innovaties, verdwijnt de politieke breekbaarheid van het proces. Het project is niet vatbaar voor liftersgedrag omdat de meeste regeringen nog steeds vrij weinig betalen en zich een groot deel van de onmiddellijke baten in de vorm van patenten en industriële spin-offs kunnen toe-eigenen. Landen hoeven ook niet langer onder steeds zwaardere druk te worden gezet om steeds restrictievere overeenkomsten aan te gaan. Ze zullen juist deelnemen omdat dat hun op de lange termijn tegen geringe kosten levensvatbare oplossingen biedt voor problemen die samenhangen met de opwarming van de aarde.

We moeten dus af van het Kyoto-proces met zijn nadruk op kostbare maar ineffectieve en politiek breekbare CO_2-reducties. Zelfs als in de toekomst een krachtiger Kyoto II forsere CO_2-reducties kon afdwingen, zou dat nog steeds maar een marginale invloed hebben op de temperatuur. Zelfs als er hogere reducties kunnen worden gerealiseerd, zou de verandering in de temperatuur de mensen die het het meest nodig hebben, nauwelijks helpen. En zelfs wanneer het voorgezette Kyoto-proces niet stukloopt, zal de taaie, onverwikkelijke en permanente politieke strijd onze aandacht afleiden van de vele betere en efficiëntere manieren waarop we iets kunnen doen.

Dit is het ware morele probleem van het debat over het broeikaseffect – het is goedbedoeld, maar door het de publieke agenda vrijwel te laten beheersen en door onze poging het moeilijkste probleem tegen de hoogste kosten en met de geringste kans op succes aan te pakken, blijft er weinig ruimte, aandacht en geld over voor betere en veel realistischer oplossingen.

In plaats van na te denken zijn we bang

De opwarming van de aarde wordt in de dagelijkse media in steeds dreigender termen besproken. Het Institute for Public Policy Research (IPRP), dat sterk voor CO_2-reductie is, publiceerde in 2006 een analyse van het debat in het Verenigd Koninkrijk. Het vatte de toonzetting als volgt samen:

'Klimaatverandering wordt in de meeste gevallen voorgesteld volgens het alarmistische repertoire – als ontzagwekkend, verschrikkelijk, immens en onbeheersbaar. Dit repertoire is overal te zien en wordt over het hele ideologische spectrum gebruikt of aangehaald, in serieuze kranten en tabloids, in populaire bladen en in voorlichtingsmateriaal over regeringsinitiatieven en van milieugroepen. Het wordt gekenmerkt door een opgeblazen, extreem taalgebruik dat een toon van urgentie en veel beeldende codes bevat. Het maakt gebruik van een bijna religieus begrippenstelsel van hel en verdoemenis en gebruikt de taal van versnelling en onomkeerbaarheid.'[15]

Dit soort taal maakt elke zinnige beleidsdiscussie onmogelijk. Het argument dat ik het meest hoor in het publieke debat is doorgaans een variant op 'als we door de opwarming van de aarde allemaal doodgaan en de wereld naar de vernieling gaat, moet dit onze allerhoogste prioriteit zijn – al het andere waar je het over hebt, inclusief HIV/AIDS, ondervoeding, vrijhandel, malaria en schoon drinkwater kan allemaal heel edel zijn, maar zinkt in het niet vergeleken met de opwarming van de aarde'. Natuurlijk zou het juist zijn om er prioriteit aan te geven als de opwarming inderdaad een dodelijke bedreiging zou zijn, maar zoals we hebben gezien is het probleem niet van dien aard. Het is één – en maar één – probleem van de vele die we in de eenentwintigste eeuw zullen moeten aanpakken.

Toch blijven deze allesoverheersende, apocalyptische beschrijvingen van de opwarming doorgaan, krachtig ondersteund door de media die het vooral van slecht nieuws moeten hebben. En het klimaat verkoopt uitstekend. Het IPRP wijst erop dat 'alarmisme heimelijk misschien genot geeft – in wezen is het een soort "klimaatporno"'.[16]

Paniekzaaierij heeft in het klimaatdebat een lange geschiedenis. Het misschien wel meest huiveringwekkende bewijs daarvan waren de heksenprocessen in het Europa van de Middeleeuwen. Nadat de Inquisitie de 'echte' ketters (zoals de katharen en de waldenzen) had uitgeroeid, werden de meeste heksen er begin vijftiende eeuw van beschuldigd slecht weer te veroorzaken.[17] De paus erkende in 1484 dat heksen 'de producten van de aarde verwenst hebben, de druiven aan de rank, het fruit van de bomen, ... wijngaarden, boomgaarden, grasveld, weidegronden, koren, tarwe en alle andere granen'.[18] Toen Europa in de kleine ijstijd terechtkwam, kregen steeds meer gebieden te maken met mislukte oogsten, hoge voedselprijzen en honger, en heksen waren in zwak bestuurde gebieden de voor de hand liggende zondebokken. Tussen 1500 en 1700 werden ongeveer een half miljoen individuen terechtgesteld; er bestaat een nauwe correlatie tussen lage temperaturen en de toenmalige grote aantallen heksenprocessen op het hele Europese vasteland.[19] Ook vandaag de dag is zo'n verband met het klimaat duidelijk aanwezig in Afrika bezuiden de Sahara, waar droogte en overstromingen door extreme regenval correleren met het doden van 'heksen'. In één district in Tanzania worden elk jaar meer dan 170 vrouwen vermoord.[20]

Minder gewelddadig was de verklaring voor de natte zomer van 1816 (die het gevolg was van de uitbarsting van de Tambora-vulkaan in Indonesië); die werd door velen in Europa toegeschreven aan de nieuwe gewoonte om bliksemafleiders te gebruiken.[21] De autoriteiten moesten ernstige waarschuwingen doen uitgaan jegens gewelddadige en illegale acties tegen de bliksemafleiders. Interessant genoeg waren diezelfde bliksemafleiders een paar jaar daarvoor als oorzaak aangewezen voor de enorme droogte. De natte zomers van de jaren 1910 en 1920 werden zowel aan het omvangrijke geschut van de Eerste Wereldoorlog toegeschreven als aan het in gebruik nemen van de trans-Atlantische kortegolfradio.[22]

In het eerste decennium van de twintigste eeuw maakte de wereld zich zorgen over een nieuwe ijstijd. De *Los Angeles Times* berichtte in 1912: 'Vijfde ijstijd komt eraan: Menselijk ras zal tegen koude moeten vechten om zijn bestaan.'[23] In 1923 verklaarde de *Chicago Tribune* op de voorpagina: 'Wetenschappers zeggen dat ijstijd Canada zal wegvagen', samen met grote delen van Azië en Europa.[24]

Feitelijk was de aarde toen al aan het opwarmen en de kranten begonnen dat in de jaren 1930 op te pikken en vroegen zich af of het iets te maken zou kunnen hebben met CO_2.[25] In 1952 berichtte *The New York Times*: 'De wereld is de afgelopen halve eeuw warmer geworden.'[26] In 1959 wees de krant erop dat de gletsjers in Alaska aan het smelten waren en dat het 'ijs in de Poolzee ongeveer half zo dik is als aan het eind van de negentiende eeuw'.[27] In 1969 haalde *The New York Times* een poolreiziger aan die stelde dat 'het poolijs steeds dunner wordt en de oceaan bij de noordpool binnen een decennium of twee een open zee kan worden'.[28]

Tegen de jaren veertig begonnen de gemiddelde mondiale temperaturen echter te dalen, wat in de jaren zeventig tot de bewering leidde dat de aarde opnieuw op een nieuwe ijstijd afstevende. Een populair boek beschreef de wereld als volgt: 'Tussen 1880 en 1950 was het klimaat op aarde het warmst in vijfduizend jaar. ... Het was een tijd van groot optimisme. Dit optimisme is bij de eerste glimp van de afkoeling verschrompeld. Sinds de jaren 1940 zijn de winters een tikje langer geworden, de regens minder berekenbaar, stormen zijn over de hele wereld veelvuldiger.'[29] Nu werden de groeiende gletsjers als een probleem gezien: 'De snelle opmars van sommige gletsjers bedreigt menselijke nederzettingen in Alaska, IJsland, Canada, China en de Sovjet-Unie.'[30] Geschat werd dat de afkoeling in de ontwikkelingslanden al honderdduizenden had gedood en dat dit bij het uitblijven van passende maatregelen, zou leiden tot 'wereldwijde hongersnood, mondiale chaos en waarschijnlijk wereldoorlog, en dat zou allemaal zijn beslag kunnen krijgen voor het jaar 2000'.[31]

Science Digest zette in 1973 uiteen: 'Op dit punt zijn 's werelds klimatologen het over slechts twee dingen eens: dat we niet de geruststellende afstand van tienduizenden jaren hebben om ons op de volgende ijstijd voor te bereiden, en dat de zorgvuldigheid waarmee we onze vervuiling van de atmosfeer beheersen directe gevolgen heeft voor de komst en de aard van deze weercrisis. Hoe eerder de mens deze feiten onder ogen ziet, zeggen deze wetenschappers, hoe veiliger hij zal zijn. Wanneer de vorst eenmaal begint, zal het te laat zijn.'[32]

In 1975 toonde het omslag van het gerespecteerde *Science News* een plaatje van New York dat overstroomd wordt door een oprukkende gletsjer, met daaronder de tekst 'De ijstijd komt eraan'. Het blad betoogde dat we op een volwassen ijstijd afstevenen: 'Nogmaals, deze overgang zou slechts een geringe verandering in de mondiale temperaturen meebrengen – 1 of 2 graden – maar de gevolgen voor de beschaving zullen catastrofaal zijn.'[33] Andere commentatoren maakten zich zorgen over 'steeds ernstiger droogtes'.[34] *The New York Times* had een artikel met de kop: 'Wetenschappers buigen zich over de vraag waarom het wereldklimaat verandert: grote afkoeling wordt onvermijdelijk geacht.'[35]

Natuurlijk zijn er tegenwoordig betere argumenten en betrouwbaarder modellen om zorgen over de opwarming van de aarde te onderbouwen en aangezien onze samenlevingen zich hebben aangepast aan de huidige temperaturen zal een grote afwijking in welke richting dan ook kosten meebrengen. Maar het is opvallend dat de beschrijvingen het doorgaans alleen hebben over de aanstormende problemen en opvallend stil zijn over elke positieve consequenties. Als we ons zorgen maken over de toename van malaria door de huidige opwarming, zou een wereld die geloofde in afkoeling positief moeten zijn geweest over de afname van geïnfecteerde gebieden. En als we ons zorgen maken over de verkorting van het groeiseizoen door een koelere wereld, zouden we ook blij moeten zijn als het groeiseizoen door de opwarming langer wordt.

Opvallend is ook dat de beschrijvingen altijd naar extremen neigen – ze zetten uiteen hoe we Canada en grote delen van Europa en Azië misschien zullen verliezen aan de oprukkende ijstijd of hoe er tegen het jaar 2000 'wereldwijde hongersnood, mondiale chaos en waarschijnlijk een wereldoorlog' zal komen. Veel van deze (onjuiste) beweringen vertonen een opvallende gelijkenis met de (al even onjuiste) bewering van het Pentagon dat er door de onderbreking van de Warme Golfstroom een ijstijd op komst is waardoor 'het klimaat van Europa vergelijkbaar met dat van Siberië wordt' en dat de zaak kan uitlopen op een kernoorlog.

Samenlevingen gebruiken grote hoeveelheden hulpbronnen om alle mogelijke risico's af te dekken. Als de media buitenproportionele aandacht aan een van die risico's schenken, loopt het erop uit dat we aan die kwesties veel te veel aandacht besteden en daarmee te weinig aan andere kwesties waar we mogelijk veel meer in zouden kunnen bereiken. Er is een reëel risico dat we met de opwarming van de aarde op die weg zijn, door een oneigenlijk conflict te suggereren tussen het gebruik van fossiele brandstoffen en de overleving van de mens, en voorbij te gaan aan een zinnige dialoog over keuzen.

Dit wordt duidelijk als we de extreme termen zien waarin vooraanstaande deelnemers aan het debat de opwarming beschrijven en in een context plaatsen. Een verzameling groene en ontwikkelingsgroepen stelde onlangs dat ontwikkeling tot staan zou komen en de wereld begint af te glijden: 'Na een decennium van VN-conferenties die zich ten doel stelden een einde te maken aan de armoede en het mondiale milieu te redden, kunnen rampen – in gang gezet of verergerd door de opwarming van de aarde – het einde inluiden van menselijke ontwikkeling voor de arme meerderheid en hachelijke politieke en economische onzekerheid betekenen voor de rest van de wereld.'[36]

De vooraanstaande Britse spreker George Monbiot legt uit dat we erachter moeten komen 'hoe we een eind kunnen maken aan de verbranding van de planeet' en zegt dat klimaatverandering even verwoestend is als een kernoorlog.[37] De Europese commissaris voor het milieu Stavros Dimas beweerde begin 2007 zelfs dat we een 'wereldoorlog' tegen klimaatverandering nodig hadden.[38] Dit soort beweringen wordt gesteund door een onophoudelijke stroom van nieuwsberichten over slecht weer dat wordt veroorzaakt door de opwarming van de aarde en door nieuwe wetenschap die voorspelt dat het in de toekomst allemaal nog veel erger wordt. *Time* vertelt ons: 'Maak u zorgen. Maak u *ernstig* zorgen.'[39] *New Scientist* laat ons weten dat we aan 'de rand van de afgrond' staan.[40] De erekrans voor de meest uitzinnige beschrijving gaat naar een populair Brits blad dat ons meedeelt dat sommige deskundigen 'een toekomst voorspellen waarin onze kinderen regenwouden in vlammen zullen zien opgaan en zeeën zullen zien koken – tenzij we vandaag actie ondernemen'.[41] Intussen beginnen vooraanstaande wetenschappers kritisch te worden over deze eenzijdige paniekzaaierij.[42] Eén klimaatgeleerde vroeg zich zelfs af of de wetenschap met dergelijke naargeestige voorspellingen niet te ver gegaan is: 'Sommigen van ons vragen zich af of we een monster hebben gebaard.'[43]

Een keerpunt was dat een van de meest vooraanstaande Britse klimaatwetenschappers zich eind 2006 tegen deze hysterie begon uit te spreken.[44] Mike Hulm is directeur van het Tyndall Centre for Climate Change Research. Ja, zei hij, klimaatverandering is reëel en de mens is beslist medeverantwoordelijk, maar woorden als 'catastrofaal' en uitspraken als 'de klimaatverandering is erger dan we dachten' en dat we 'een onomkeerbare omslag in het mondiale klimaat naderen' en op het 'point of no return' zijn aanbeland, worden gebruikt als 'ongeleide wapens om de samenleving tot wanhoop te drijven en gedragsverandering af te dwingen'.

'Waarom zijn het niet alleen actievoerders maar ook politici en wetenschappers die openlijk de taal van angst, terreur en rampspoed mengen met de waarneembare fysieke werkelijkheid van de klimaatverandering en daarmee doelbewust het voorzichtige voorbehoud negeren waarmee de voorspellingen van de wetenschap omgeven zijn?'

Hulme ziet dat in de wanhoop over de mislukking van Kyoto en ter voorbereiding op nieuwe onderhandelingen over een toekomstig verdrag de nieuwe catastrofeterminologie in stelling wordt gebracht. Hij durft te stellen dat praten in termen van een catastrofe bezuinigingen op wetenschappelijke budgetten helpt voorkomen. Maar 'we moeten diep ademhalen en even pauzeren. De taal van de catastrofe is niet de taal van de wetenschap. Er zal volgend jaar in de mondiale ramingen van de meest gezaghebbende instantie, het IPCC, niets van terug te vinden zijn...'

'Klimaatverandering afschilderen als een aangelegenheid die angst en persoonlijke stress oproept wordt, een *self fulfilling prophecy*. Door het probleem 'sexy' te maken verhogen we via psychologische versterkers de risico's die we juist proberen af te wenden. De onzorgvuldige (of samenzweerderige?) vertaling van de zorgen over de vermeende militaire dreiging van Saddam Hoessein in de kwestie van massavernietigingswapens heeft ernstige geopolitieke repercussies gehad. We moeten ons ervan verzekeren dat actoren en instellingen in onze samenleving die de klimaatrisico's proberen op te blazen ons niet op een vergelijkbare contraproductieve weg zetten.'

Je voegen in het koor van de catastrofe, de uiteenopende implicaties van de opwarming van de aarde smakelijk opdienen en de angst voor rampen uitbuiten is misschien goed voor hoge oplages, hoge kijkcijfers en garandeert aandacht trekken. Maar rauwe en ongefundeerde angst blokkeert een zinnige dialoog over politieke en economische argumenten om actie te ondernemen – ten aanzien van dit én de vele andere problemen waarvoor we in de toekomst komen te staan.

De economie: het verlies van een zinvolle dialoog

De opwarming van de aarde zal bepaald niet kosteloos zijn. Het zal, zoals eerder bleek, tot meer sterfte door warmte leiden, de zeespiegel doen stijgen, vermoedelijk heviger orkanen en meer malaria, honger en armoede veroorzaken. Dat is een belangrijke boodschap om over te brengen.

Iets dóen aan de opwarming van de aarde is al evenmin kosteloos. Aan de overstap van brandstoffen als steenkool en gas op hernieuwbare energiebronnen hangt een prijskaartje. Het beperken van het vervoer zal de economie minder efficiënt maken en restricties op warme douches, vliegreizen en autorijden zal uw welbevinden aantasten. Het zal ook het aantal mensen dat van de kou gered wordt verminderen, het aantal watergestresten verhogen en minder mensen in staat stellen rijk genoeg te worden om malaria, honger en armoede te vermijden. Dat is ook een belangrijke boodschap om over te brengen.

Iets doen aan de opwarming van de aarde brengt zowel baten als kosten mee. Over hoe we die baten en kosten op de juiste manier af moeten wegen, moeten we duidelijk een dialoog voeren. Maar de klimaatveranderingen worden in de huidige sfeer van paniek voorgesteld als dermate ernstig en allesoverheersend dat praten over de kosten domweg onredelijk en onverschillig lijkt. Als we het huidige betoog volgen, moeten we ons concentreren op de baten en de kosten vergeten.

Maar ook als we het niet over de kosten hebben, moeten we ze betalen. Ook als we geen discussie voeren over prioriteiten, hadden we misschien veel betere keuzen kunnen maken. Als we het potentieel duurste, mondiale beleidsprogramma ooit ter hand gaan nemen, is het misschien goed er zeker van te zijn dat we daarmee verstandig gebruik maken van onze hulpmiddelen.

Toch stappen veel commentatoren uitzonderlijk lichthartig over de kosten van klimaatverandering heen. Toen deze kosten werden genoemd in het IPCC-rapport van 2007, tot 3 procent van het BBP in 2030, zeiden verschillende commentatoren dat deze kosten – meer dan 1,5 biljoen dollar jaarlijks, wat meer dan 1,5 keer zoveel is als wereldwijd wordt uitgegeven aan defensie – 'verwaarloosbaar' waren. Simon Retallack, hoofd van het departement voor klimaatverandering van het IPPR, zei: 'we zullen daar niets van merken.'[45]

Al Gore maakt in zijn hele boek geen melding van de kosten die een serieuze aanpak van de opwarming met zich meebrengen. Zijn opmerkingen elders over het vervangen van belastingen op lonen door een heffing op CO_2 wijzen echter op 140 dollar per ton CO_2 en een belasting op brandstof van ongeveer 33 dollarcent per liter. Eén serieus model komt op jaarlijkse economische kosten voor de Amerikaanse economie die oplopen tot ongeveer 160 miljard dollar in 2015. Dat zou de emissies in 2015 ongeveer halveren en in 2105 tot een kwart reduceren.[46] Maar aangezien de VS een steeds kleiner deel van het totaal aan uitgestote CO_2 voor hun rekening zullen nemen, zal het totale effect in 2100 een verlaging van de mondiale temperatuur met 0,1 graad Celsius zijn.[47] In wezen suggereert Al Gore dat de VS op eigen initiatief een beperking in de stijl van Kyoto moet gaan doorvoeren.

George Monbiot, een vooraanstaand Brits commentator, schreef een boek in dezelfde geest en betoogt daarin hoe rampzalig elk aspect van de opwarming van de aarde is.[48] Klimaatverandering zal, aldus Monbiot, de voorwaarden voor menselijk leven tenietdoen. Hij concludeert dat klimaatverandering een project is waaraan we voorrang moeten geven boven al het andere. Dit betekent dat de OESO de emissies in 2030 met 96 procent verminderd moet hebben, waarmee onze op fossiele brandstoffen draaiende economie feitelijk wordt stilgelegd. Monbiot is vaag over de totale kosten, maar verzekert ons dat zij niet tot economische ineenstorting zullen leiden. Toch stelt hij zich voor dat we onze mondiale energie- en vervoerssystemen in principe in 23 jaar moeten reorganiseren. Dat betekent het einde van het luchtverkeer en het begin van een allesomvattend distributiestelsel voor CO_2, zoals de Britten dat tijdens de Tweede Wereldoorlog kenden.

Mij lijkt, nogmaals, dat we een dialoog moeten voeren over de vraag of de voordelen van radicale acties als deze opwegen tegen de kosten ervan. De economen zeggen dat dit absoluut niet het geval is. Monbiot zegt echter dat hij part noch deel wil hebben aan zo'n dialoog.[49] Hij vindt het 'een amorele manier van vergelijken'. Hij houdt vol dat je het lijden van de mensen die getroffen zijn door de orkaan Katrina, de waarde van hen die verdronken zijn, de waarde van verloren gegane ecosystemen of van het klimaat zelf allemaal niet vat, als je over de baten praat.

Dit is een zwak argument. Het betoog van Monbiot – net als dat van de meeste verdedigers van een drastische uitstootvermindering – is één lang pleidooi voor de waarde van alles – van mensen tot ecosystemen – dat we zouden moeten redden. Hij pleit voor een bereidheid fenomenale offers te brengen, omdat de gevolgen zo fenomenaal en overweldigend zullen zijn. Maar dat is een uitruil. Hij beweert dat we ons volledig moeten inzetten voor de uitdaging waarvoor onze generatie zich geplaatst ziet: reductie van koolstofemissies met 96 procent in 23 jaar. Maar die inzet, die inspanning, die investering kan dan niet worden aangewend voor het aanpakken van de vele andere uitdagingen waar de wereld voor staat, zoals HIV, malaria, ondervoeding en schoon water. Monbiot verdedigt waarlijk dat er prioriteiten gesteld moeten worden.

Monbiot lijkt het idee bezwaarlijk te vinden dat je alles onder één noemer kunt vangen – en vooral als die noemer de dollar is. Ik heb daar begrip voor. Het benadrukt de harde consequenties van onze daden, en bovendien is het methodologisch lastig. Maar als we vergelijkingen moeten maken tussen vele verschillende en uiteenlopende gebieden, is het van cruciaal belang dat we onze objectiviteit bewaren en een economische benadering helpt ons daarbij.

Monbiot (en velen met hem) kiezen voor de simpele, retorische aanpak. Hij stelt dat het zinloos is om luchtvaart en de impact daarvan uit te ruilen. 'Moet er een steward worden geofferd telkens als er in Ethiopië iemand van de honger sterft?'[50] Hij brengt daarmee misschien een oratorisch schokeffect teweeg, maar lijkt hardnekkig het punt te missen. Misschien is stoppen met vliegen niet de beste manier om Ethiopiërs te helpen niet van honger om te komen.

Aangezien vliegen momenteel ongeveer 3,5 procent van het klimaateffect genereert en in 2050 nog maar ongeveer 5 procent, zou zelfs een volledige stop op vliegen (wat enorme kosten zou meebrengen) een Ethiopiër weinig opleveren.[51] Aangezien het volledig geïmplementeerde Protocol van Kyoto het totale klimaateffect meer zou beperken dan een totale stop op vliegen, en ongetwijfeld tegen veel lagere kosten, is wat Monbiot feitelijk zegt: Laten we nog meer dan voor Kyoto betalen voor nog minder dan het resultaat van Kyoto.[52] Hij is erop gericht minder dan 2 miljoen mensen van de hongerdood te redden, terwijl inspanningen die tien keer zo goedkoop zijn 229 miljoen mensen veel sneller en beter zouden kunnen helpen.

Volgens Monbiot betekent vasthouden aan het afwegen van kosten en baten dat 'je te veel met je rekenmachine bezig bent en te weinig met menselijke wezens'.[53] Toch zou ik willen betogen dat het toch minstens de schijn van medemenselijkheid heeft als je daarmee uiteindelijk 5000 Ethiopiërs kunt helpen telkens als Monbiot er één helpt.

Het is verre van amoreel om kosten en baten te vergelijken en van cruciaal moreel belang om te vragen: waarmee helpen we het meest? Kan het werkelijk moreel zijn om minder dan dat te doen?

Het is ook hierom dat grote, door vakgenoten beoordeelde, economische kosten-batenanalyses aantonen dat klimaatverandering reëel is en dat we iets moeten doen, maar dat de emissiereducties vrij beperkt moeten zijn. In het laatste overzicht wordt het eerdere onderzoek als volgt samengevat:

'Deze onderzoeken bevelen aan dat de uitstoot van broeikasgassen gereduceerd worden tot beneden de ongewijzigd-beleidprognoses, maar de voorgestelde reducties zijn bescheiden.'[54]

Dit was de stand van het economisch denken tot oktober 2006, toen een 600 pagina's lang Brits regeringsrapport, opgesteld onder leiding van Sir Nicholas Stern, uitkwam en overal de krantenkoppen haalde.[55] Het rapport presenteerde een visie op het klimaat, die door *The New York Times* aardig werd samengevat: Het 'voorspelde apocalyptische effecten van klimaatverandering, waaronder droogte, overstromingen, hongersnood, exploderende malariacijfers en het uitsterven van vele diersoorten. Deze zullen nog tijdens deze generatie plaatsvinden als er niet tijdig verandering komt.'[56]

De twee economische punten van het rapport zijn in feite vrij helder. Ten eerste komt Stern tot de conclusie dat de totale kosten en risico's van klimaatverandering overeenkomen met het verlies van minstens 5 procent van het BBP nu en tot in lengte van dagen, en mogelijk van 20 procent nu en tot in lengte van dagen.[57] Het rapport zelf benadrukt dat dit gelijkwaardig is aan de kosten van de grote oorlogen en de economische depressie van de twintigste eeuw.[58] Ten tweede zal krachtig optreden tegen de opwarming maar 1 procent van het BBP kosten.[59]

Vrijwel iedereen heeft hieruit opgemaakt dat Stern een kosten-batenanalyse heeft gemaakt en aangetoond heeft dat de baten 20 procent bedragen en de kosten maar 1 procent, wat natuurlijk de keuze voor actie tegen opwarming tot een hamerstuk maakt.[60] Dat heeft Stern erg populair gemaakt. Zoals de Britse minister van Milieu zei: 'Nick Stern is nu een internationale rockster in de wereld van de klimaatverandering.'[61]

Maar intussen is er een hele reeks wetenschappelijke papers verschenen waarvan de auteurs ernstige kritiek hebben op Stern, waarin ze het rapport als 'een politiek document' karakteriseren en veelvuldig termen gebruiken als 'onder de maat', 'bespottelijk', 'incompetent', 'zwaar vertekend' en 'evenwichtig noch geloofwaardig'.[62] Hoewel er een waslijst van zaken op de analyse is aan te merken, denk ik dat het volstaat om op drie kwesties te wijzen.

1 De voorstelling van de wetenschap in het overzicht is enorm vertekend richting rooskleurige scenario's.[63] 'Het overzicht laat na een accuraat beeld te geven van de wetenschappelijk inzichten in kwesties van klimaatverandering' en 'de analyse van de verwachte impact van mogelijke opwarming van de aarde is consistent eenzijdig en selectief – neigt sterk in de richting van ongefundeerd alarmisme'.[64] Daar het overzicht duidelijk een economische invalshoek heeft, is het verontrustend dat zoveel van de paniekerige klimaatinterpretaties eruit door zovelen omarmd zijn.[65]

2 De schade als gevolg van klimaatverandering (en de voordelen van actie) zijn enorm opgeblazen. Zoals verschillende papers van mede-wetenschappers aangeven 'presenteert het overzicht van Stern geen nieuwe gegevens en zelfs geen nieuw model'.[66] Hoe kan het rapport dan tot conclusies komen die volledig buiten de gebruikelijke marges vallen? Het blijkt dat schades in het rapport verscheidene malen zijn meegeteld en dat de schade enigszins arbitrair met een factor 8 of meer is vermenigvuldigd, op grond van nieuwe en tentatieve kostencategorieën die nooit wetenschappelijk zijn beoordeeld.[67] Tegelijk hebben de opstellers besloten een sleutelparameter uit alle kosten-batenanalyses te veranderen in een waarde die enorme schadebedragen oplevert.[68] Merkwaardig genoeg wordt die parameter niet gebruikt voor de hieronder genoemde kosten, terwijl dat juist tegen krachtig beleid zou pleiten.[69] De parameter staat ook in geen verhouding tot ons huidige gedrag: de impliciete suggestie is dat we nu 97,5 procent van ons BBP zouden sparen ten behoeve van toekomstige generaties.[70] Dat is volslagen absurd – de huidige besparingen in het Verenigd Koninkrijk bedragen ongeveer 15 procent.

3 De kosten van actie worden enorm onderschat, waarmee het rapport een 'inschattingsoptimisme' voortzet dat ook in de jaren vijftig was te zien bij de uiterst lage kostenramingen voor kernenergie.[71] De ingecalculeerde verwachting dat de kosten van hernieuwbare energie tegen 2060 tot een zesde zullen zijn gedaald, lijkt allerminst plausibel.[72] Tegelijk vergeet Stern kosten die na 2050 gemaakt worden mee te tellen, hoewel die kosten dan sterk oplopen en tot ver in de drieëntwintigste eeuw aanzienlijk blijven.[73]

Dit betekent dat er een enorme kloof gaapt tussen de wetenschappelijk erkende literatuur en het niet wetenschappelijk erkende rapport van Stern. In de wetenschappelijke onderzoeken komt de schade door opwarming op ongeveer 1 procent van het BBP uit en de kosten daarvan worden op ongeveer 2 procent geraamd. Het is daarbij van belang dat die twee cijfers niet direct met elkaar vergeleken kunnen worden, omdat het maken van de kosten niet direct alle schade voorkomt. In principe is zich 2 procent kosten op de hals halen ten behoeve van een voordeel van 1 procent echter een slechte deal, wat verklaart waarom economische kosten-batenanalyses slechts bescheiden CO_2-reducties aanbevelen. Maar Stern zet dit plaatje volledig op z'n kop met schades die in geen verhouding staan tot die waar eerdere studies op uitkwamen en met veel te optimistische ramingen van de kosten. Bovendien heeft hij niet de moeite genomen erop te wijzen dat hij geen kosten-batenanalyse heeft uitgevoerd – het is duidelijk dat hij de kosten had moeten vergelijken met het vermeden deel van de schade.[74]

De bekende klimaateconoom William Nordhaus concludeert dat het rapport-Stern 'een politiek document' is.[75] *Nature* vertelt dat de Britse overheid geprobeerd heeft dit onderzoek door andere wetenschappers te laten uitvoeren en kennelijk heeft zitten vissen naar eenzelfde politiek bruikbare uitkomst.[76] Mike Hulme stelt: 'Dit is niet het laatste woord van wetenschappers en economen, het is het laatste woord van ambtenaren.'[77]

Het valt te prijzen dat Stern de economie in zijn rapport weer in het middelpunt van het klimaatdebat geplaatst heeft. Of we het nu willen erkennen of niet, iets doen aan de opwarming van de aarde brengt zowel kosten als baten mee, en we moeten een dialoog voeren over hoeveel we moeten doen. Het rapport Stern verandert echter niets aan het feit dat alle erkende economische analyses aantonen dat we de CO_2-emissies maar met mate moeten terugdringen.[78]

Wetenschap: het verlies van een zinvolle dialoog

De steeds hogere inzet bij de opwarming van de aarde blokkeert ook de dialoog op sommige gebieden van wetenschap. Het IPCC heeft als nadrukkelijk doel 'neutrale beleidsinformatie te bieden aan besluit-vormers'.[79] Maar IPCC-voorzitter Pachauri bepleit onmiddellijke en aanzienlijke reducties van de CO_2-uitstoot 'ten behoeve van het over-leven van de mensheid'.[80] Dat is duidelijk het verkiezen van één soort beleid boven opties als lagere reducties, aanpassing of niets doen.

Toen klimaatwetenschappers ernstige fouten vonden in het rap-port uit 2001 (de zogeheten 'hockeystick'-grafiek, die in het afgelopen millennium stabiele temperaturen liet zien totdat 150 jaar geleden de globale opwarming zijn intrede deed), werd dat niet gezien als een wetenschappelijke aangelegenheid, maar onmiddellijk als een poli-tiek probleem opgevat. In de woorden van verscheidene klimaatwe-tenschappers:

'Toen we onlangs vaststelden dat de methode die ten grondslag ligt aan de zogeheten 'hockeystick'-curve van de temperaturen op het noordelijk halfrond gebrekkig is, werd deze uitkomst niet zozeer aangevallen als wetenschappelijk aanvechtbaar, maar in zowel private gesprekken als publieke uitspraken als zonder meer gevaarlijk voorgesteld, omdat die als argument zou kun-nen worden gebruikt om het succes van het IPCC-proces te on-dermijnen.'[81]

De gerespecteerde – maar sceptische – klimaatwetenschapper Ri-chard Lindzen van MIT wijst erop dat

'Wetenschappers die het met de alarmisten oneens zijn hebben meegemaakt dat hun onderzoeksbudget werd geschrapt, hun werk belachelijk werd gemaakt en zij beschimpt werden als la-keien van het bedrijfsleven, wetenschappelijke kwakzalvers of erger. Het gevolg is dat leugens over klimaatverandering steeds geloofwaardiger worden gevonden, zelfs als ze haaks staan op de wetenschap die geacht wordt eraan ten grondslag te liggen.'[82]

In de loop van de jaren is duidelijk geworden dat een deel – en het is van belang te zeggen dat het hierbij slechts om een deel gaat – van het IPCC meer gepolitiseerd is. Neem een bekende uitspraak uit het rapport van 2001 dat de opwarming van de afgelopen vijftig jaar grotendeels het gevolg is van menselijk handelen. In april 2000 zou de tekst luiden: 'Er is een waarneembare menselijke invloed op het mondiale klimaat.'[83] In het concept van oktober 2000 stond: 'Het is waarschijnlijk dat toenemende concentraties van antropogene broeikasgassen een substantiële bijdrage hebben geleverd aan de waargenomen opwarming over de afgelopen vijftig jaar.'[84] Maar in de officiële samenvatting werd het taalgebruik verder aangescherpt en luidde de tekst: 'Het grootste deel van de waargenomen opwarming over de afgelopen vijftig jaar is waarschijnlijk toe te schrijven aan de toename van de concentraties broeikasgassen.'[85]

Toen de *New Scientist* navraag deed naar de wetenschappelijk achtergrond van deze wijziging, gaf de zegsman van het milieuprogramma van de VN, Tim Higham, een heel eerlijk antwoord: 'Er was geen nieuwe wetenschap, maar de wetenschappers wilden een duidelijke en krachtige boodschap aan de beleidsmakers sturen.'[86] Wanneer wetenschappers – zonder nieuwe wetenschap – hun boodschap 'sexier' willen maken, is het niet meer alleen wetenschap. Het is het bevorderen van een specifieke doelstelling, namelijk dat hun vakgebied van groter belang wordt voor financiering, aandacht en rectificatie. Wie een krachtiger boodschap aan politici als doel heeft, gebruikt de wetenschap om politiek te bedrijven.

Ook laten sommige delen van de IPCC-rapporten zich lezen als een ecologische *mission statement*. Klimaatpolitiek wordt hier gebruikt als instrument en rechtvaardiging om ontwikkelingspaden uit te zetten die als verkieslijke alternatieven worden gezien.[87] Het rapport wijst erop dat onze auto's en treinen niet steeds sneller zullen kunnen worden vanwege de milieuschaarste. Maar dat is prima, want 'het is twijfelachtig of deze trend echt bijdraagt aan de kwaliteit van leven'. Het IPCC suggereert dat we auto's en treinen moeten bouwen met een lagere topsnelheid en geeft hoog op van de merites van zeilen op schepen, biomassa ('sinds mensenheugenis de elementaire hernieuwbare hulpbron voor de mensheid') en van fietsen. Ook suggereert het dat we, om de vraag naar transport terug te dringen, een meer regionale economie zouden moeten krijgen.[88]

Het IPCC vindt dat we onze individuele levensstijl moeten veranderen en minder moeten consumeren. We moeten ons vanwege de klimaatverandering toeleggen op het delen van hulpmiddelen (bijvoorbeeld in de vorm van gezamenlijk bezit) en kiezen voor meer vrije tijd in plaats van voor meer welvaart, voor kwaliteit in plaats van voor kwantiteit, en voor 'de vrijheid verhogen terwijl we de consumptie inperken'. Het probleem is dat 'aan de voorwaarden van publieke acceptatie van dergelijke opties vaak niet op de vereiste grote schaal voldaan wordt'.[89]

Vervolgens suggereert het IPCC dat de reden waarom we niet bereid zijn langzamere (of geen) auto's en regionale economieën met fietsen maar zonder internationale reizen te accepteren, onze indoctrinatie door de media is, die ons tv-figuren laat zien die we als referentiepunt voor ons eigen leven gebruiken en die vorm geven aan onze waarden en identiteit. Derhalve vindt het IPCC dat de media ook moeten bijdragen aan het effenen van de weg naar een meer duurzame wereld: 'Verhoging van het bewustzijn bij mediamedewerkers van de noodzaak van terugdringing van broeikasgassen en de rol van de media in het vormgeven van levensstijlen en verwachtingen kan een effectieve manier zijn om een bredere culturele verschuiving aan te moedigen.'[90]

Klimatoloog Stephen Schneider van Stanford University, een van de voor het publiek zeer zichtbare wetenschappers op het gebied van de opwarming van de aarde, heeft terecht en opvallend eerlijk nagedacht over het 'onoplosbare ethische dilemma' waar een wetenschapper die graag een bijdrage wil leveren aan een betere wereld mee geconfronteerd kan worden. Als wetenschapper moet hij zich toespitsen op de waarheid. Als betrokken burger heeft hij belang bij doeltreffend beleid. Het is duidelijk dat Schneider vindt dat dit een pijnlijk dilemma oplevert en hij spreekt de hoop uit dat het mogelijk is tegelijkertijd eerlijk en effectief te zijn. Maar Schneiders worsteling met dit dilemma resulteert in het volgende ondubbelzinnige advies: 'We moeten brede steun zien te krijgen bij het publiek, tot de verbeelding spreken. Dat brengt natuurlijk veel media-aandacht mee. Dus moeten we beangstigende scenario's aanbieden, versimpelde, dramatische uitspraken doen en weinig aandacht schenken aan de paar twijfels die we misschien ook hebben.'[91]

Zo'n strategie is misschien politiek doeltreffend, maar ondergraaft de mogelijkheid die de samenleving heeft om geïnformeerde keuzes tussen verschillende beleidsdoelen te maken. De opwarming van de aarde is niet het enige probleem, en als wetenschappers beangstigende scenario's opstellen en dramatische uitspraken doen sluit dat een vitale dialoog over maatschappelijke prioriteiten uit.

De politiek: het verlies van een zinvolle dialoog

De groeiende retoriek van wat Hulme 'angst, terreur en rampspoed' noemt slaat ook terug op het politieke debat over de opwarming van de aarde. Dit raakt snel dusdanig gepolariseerd dat een verstandige dialoog onmogelijk wordt. Dit blijkt misschien nergens zo duidelijk als in de term 'climate change denier' (ontkenner van klimaatverandering) die nu op Google meer dan 40 000 hits oplevert.[92] Deze uitdrukking refereert doorgaans aan iedereen die niet de gangbare interpretatie accepteert dat de opwarming van de aarde puur en alleen aan de mensheid te wijten is en dat we de CO_2-uistoot drastisch moeten terugdringen.[93]

De semantische vergelijking met 'Holocaust-ontkenner' is vaak expliciet en staat in elk geval garant voor een sterke symbolische onderstroom. Eén Australische columnist heeft voorgesteld ontkenning van klimaatverandering onwettig te verklaren: 'David Irving is in Oostenrijk gearresteerd omdat hij de Holocaust ontkent. Misschien is er iets voor te zeggen om van ontkenning van klimaatverandering een strafbaar feit te maken – het is tenslotte een misdaad tegen de menselijkheid.'[94]

Mark Lynas is auteur van een boek dat de waarheid over onze klimaatcrisis onthult.[95] (Ik ontmoette Lynas voor het eerst toen hij een taart in mijn gezicht gooide in een boekwinkel in Oxford, als mediastunt tijdens de promotie van zijn boek.) Hij is van mening dat klimaatontkenning 'tot eenzelfde morele categorie als Holocaust-ontkenning behoort' en stelt zich een 'internationaal straftribunaal in Neurenberg-stijl' voor ter berechting van 'allen die gedeeltelijk maar direct verantwoordelijk zijn voor miljoenen doden door ondervoeding, hongersnood en ziekte in de komende decennia'.[96] David Roberts van *Grist* heeft het over de 'ontkenningsindustrie' en stelt dat er behoefte is aan 'processen wegens oorlogsmisdaden tegen die bastaards – een soort klimaat-Neurenberg'.[97] Zelfs de meest vooraanstaande wetenschapper van het IPCC, voorzitter dr. R.K. Pachauri, heeft zich aan de Holocaust-vergelijking gewaagd. Toen hij mijn economische analyses van eerst doen wat het meeste goed doet onder ogen kreeg, vergeleek hij mijn manier van denken met die van Hitler.[98] 'Wat is het verschil tussen Lomborgs kijk op de mens en die van Hitler? Je kunt mensen niet als vee behandelen.'

Waar een alternatieve kijk op de zaak niet meteen verboden en met Hitler vergeleken wordt, is ironiseren en belachelijk maken vaak de strategie. Al Gore's gebruikelijke antwoord op kritische vragen is: 'Vijftien procent van de bevolking gelooft dat de maanlanding in feite in scène is gezet op een filmset in Arizona en iets minder mensen geloven dat de aarde plat is. Ik denk dat ze allemaal op zaterdagavond samen komen met de ontkenners van de opwarming en een feestje vieren.'[99]

Het probleem hier is dat het debat wordt geblokkeerd. Toen Gore bij Oprah Winfrey enkele lastige vragen kreeg over zijn onrealistische schattingen van de stijging van de zeespiegel en gezegd werd dat zijn beweringen over malaria in Nairobi niet ondersteund werden door de feiten, antwoordde hij simpelweg dat veel van de organisaties die onderzoeken publiceren over de effecten van de opwarming van de aarde, worden gefinancierd door de ergste vervuilers.[100]

Hoewel ik waardering heb voor de onderliggende morele intentie om de mensheid goed te doen, is de onwrikbare zekerheid dat CO_2-reductie de beste manier is om de mensheid te helpen problematisch, zoals we door dit hele boek heen hebben gezien. Als we de uitstoot ervan terugdringen betekent dat bijvoorbeeld minder waterstress in Centraal Afrika, maar is het gevolg ook dat er nog meer mensen watergestrest raken in Oost-Afrika. Gevatte vergelijkingen met mensen die denken dat de aarde plat is of de maanlanding ontkennen leidt alleen de aandacht maar af van deze heel reële gevolgen voor Afrika. De

Het negeren van alternatieve oplossingen

Gezien alle ophef over de opwarming van de aarde is het voorstelbaar dat de meeste mensen verheugd zouden zijn over de kans voor de mensheid om er op een goedkopere en slimmere manier iets aan te doen. Maar dat blijkt een vergissing. Het lijkt erop dat alleen het terugdringen van CO_2-uitstoot goed genoeg is.

In de afgelopen decennia is er een aantal alternatieve oplossingen voorgesteld. De reactie op elk daarvan was verrassend eenduidig: laten we alleen eens kijken naar de meest recente.

Atmosfeerfysicus John Latham stelde in 2006 voor dat we de weerkaatsing door laaghangende bewolking zouden kunnen verhogen door meer zoute druppeltjes uit de oceaan te creëren.[101] Dit is een aanvulling op een natuurlijk proces (brekende golven werpen voortdurend grote hoeveelheden zout de atmosfeer in) en het is weinig riskant (we kunnen er namelijk gewoon mee ophouden, waarna het systeem kan terugkeren in zijn natuurlijke toestand). Misschien wel het belangrijkste is dat het de temperaturen potentieel zou kunnen kunnen stabiliseren op het huidige niveau – en dat het het daarmee veel, veel beter zou doen dan Kyoto, tegen ongeveer 2 procent van de kosten daarvan.[102] Toch zijn milieugroepen merkwaardig ongeïnteresseerd. Friends of the Earth zegt: 'Dat is niet iets waar we geld en tijd aan zouden moeten besteden.' Later ontkent de groep dat ze het plan zomaar afwijzen: 'Het is geen kwestie van afwijzen; de vraag is of het de tijd en moeite waard is om er zelfs maar over na te denken.'[103]

Hetzelfde geldt voor Greenpeace: 'Greenpeace is niet geïnteresseerd in dit soort zaken. We kijken naar reducties in het gebruik van fossiele brandstoffen en niet naar dit soort technologieën, die naar alle waarschijnlijkheid toch nergens toe leiden.'

Hoewel Lathams onderzoek in *Nature* is gepubliceerd, is het natuurlijk mogelijk dat het niet werkt.[104] Maar zouden we niet moeten uitzoeken of we een van de grootste problemen van onze beschaving niet tegen heel lage kosten zouden kunnen oplossen?

schijnheilige oproep tot een klimaat-Neurenberg – ironisch omdat je evengoed kunt zeggen dat de eenzijdige nadruk op CO_2-reductie de aandacht afleidt van veel andere en betere oplossingen – is domweg een vlucht voor de verantwoordelijkheid die in een democratie geldt: met goede argumenten over beleidsopties debatteren.

Veel auteurs en wereldleiders hebben de opwarming van de aarde echter ook aangegrepen als een onderwerp dat gelegenheid biedt zichzelf te verheffen boven het melige getouwtrek van verdelingsbeleid en zich te profileren als een menslievende staatsman die zich bezighoudt met het ultieme vraagstuk van de overleving van de aarde. Hier kun je moreel overwicht uitstralen als verdediger van de belangen der mensheid en je distantiëren van het dagelijkse gevecht tussen belangengroepen.

In veel opzichten is de opwarming van de aarde al een hele tijd een perfect thema, omdat het politici in staat stelt over zaken te praten die verheven zijn en de mensen toch na aan het hart liggen. Het maakt bepaalde heffingen zelfs populair, terwijl de werkelijke kosten van het beleid toch ver weg liggen. Tijdens een recente klimaatbetoging in Londen scandeerden de betogers zelfs: 'Wat willen we?' 'Koolstofheffingen!' 'Wanneer willen we die?' 'Nu!'[105]

Aangezien het klimaat constant verandert, is er altijd wel iets dat je kunt toeschrijven aan de opwarming van de aarde, terwijl het voldoende direct is om de kiezers aan te spreken. Een online-redacteur heeft een lijst van meer dan 300 problemen opgesteld waarvan de populaire media hebben beweerd dat die door de opwarming van de aarde worden veroorzaakt – van allergieën en ongelijkheid van de seksen, tot tekorten aan ahornstroop en gele koorts.[106]

Misschien wel het belangrijkste is dat de ware kosten van CO_2-reductie worden uitgesteld, bij voorkeur tot de volgende generatie van politici. Het Protocol van Kyoto kwam tot stand in 1997 maar de restricties zouden het eerst voelbaar worden in 2008-2012. De politici die in 1997 een overwinning konden claimen zijn doorgaans niet dezelfde als de politici die de kosten van de beperkingshandhaving, die in 2008 beginnen, moeten implementeren. Zo heeft ook het Californische equivalent van Kyoto dat gouverneur Schwarzenegger in september 2006 tekende hem een hoop goodwill bezorgd, maar het zal de uitstoot minder reduceren dan de gemiddelde beperkingen van Kyoto en dat pas zo'n veertien jaar later, in 2020.[107]

Veel landen en de EU komen nu met voorstellen voor CO_2-reducties op lange termijn, waarbij opnieuw de eer toevalt aan de voorstanders van nu en het harde werk aan politici in de verre toekomst wordt overgelaten. Dit wordt misschien wel het meest zichtbaar in het voorstel van Tony Blair om de CO_2-emissies in 2050 met 60 procent te verminderen. Het klinkt uiteraard indrukwekkend – wat ongetwijfeld de opzet was – maar 2050 is ook wel erg ver weg. Sinds Kyoto in 1997 zijn de Britse CO_2-emissies met meer dan 3 procent *toegenomen*.[108] Dus het is begrijpelijk dat veel mensen in het Verenigd Koninkrijk sceptisch reageerden en dat meer dan de helft van de parlementariërs voorstelde dat er jaarlijkse doelstellingen moesten zijn, waarmee de grootse doelen van 2050 opeens in 2008 al geëvalueerd moesten worden.[109] De regering gruwde ervan en verzette zich ertegen – nu schijnt de oplossing te zijn dat er vijfjarenplannen komen, waarmee het oordeel tenminste tijdelijk kan worden opgeschort.

Niettemin geeft dit aan dat als de tijd gekomen is om de politieke retoriek rond de opwarming in daden om te zetten, de steun plotseling zal inzakken, omdat de regeringen weten dat dergelijke reducties al snel heel duur worden en waarschijnlijk politieke zelfmoord zullen blijken te zijn.

Dat is dan het bedroevende, evidente en ondermijnende gevolg van politici, media en NGO's die vele jaren goede sier maken met de opwarming van de aarde en zich verlustigen in de taal van 'angst, terreur en rampspoed'. We hebben een situatie geschapen die als steeds apocalyptischer wordt voorgesteld, maar de kans op een zinvolle dialoog voorbij laten gaan.

Wanneer je suggereert – zoals ik hier doe – dat we moeten praten over het perspectief op lange termijn en dat we de bedragen voor R&D in de technologie van niet-koolstofuitstotende energie moeten opvoeren tot 25 miljard dollar per jaar, is de reactie van de meeste mensen doorgaans dat dit op geen stukken na voldoende is, daar het ecologisch armageddon voor de deur staat. Wanneer de emoties zo hoog oplopen kijken mensen niet meer naar de feiten en dragen zij in plaats daarvan oplossingen aan die steeds grootser maar ook steeds onrealistischer worden.

Ons probleem is dat we de hypocrisie geïnstitutionaliseerd hebben. Politici stoken de angst over het klimaat op en beweren dat ze de CO_2-uitstoot in vijftien tot veertig jaar zullen terugdringen, wanneer zij al lang niet meer aan de macht zijn. Maar we hebben nog weinig aan echte reducties gezien, omdat die politiek enorm schadelijk zijn. Nog sprekender is dat politici zeggen dat we door de CO_2 voor de grootste bedreiging van de mensheid staan, maar ondertussen doorgaan met het openen van nieuwe vliegvelden. De Britse regering is hierbij illustratief.[1110]

Op dezelfde manier voeren de media de klimaatpaniek graag op als het ultieme slecht-nieuwsverhaal – in het Verenigd Koninkrijk zijn dat vooral *The Guardian* en *The Independent* – maar dezelfde kranten bieden lezers reizen naar verre bestemmingen aan, plaatsen advertenties voor auto's, goedkope vluchten en energie-intensieve consumentenproducten.[111] Wanneer deze kranten de dreiging van opwarming serieus zouden nemen, zouden ze ophouden voor alle verlokkingen van 'het goede leven' te adverteren. Dat ze dat nalaten, illustreert zowel de hypocrisie als onze sterke afhankelijkheid van fossiele brandstoffen.

En wij kiezers zijn ook niet zonder schuld. We hebben de politici en de media de klimaatangst laten aanwakkeren en zijn gaan betogen voor hogere koolstofheffingen. Maar toen dergelijke belastingen werkelijk overwogen werken, zoals eind 2006 in het Verenigd Koninkrijk gebeurde, werd er luid geprotesteerd, omdat we opeens niet meer vrijblijvend groen konden zijn, maar daar echt voor zouden moeten gaan betalen.[112]

We moeten beginnen met eerlijk zijn over twee dingen. Ten eerste is het van belang te erkennen dat klimaatverandering geen mondiale noodtoestand is die de beschaving te gronde richt. Het is één, maar slechts één van de vele problemen waaraan we in de loop van deze eeuw iets zullen moeten doen. Ten tweede zijn er geen kortetermijnoplossingen voor dit probleem. In de woorden van twee eminente klimaateconomen:

'Klimaatverandering tot staan brengen, of zelfs maar significant vertragen, vereist verregaande emissiereducties overal. De poli-

tieke wil om klimaatbeleid te ondersteunen moet partijen, werelddelen en generaties omspannen.'[113]

Wanneer we die steun willen van alle partijen en werelddelen en door
alle generaties heen, moeten we ondermijnende paniekverhalen ach-
terwege laten en weer een zinvolle dialoog houden over doelen en
middelen en over kosten en baten, zowel wat betreft andere kwesties
als wat betreft de opwarming van de aarde.

5. Tot Besluit:
cool prioriteiten stellen

Terug naar een zinvolle dialoog

Zoals we al eerder zeiden, heeft Al Gore gelijk: het debat over klimaatverandering is een debat over de missie van onze generatie. In wezen is de vraag wat we over veertig jaar bereikt willen hebben. We zagen hierboven dat er veel over 'angst, terreur en rampspoed' wordt gesproken – in wat bijna een choreografie van geschreeuw is. We moeten naar een zinvollere en op feiten gebaseerde beleidsdialoog toe waarbij we de argumenten aanhoren, met verstand over hun merites discussiëren en oplossingen voor de lange termijn vinden. Ons doel is immers niet alleen het terugdringen van de uitstoot, maar we willen ook verbeteringen voor mensen en het milieu.

Ja, klimaatverandering is een probleem, maar het is beslist niet het einde van de wereld. Neem de stijging van de zeespiegel. De zeespiegel zal de komende eeuw een centimeter of 30 stijgen – ongeveer evenveel als gedurende de afgelopen 150 jaar gebeurde. Dat is een probleem, maar geen catastrofe. Vraag iemand die al heel oud is naar de belangrijkste kwesties die in de twintigste eeuw speelden. Die zal waarschijnlijk de twee wereldoorlogen noemen, de Koude Oorlog, de uitvinding van de verbrandingsmotor en misschien de IT-revolutie, maar het is heel onwaarschijnlijk dat deze persoon aan het rijtje zal toevoegen: 'O, en de zeespiegel is gestegen.'

We hebben in de afgelopen eeuw met de zeespiegelstijging kunnen omgaan en dat zal in deze eeuw ook wel lukken. Dat betekent niet dat het probleemloos zal gaan, maar het helpt niet – en is onjuist – om zeespiegelstijging voor te stellen als een probleem dat het eind van de beschaving inluidt.

Bovendien realiseerden we ons dat de zeespiegelstijging voor arme landen een veel groter probleem vormt dan voor rijkere landen. Feitelijk komt het erop neer dat we die stijging met waarschijnlijk 35 procent reduceren, maar iedereen tegelijkertijd ongeveer 30 procent armer maken als we heel erg ons best doen om de zeespiegelstijging te beperken. Het eind van het liedje is dat plekken als Micronesië en Tuvalu drie keer zo *vaak* overstroomd zullen worden, gewoon omdat de lagere inkomens er van veel meer invloed zijn dan de lagere zeespiegel.

We kunnen dus niet alleen maar over CO_2 praten als we het over klimaatverandering hebben – we moeten in de dialoog zowel overwegingen over reductie van koolstofemissies als economische overwegingen meenemen, ten bate van zowel de mens als het milieu.

Ja, we moeten iets doen aan klimaatverandering, maar we moeten ook realistisch zijn. Het Verenigd Koninkrijk heeft misschien wel de regering met de meest hoogdravende retoriek over dit thema. Sinds de Labour-regering in 1997 beloofde de emissies tegen 2010 met nog eens 15 procent te reduceren, zijn ze met 3 procent toegenomen.[1] Zelfs in het Clinton-Gore-tijdperk liepen de emissies 11 procent op.[2]

Kijk naar ons gedrag in het verleden. We hebben beloofd onze emissies tussen 1990 en 2000 te bevriezen, maar ze zijn met 12 procent toegenomen. We hebben beloofd de emissies in 2010 met 11 procent verlaagd te hebben, maar zullen waarschijnlijk uitkomen op 0,7 procent. Veel mensen denken dat de politiek drastisch zou optreden 'als mensen maar beter zouden weten en betere politici zouden kiezen'.[3] Maar kijk naar de feiten. De afgelopen tien jaar was er een enorm verschil tussen burgers uit de VS en die uit de EU waar het gaat om bewustzijn van en bezorgdheid over de opwarming van de aarde en, in het verlengde daarvan, bestond er enthousiasme voor Kyoto bij EU-leiders en maakte de regering-Bush het verdrag belachelijk. Toch is het verloop van de emissies per hoofd in de EU vergelijkbaar met dat in de VS – en terwijl ze in de VS ongeveer stabiel zijn gebleven, zijn ze in de EU zelfs met 4 procent *toegenomen*.[4]

Zelfs als de rijke wereld erin zou slagen zijn emissies in te tomen, zou verreweg het grootste deel ervan in de eenentwintigste eeuw van ontwikkelingslanden afkomstig zijn, zoals ook blijkt uit de enorme stijgingen (vanaf lage niveaus) van die van China en India. Tijdens het Clinton Global Initiative wees Tony Blair daarop in een verbazend openhartige uitspraak:

'Ik denk dat we moeten beginnen met volstrekt eerlijk te zijn over de politieke vraag van hoe we dit aanpakken als we hier iets aan willen doen. De waarheid is dat geen enkel land zijn groei of zijn consumptie substantieel gaat inperken in verband met een milieuprobleem op lange termijn. Landen zijn wel bereid te proberen het probleem in goede samenwerking aan te pakken, op een manier die ons in staat stelt de wetenschap en technologie te ontwikkelen waar we mee verder komen.'[5]

Een vooraanstaand economisch onderzoeker zegt iets vergelijkbaars: 'Forse reducties van de emissies zullen alleen worden gerealiseerd als er alternatieve energietechnologieën tegen redelijke prijzen beschikbaar komen.'[6]

Het is hoog tijd een wat minder hoge toon aan te slaan en weer een verstandige dialoog te gaan voeren. **We moeten een CO_2-heffing invoeren van het economisch correcte niveau van ongeveer 2 dollar per ton, of maximaal 14 dollar per ton.** Maar laten we niet verwachten dat dit enig significant verschil zal uitmaken. Zo'n heffing zou de emissies met 5 procent en de temperatuur met 0,1 graad Celsius verlagen. En voordat we roepen dat 5 procent niets is, moeten we bedenken dat het Protocol van Kyoto, waar we tien jaar politiek en economisch voor hebben moeten zwoegen, de emissies in 2010 met maar 0,4 procent zal verlagen.[7]

Dit is echter niet de oplossing. Noch met zo'n geringe heffing, noch met Kyoto, noch met voorstellen voor draconische toekomstige reducties komen we veel verder in de richting van betere oplossingen. Het onderzoek naar en de ontwikkeling van hernieuwbare energiebronnen en energie-efficiëntie staan op het laagste peil van de afgelopen 25 jaar. We moeten inderdaad een manier vinden om 'wetenschap en technologie te ontwikkelen waar we mee verder komen' en die ons in staat stellen alternatieve energietechnologie te bieden tegen redelijke prijzen. Dat zal nog wel een halve eeuw of meer kosten en daar is een politieke wil voor nodig die partijen, werelddelen en generaties omspant. We moeten bereid zijn ons langdurig in te zetten en een kosten-effectieve strategie vinden die niet bezwijkt onder torenhoge ambities of faalt doordat we de verkeerde richting inslaan.

Daarom moet een van de uitdagingen van onze generatie zijn dat **alle naties ermee instemmen 0,05 procent van hun BBP te besteden aan R&D van niet-koolstofuitstotende energietechnologieën.** Dat zou een bescheiden 25 miljard dollar per jaar kosten (slechts een zevende van Kyoto en vele malen minder dan een Kyoto II zou kosten). Alle landen zouden erin mee kunnen gaan waarbij de rijkere landen een groter aandeel betalen. Het zou elk land in staat stellen zich toe te leggen op de eigen toekomstvisie ten aanzien van de energiebehoefte, of dat nu een nadruk op hernieuwbare bronnen, kernenergie, fusie, koolstofopslag, energiebesparing of een zoektocht naar nieuwe en exotischer mogelijkheden betekent.

Het zou een wereldwijde impuls geven aan onderzoek en weer werkelijkheidsgehalte geven aan het visioen van een wereld waarin mensen weinig koolstof uitstoten én een goed inkomen genieten. Er zou een bescheiden prijskaartje aan hangen, terwijl het grote baten zou opleveren in termen van innovatieve spin-offs. Het zou ook de steeds sterkere verleiding van liftersgedrag en de steeds moeizamer onderhandelingen over steeds restrictievere Kyoto's vermijden. Het is plausibel dat deze aanpak ons in staat zal stellen het klimaat op een redelijk niveau te stabiliseren.

Ik geloof dat dit de manier is om partijen, werelddelen en generaties met elkaar te verbinden en dat dit een langlopende en goedkope kans schept voor het ontwikkelen van technologieën voor alternatieve energie waarop de toekomst zal draaien.

Om dit doel naderbij te brengen is het noodzakelijk dat we een zinvolle dialoog over het beleid gaan voeren. Dit vereist dat we openlijk over prioriteiten spreken. Vaak is er in openbare discussies een sterk gevoel dat we *alles* moeten doen wat nodig is om een situatie te verbeteren. Maar het is duidelijk dat we feitelijk níet alles doen. We weten, als we over onderwijs debatteren, dat een toename van leerkrachten waarschijnlijk beter onderwijs voor onze kinderen zal betekenen.[8] Toch blijven we niet maar meer en meer leerkrachten toevoegen, gewoon omdat we ook geld moeten uitgeven aan andere zaken. We weten, sprekend over gezondheidszorg, dat toegang hebben tot betere technische apparatuur waarschijnlijk tot betere behandeling zal leiden, en toch stellen we geen onbeperkte hoeveelheid middelen beschikbaar.[9] En met betrekking tot milieu weten we dat strengere beperkingen meer bescherming betekenen, maar ook veel meer kosten.

Kijk naar een vergelijkbare kwestie: die van de verkeersongevallen. De meeste mensen beseffen niet dat verkeersongevallen een van de tien belangrijkste doodsoorzaken ter wereld zijn. In de VS komen jaarlijks 42 600 mensen om in het verkeer en raken 2,8 miljoen mensen erdoor gewond.[10] Wereldwijd wordt het aantal verkeersdoden op 1,2 miljoen geschat en het aantal gewonden op 50 miljoen.[11] Bovendien heeft het autoverkeer ook ernstige gevolgen voor de natuur – naar schatting gaan alleen al in de VS jaarlijks 57 miljoen vogels dood door auto's.[12]

Ongeveer 2 procent van alle sterfgevallen in de wereld is het gevolg van het verkeer en ongeveer 90 procent van de verkeersdoden valt in derdewereldlanden.[13] De totale kosten belopen een fenomenale 512 miljard dollar per jaar.[14]

Als gevolg van het, vooral in de derde wereld, toenemende verkeer en de in het algemeen beter wordende gezondheidscondities, schat de WHO dat tegen 2020 verkeersongevallen mondiaal de op een na belangrijkste doodsoorzaak zullen zijn, direct na hart- en vaatziekten.[15]

En dat, hoe verbazend, terwijl we beschikken over de technologie om dat allemaal weg te werken. We zouden letterlijk van de ene dag op de andere 1,2 miljoen mensenlevens per jaar kunnen sparen, 500 miljard dollar schade kunnen elimineren en honderden miljoenen vogels van de dood kunnen redden. Onze actie zou zich daarbij natuurlijk vooral op het lot van de derde wereld richten, waar de meest verkeersdoden te betreuren vallen.

De oplossing is heel simpel: verlaag de maximumsnelheid tot 8 kilometer (5 mijl) per uur.[16] Dan gaat er niemand dood – en waarschijnlijk kunnen we bijna alle 50 miljoen gewonden per jaar vermijden.

Maar dit doen we natuurlijk niet! Waarom niet? Het simpele antwoord dat bijna iedereen zal geven is dat de voordelen van een beetje snelheid veel groter zijn dan de kosten. Terwijl de kosten in termen van doden en gewonden evident zijn, zijn de baten veel prozaïscher en gespreider, maar evengoed belangrijk – verkeer ondersteunt de samenhang in onze maatschappij: helpt goederen tegen concurrerende prijzen beschikbaar te maken in onze woonplaats, brengt mensen bij elkaar en stelt hen in staat te wonen waar ze willen en tegelijkertijd elders mensen te bezoeken en ontmoeten. Als je je een wereld voor de geest haalt die met een tempo van maar 8 kilometer per uur beweegt, lijkt die sterk op de wereld uit de Middeleeuwen.

Dit is, voor de goede orde, geen geintje: we kunnen, als we willen, een van de grootste wereldproblemen oplossen. We weten dat verkeersdoden geheel en al door de mens worden veroorzaakt, we beschikken over de technologie om die tot nul te reduceren, en toch schijnen we erin te moeten volharden en laten het probleem elk jaar toenemen, waarmee verkeersongevallen in 2020 de op een na belangrijkste doodsoorzaak zullen zijn.

Ik denk dat een vergelijking met de opwarming van de aarde hier verhelderend is. We weten dat de opwarming van de aarde ook in sterke mate door de mens wordt veroorzaakt en we beschikken over de technologie om die tot nul te reduceren, en toch schijnen we te moeten volharden in gedrag dat die opwarming teweegbrengt en maken het probleem elk jaar erger, waardoor de temperatuur in 2020 nog hoger zal zijn. Waarom? Omdat de baten van een gematigd gebruik van fossiele brandstoffen de kosten verreweg overtreffen. Ja, de kosten zijn evident – zie de 'angst, terreur en rampspoed'-berichten waar we dagelijks in de krant over lezen: de opwarming leidt tot stijging van de zeespiegel, er komt meer sterfte door warmte en meer armoede. Maar de baten, weliswaar prozaïscher, zijn niettemin ook belangrijk. Fossiele brandstoffen brachten ons goedkoop licht, warmte, voedsel, communicatie en de mogelijkheid te reizen.[17] Elektrische airconditioning bracht met zich mee dat mensen in de VS niet langer massaal doodgingen tijdens hittegolven.[18] Goedkopere brandstof zou een aanzienlijk deel van de 150 000 mensen, die sinds 2000 in het Verenigd Koninkrijk zijn omgekomen als gevolg van strenge winters, hebben gered.[19] Voedsel kan goedkoop worden verbouwd en we kunnen het hele jaar door fruit en groente kopen, wat waarschijnlijk het aantal kankergevallen met minstens 25 procent heeft verlaagd.[20] Auto's bieden ons de gelegenheid in de ruimte en de natuur te wonen en toch de reistijd naar onze werkplek constant te houden, terwijl communicatie en goedkope vluchten meer mensen de gelegenheid hebben geboden andere culturen te ervaren en wereldwijd vriendschappen te sluiten en te onderhouden.[21]

In de derde wereld is toegang tot fossiele brandstoffen cruciaal. Ongeveer 1,6 miljard mensen hebben geen beschikking over elektriciteit, wat de menselijke ontwikkeling ernstig belemmert.[22] Tweeëneenhalf miljard mensen zijn afhankelijk van biomassa als hout, afval en mest om op te koken en om warm te blijven.[23] Veel Indiase vrouwen zijn elke dag drie uur kwijt met het zoeken naar hout, waarvoor ze soms meer dan tien kilometer per dag moeten lopen. Het gebruik van hout als brandstof leidt bovendien tot extra ontbossing.[24] Ongeveer 1,3 miljard mensen – vooral vrouwen en kinderen – sterven jaarlijks door ernstige luchtvervuiling in huis. De overstap van biomassa naar fossiele brandstoffen zou het leven van 2,5 miljard mensen ingrijpend verbeteren: de jaarlijkse kosten van 1,5 miljard dollar worden ruimschoots overtroffen door baten ter waarde van ongeveer 90 miljard dollar.[25] Zowel voor ontwikkelde als ontwikkelingslanden is de gedachte van een wereld zonder fossiele brandstoffen op korte en middellange termijn vergelijkbaar met een terugkeer naar de Middeleeuwen.

Dit betekent, nogmaals, niet dat we het niet moeten hebben over hoe we de kwalijke gevolgen van het verkeer en de opwarming van de aarde zouden moeten beperken. De meeste landen kennen strikte snelheidsbeperkingen – als ze die niet hadden zou het aantal doden nog veel hoger zijn. Toch blijkt uit onderzoek ook dat verlaging van de gemiddelde snelheid in Europa met maar 5 kilometer per uur het aantal dodelijke ongevallen met 25 procent zou verlagen – ongeveer 10 000 minder doden per jaar.[26] Blijkbaar zijn de democratieën in Europa niet bereid de extra baten van sneller rijden op te geven om 10 000 levens te redden. Dit is een kwestie van politieke prioriteiten, waarbij er meer dan één oplossing is. De maximumsnelheid in Europese steden is 50 of 60 kilometer, geen 40 of 70.[27] We kunnen praten over een kleine verhoging van de maximumsnelheid, waardoor we sneller kunnen reizen, of een kleine verlaging, waardoor er minder doden vallen. Maar noch 5, noch 250 kilometer per uur komt erdoor, naar alle waarschijnlijkheid.

Dit is analoog aan het debat dat we over de opwarming van de aarde voeren. We kunnen een realistische discussie voeren over een CO_2-heffing van 2 of zelfs 14 dollar, maar een heffing van 140 dollar voorstellen, zoals Al Gore doet, lijkt een beetje ver van de realiteit te staan. Voorstellen dat de koolstofuitstoot van de OESO-landen tegen 2030 met 96 procent moet zijn verminderd, is een beetje vergelijkbaar met een maximumsnelheid van 8 kilometer per uur voorstellen. Het is technisch mogelijk, maar de kans dat het gebeurt, is gering.

Bovendien zijn we ons er, in het geval van het verkeer, van bewust dat het onwaarschijnlijk is dat we op korte of middellange termijn de maximumsnelheid zo sterk zullen veranderen, dus in plaats daarvan richten we onze aandacht op andere manieren om het aantal verkeersslachtoffers te beperken. Hier bewijzen airbags, gordels, motor- en fietshelmen, betere wegen, verkeersdrempels, fietspaden en dergelijke hun waarde. Die stellen ons in staat een redelijke snelheid te handhaven *en* het aantal doden en gewonden sterk te reduceren. Als het debat volledig gefixeerd zou zijn op de maximumsnelheid en gepolariseerd was tussen 100 kilometer en 8 kilometer per uur, zouden we waarschijnlijk voorbijgaan aan de vele eenvoudige en goedkope mogelijkheden om aanzienlijke reducties van het aantal gewonden te bewerkstelligen.

Het debat over de opwarming van de aarde is op een vergelijkbare manier vaak zo gefixeerd op CO_2-reductie dat het voorbijgaat aan wat kennelijk ons primaire doel is: de kwaliteit van het leven en het milieu verbeteren. In het gevecht over of we 4 of 96 procent moeten reduceren vergeten we maar al te gemakkelijk dat we mensen op korte en middellange termijn veel beter kunnen helpen met ander beleid. Zoals we hieronder zullen zien, kunnen we ziekte, ondervoeding en gebrekkige toegang tot schoon drinkwater en sanitair terugdringen en intussen de economie stimuleren met beleid dat veel minder kost en veel meer effect heeft.

Het mes van het voorzorgprincipe snijdt aan twee kanten

Uit kosten-batenanalyses blijkt dat alleen matige CO_2-reductie verantwoord is, simpelweg omdat terugdringing duur is en pas over lange tijd weinig effect sorteert.

Mensen beweren vaak dat we dat hoe dan ook moeten doen, vanuit het zogeheten 'voorzorgprincipe'.[28] Hoewel dat als juridisch beginsel eigenlijk alleen zegt dat het ontbreken van volledige wetenschappelijke zekerheid over de opwarming van de aarde niet gebruikt mag worden als excuus om niets te doen, wordt het doorgaans vertaald in aansprekende gezegden als 'het schaadt niet'.[29] Waar het juridische principe zonder meer juist is, is zo'n gezegde veel verraderlijker.

Gewoonlijk wordt betoogd dat het feit dat het 'geen kwaad aanricht' vanzelfsprekend betekent dat we de CO_2-uitstoot sterk moeten reduceren – het is immers beter nu wat kosten te maken dan de schadelijke gevolgen van de hitte later over je af te roepen. Maar deze redenering is op verschillende manieren problematisch. Waarom zouden we, ten eerste, niet tot 50 of 75 procent gaan als krachtig optreden (zeg, reducties met 25 procent) gerechtvaardigd zijn – dat zou nog minder schadelijke hitte betekenen. Op die manier kun je natuurlijk maar op één conclusie uitkomen, namelijk de wenselijkheid van een reductie van 100 procent, de minst schadelijke van alle uitkomsten. Toch zouden maar weinigen die willen verdedigen, omdat de kosten te hoog zouden zijn, en dit wijst op de noodzaak van uitruil.

Ten tweede gaat spreken over 'schade' door opwarming voorbij aan het feit dat de nu gedragen kosten ons ook schaden. We kunnen het geld dat we nu uitgeven aan emissiereductie niet spenderen aan scholen, ziekenhuizen en andere nuttige zaken op de sociale begroting.

Dus als we het voorzorgprincipe zorgvuldig willen toepassen, moeten we de kosten van het voorkomen van toekomstige schade afwegen tegen kosten van nu direct schade lijden. Dan zijn we terug bij de discussie over de uitruil van kosten en baten en blijkt het voorzorgmotief dus geen enkel nieuw inzicht toegevoegd te hebben.[30] In de praktijk lijkt dit principe alleen gebruikt te worden om de aandacht te vestigen op de schade door opwarming en voorbij te gaan aan de schade door emissiebeperking. Zo fungeert het principe als legitimatie voor een vooringenomen standpunt.

Dit toont zich ook in de voorzorgbenadering van verkeersongevallen. Het is helder dat de intentie 'geen kwaad aan te richten' voor het verkeer betekent dat we de maximumsnelheid moeten verlagen tot 8 kilometer per uur. Het is echter ook duidelijk dat we rekening moeten houden met de schade die we in de moderne samenleving aanrichten met het verwijderen van snelle verbindingen. En dan zijn we weer terug bij de uitruil van kosten en baten.

Op de lange termijn moet het ons doel zijn de overstap naar een koolstofarme toekomst zo goedkoop te maken dat onze kleinkinderen die ook daadwerkelijk zullen willen maken. Zo goedkoop dat China en India eraan mee willen doen. Dat is de reden waarom we ons, ten behoeve van een betere toekomst, op R&D moeten toeleggen.

Ik hoop dat we onze kinderen over veertig jaar niet hoeven te vertellen dat we kozen voor een hele reeks feitelijk onsuccesvolle, opgelegde Kyoto's, die geen of weinig effect hadden op het klimaat, maar hen wel armer maakten en minder goed in staat de problemen van de toekomst het hoofd te bieden. Het is te hopen dat we hen nooit hoeven uit te leggen dat we monomaan op de opwarming van de aarde gefixeerd waren en de meeste andere uitdagingen van de toekomst genegeerd hebben.

Over veertig jaar moeten we onze kinderen in de ogen kunnen kijken en kunnen zeggen dat we de eerste helft van een eeuw vol inspanningen om de klimaatverandering aan te pakken, gebruikt hebben voor het toegankelijker en goedkoper maken van technologie voor koolstofarme energie. We moeten onze kinderen kunnen laten zien dat we voor hen een wereld heben achterlaten die beter is toegerust om de toekomst aan te kunnen, rijker, beter gevoed, gezonder en met een beter milieu.

De verstandigste opties

De terugkeer tot een zinvolle en op de feiten gebaseerde dialoog betekent dat we de slimme dingen het eerst kunnen doen.
– Met de aanpak van de opwarming van de aarde is een eeuw gemoeid en we zullen een politieke wil nodig hebben die partijen, werelddelen en generaties omspant. We moeten voorbereid zijn op

een lange weg en een kosteneffectieve strategie vinden die niet bezwijkt onder torenhoge ambities.

– We moeten de CO_2-uitstoot reduceren en wel met meer dan waar Kyoto (met de VS) toe in staat is, maar nog steeds met maar 5 procent, oplopend tot 10 procent tegen het eind van de eeuw.
– We moeten ook ons R&D naar koolstofarme energie vertienvoudigen – 0,05 procent van het BBP ofwel 25 miljard dollar per jaar zou ons in staat stellen het klimaat op een redelijk niveau te stabiliseren.

Maar het is ook van belang te beseffen dat de mate waarin we van de eenentwintigste eeuw iets goeds weten te maken niet vooral een kwestie is van de mate waarin we de opwarming van de aarde onder de knie krijgen. Als we naar de economische ramingen van het IPCC kijken, blijkt dat we deze eeuw maximaal voor zo'n 14,5 biljoen dollar aan goeds kunnen doen, zelfs als we de opwarming op miraculeuze wijze zouden kunnen doen verdwijnen. Een realistischer uitgangspunt is dat klimaatbeleid voor slechts ongeveer 0,6 biljoen dollar aan goeds kan doen, en als we te veel doordraven riskeren we al snel dat het middel erger wordt dan de kwaal.

Vergelijk dat eens met de economische schattingen van de IPLL. Het pad dat we kiezen voor de samenleving – met een nadruk op de economie of juist op het milieu, op een hogere of juist een lagere groei – heeft waarschijnlijk een veel grotere impact, van tenminste 553 biljoen dollar. Als we te veel de nadruk leggen op de opwarming, lopen we gemakkelijk het risico dat toekomstige generaties veel slechter af zijn en dat aan de gemiddelde inwoner van de ontwikkelingslanden in 2100 een inkomenstoename van 70 procent voorbijgaat.[31]

Omdat zowel de aandacht als het geld schaars is, is het van belang dat we de problemen waarvoor de beste oplossingen beschikbaar zijn het eerst aanpakken en daarmee door de eeuw heen het meeste goeds doen. Waar het om gaat is dat we onze nakomelingen zoveel mogelijk kansen nalaten.

Maar misschien is gepraat over biljoenen net een beetje te gemakkelijk. Laten we het daarom hebben over wat we kunnen doen.

Klimaatverandering heeft vooral met een taal van 'angst, terreur en rampspoed' onze aandacht opgeëist. Ik betoog dat we die taal moeten laten afkoelen. We willen de wereld beter maken – geweldig. Maar het is geen vaststaand gegeven dat we de wereld het beste helpen met een beperking van onze CO_2-emissies. Wat we door dit hele boek heen gezien en hier samengevat hebben is dat er heel wat andere terreinen zijn waarop we, sneller en goedkoper, veel meer kunnen betekenen. Een inspanning als Kyoto – die de afgelopen decennia een groot deel van de politieke aandacht van de wereld heeft opgeslokt en die 180 miljard dollar per jaar gaat kosten als het protocol volledig wordt uitgevoerd, maar die tegen het eind van de eeuw opmerkelijk weinig baten zal hebben opgeleverd – maakt het punt nog eens duidelijk zichtbaar.

In de tabel op p. 149 vergelijk ik de efficiëntie van Kyoto en een aantal voorbeelden van slim beleid die in dit boek aan de orde zijn gekomen, waaronder de topprioriteiten van de Copenhagen Consensus – laten we spreken van strategieën die respectievelijk een 'goed gevoel géven' en die 'goed dóen'. Natuurlijk zou Kyoto aangepast en verbeterd kunnen worden, maar het Protocol is wat nu op tafel ligt en de verschillen zijn zo groot en voor zichzelf sprekend, dat een beter voorstel tot CO_2-reductie de tabel maar marginaal zou veranderen – en zeker niet de uitkomst.

Je kunt discussiëren over de vraag wat er precies in de kolom 'goed doen' thuishoort. En dat moeten we ook doen. Als we een zinvolle, door feiten onderbouwde dialoog willen, moeten we ter discussie stellen of we meer moeten uitgeven aan orkanen en juist minder aan overstromingen, of meer aan malaria- en misschien minder aan hongerbestrijding. Maar door de bank genomen is het evident dat de kolom 'goed doen' in overweldigende mate beter is.

Veel mensen zullen geneigd zijn te zeggen dat we alles wat in de kolommen staat, moeten doen. Ja, in beginsel zouden we alles wat goed is moeten doen, maar zolang we niet alles kunnen doen, moeten we prioriteit geven aan het beste en ons daarop concentreren. Tot op heden hebben we het in beide kolommen nogal slecht gedaan, dus laten we nu beginnen met de slimme dingen.

We zullen moeten beginnen ons eens ernstig op een aantal alleszins

	Goed gevoel (zoals Kyoto)	Goed doen
IJsberen	0,06 gered	49 gered
Temperatuursterfte	84 000 meer doden	Huidig beleid voortzetten
Overstromingen	$ 45 miljoen schadebeperking	$ 60 miljard schadebeperking ($ 5 miljard)
Orkanen	0,6 % schadebeperking	250 % schadebeperking ($ 5 miljard)
Malaria	70 miljoen infecties vermeden	28 miljard infecties vermeden ($ 3 mrd)
Armoede	1 miljoen minder	1 miljard minder
Honger	2 miljoen minder	229 miljoen minder
Waterstress	84 miljoen meer	Reeds beter
HIV/AIDS	[ ]	3,5 miljoen levens gered ($ 7 miljard)[32]
Vitaminen en mineralen in voeding	[ ]	Ruim 1 miljard ondervoeden vermijden ($ 3 miljard)
Vrijhandel	[ ]	$ 2,4 biljoen per jaar extra
Drinkwater en sanitair	[ ]	Toegang voor 3 miljard mensen ($ 4 miljard)
Effectieve klimaatactie	[ ]	R&D voor koolstofarme energie ($ 25 miljard)
	Prijskaartje: $ 180 miljard per jaar	Prijskaartje: $ 52 miljard per jaar

Jaarlijkse kosten en uitkomsten van het uitvoeren van Kyoto én van het uitvoeren van een reeks slimme strategieën (kosten tussen haakjes).[32]

aardse, maar moeilijke kwesties te richten, zoals de noodzaak van landbouwhervormingen, herstel van natte gronden om overstromingsrisico's te minimaliseren, het schrappen van gesubsidieerde verzekeringen in orkaangebieden en een betere beschikbaarheid van medische zorg en airconditioning. Dit soort discussies doet misschien nogal prozaïsch aan vergeleken met een opwindend debat over klimaatverandering en de impact daarvan op de wereld in de komende eeuwen.

Wat moeten we over veertig jaar bereikt hebben?

Ik hoop dat de discussie een beetje minder verhit wordt, dat we overdrijvingen beteugelen en ons gaan toeleggen op dat waarmee we het meeste goeds kunnen doen. Dat betekent niet dat we niets doen aan klimaatverandering, maar impliceert wel een open dialoog over de effecten ervan en de oplossingen ervoor en een gesprek over waar we onze prioriteiten moeten leggen.

Als mensen 5 dollar betalen om een ton CO_2 te compenseren, doen ze enig goed (en leveren ze de wereld waarschijnlijk 2 dollar aan baten op).[33] Maar diezelfde 5 dollar had, aan een andere organisatie gedoneerd, voor 200 dollar goed kunnen doen als het geld gebruikt was voor preventie van HIV/AIDS of voor 150 dollar als ze voor ondervoeding waren gebruikt.

Ik zou studenten liever zien betogen voor klamboes tegen malaria dan voor het ratificeren van Kyoto. Ik zou liever demonstraties zien ten faveure van regels voor en naleving van orkaanbestendige bouw dan demonstraties tegen auto's met één inzittende. Ik zou liever verhitte ingezonden brieven lezen over de waanzinnige subsidies aan de bio-industrie, waardoor boeren in de derde wereld hun producten niet kunnen afzetten, dan verhitte pleidooien voor hogere CO_2-heffingen. Ik zou graag zien dat het *cool* werd om gepassioneerd te raken over eerst doen wat het beste is voor de aarde.

Ik hoop dat we de komende generaties recht in de ogen kunnen kijken en kunnen zeggen: we hebben niet alleen dat gedaan waarvan iedereen riep dat het goed was, we hebben ons massaal ingezet om de wereld ingrijpend ten goede te veranderen met eenvoudige, bewezen en verstandige strategieën. We hebben niet gedaan wat ons een goed gevoel gaf, maar we hebben iets gedaan dat ook echt goed dééd.

Dankwoord

Het is een groot voorrecht geweest te kunnen discussiëren over kwesties rond de opwarming van de aarde met de vele mensen die ik heb ontmoet en wier werk ik in de afgelopen jaren heb gelezen, en door hen geïnspireerd te raken. Ik kan ze onmogelijk allemaal bedanken – tegenstanders noch medestanders.

Toch wil in het bijzonder alle wetenschappers uit het veld bedanken, van klimatologen tot economen, verbonden aan universiteiten en onderzoeksinstellingen, die de wereld op zoveel verschillende manieren meten en in modellen vatten en de stukjes en beetjes van alle informatie die in dit boek wordt gepresenteerd verzamelden en publiceerden. Zonder hun werk zouden we geen zinvol debat kunnen aangaan.

Ik wil ook de vele klimaat- en sociale wetenschappers bedanken die dit boek geheel of gedeeltelijk hebben gelezen en me op waardevolle ideeën brachten, en die me op talrijke plaatsen hielpen mijn denken te verhelderen. Om uiteenlopende redenen willen velen niet bedankt worden. En natuurlijk geldt het gebruikelijke voorbehoud – alleen ik ben verantwoordelijk voor dit boek.

Ik wil Henrik Meyer bedanken voor de voortdurende en slimme feedback die hij me gaf, Ulrik Larsen voor het verbeteren van mijn metaforen, Egil Boisen voor zijn grote bijdragen en het bedenken van de titel *Cool It*, Richard Tol omdat hij mijn economische argumenten krachtiger maakte, Roger Pielke voor de talloze geweldige suggesties die hij me gaf voor dit boek en ook al zolang ik hem ken, David Young voor het aanscherpen van mijn standpunten, Chris Harrison omdat hij me steeds herinnerde aan alle andere invalshoeken en mijn mentor Jørgen Poulsen voor zijn voortdurende hulp om de grote lijn te blijven zien. Ook dank aan mijn geweldige collega's van het Copenhagen Consensus Center: Tommy Petersen, Clemen Rasmussen, Elsebeth Søndergaard, Sonja Thomsen, Tobias Bang en Maria Jakobsen.

Ik ben bij Knopf ook gezegend geweest met veel fantastische mensen, onder wie mijn uitgever Marty Asher, die me steeds weer op het hart drukte nog beter en scherper te schrijven, Edward Kastenmeier, Zachary Wagman en Arianna Cassidy. Ook dank aan mijn tekstredacteur, Timothy Mennel, die me zelfs goed Engels liet schrijven. En ten slotte een dankbare knik naar de geweldige medewerkers die dit boek in de boekwinkel krijgen, waaronder Paul Bogaards, Erinn Hartman en Christina Malach. Dank aan Jeff Scott die me als eerste aanmoedigde het boek te schrijven en aan mijn agent, John Brockman en al zijn slimme medewerkers, die vanaf de eerste dag in dit boek geloofden.

Dit is een kort boek over een ingewikkelde kwestie. Maar als we willen dat onze democratieën er toe doen, dat ze de beste missie voor deze generatie vinden, is belangrijk dat informatie een ruime verspreiding krijgt. Mocht u meer informatie willen: ik publiceer bij Cyan in het Verenigd Koninkrijk ook een uitgebreider versie van *Cool It*, met vele grafieken en meer uitleg.

Vanzelfsprekend is al het mogelijke gedaan om te zorgen dat alle informatie in dit boek juist is, maar ongetwijfeld zullen er fouten zijn binnengeslopen. Ik streef ernaar elke fout op mijn website te vermelden: www.lomborg.com.

De opwarming van de aarde is een van de vele problemen waarmee wij in de eenentwintigste eeuw geconfronteerd worden. Ik hoop dat dit boek ons beter in staat stelt om onze prioriteiten te bepalen en ervoor te zorgen dat de toekomst zo goed mogelijk wordt.

Bjørn Lomborg
Kopenhagen, mei 2007

Noten

Hoofdstuk 1

1 EU, 2001: p. 208
2 Blair, 2004b; Cowell, 2007
3 DW staff, 2006;
4 Prodi, 2004
5 Buncombe, 2005
6 Pew Center, 2006
7 AP, 2006a
8 Gore & Melcher Media, 2006
9 Gelbspan, 2004; Cox, 2005; Pearce, 2006
10 Bunting, 2006
11 *Time* magazine, 2006
12 'En terwijl het zee-ijs verdwijnt, worden er nu ijsberen – die geweldig kunnen zwemmen maar ooit uitgeput raken – verdronken aangetroffen.' 'Het poolijs zal tegen 2060 verdwenen zijn,' zegt Larry Schweiger, president van de National Wildlife Federation. 'Ergens op dat traject geeft de ijsbeer het op.' Kluger, 2006
13 Gore & Melcher Media, 2006: p. 146; zie ook Iredale, 2005
14 Eilperin, 2004
15 BBC Annon, 2005
16 2 graden Celsius is nu onvermijdelijk, en 'dat betekent dat de ijsberen in hun polaire habitat weggevaagd worden. De enige plek waar ze nog te zien zijn is in de dierentuin.' McCarthy, 2006
17 Berner et al., 2005; Hassol, 2004; Norris, Rosentrater, & Eid, 2002
18 De Conservation Union wordt ook wel afgekort als IUCN; de website van de Polar Bear Specialist Group is http://pbsg.npolar.no/default.htm. IUCN Species Survival Commission, 2001
19 De IUCN telt zelfs twintig groepen, maar de meesten hebben het over negentien groepen. IUCN Species Survival Commission, 2001: p. 1322
20 Krauss, 2006

21 Michaels, 2004. Zie de voorjaarstemperaturen in Przybylak, 2000: p. 606

22 Monnett, Gleason, & Rotterman, 2005

23 Harden, 2005; WWF, 2006

24 Stirling, Lunn, & Iacozza, 1999: p. 302, zoals bevestigd door Amstrup et al., 2006: sheet 44; Rosing-Asvid, 2006

25 IUCN Species Survival Commission, 2001: p. 22

26 Taylor, 2006

27 De Arctic Climate Impact Assessment acht het waarschijnlijk dat ijsberen bij verdwijnen van het ijs zullen overgaan op 'een leefwijze op het vasteland vergelijkbaar met die van bruine beren, waaruit ze voortgekomen zijn'. Ze maken gewag van de 'dreiging' dat ze vermengd zullen raken met bruine en grizzly-beren. Berner et al., 2005: p. 509

28 'Hoewel er in veel poolgebieden enkele verliezen zullen zijn, is het waarschijnlijk dat door de verhuizing van soorten naar de Noordpool het totale aantal soorten toeneemt, dus de totale biodiversiteit gemeten als soortenrijkdom zal waarschijnlijk toenemen waarbij zich grote veranderingen zullen voordoen op het niveau van ecosystemen.' Berner et al., 2005, p. 997

29 Berner et al., 2005: p. 998

30 Berner et al., 2005: p. 256

31 Eilperin, 2004

32 Op basis van een eenvoudig model dat in 2000 begint met een populatie van 1000 met een afname van 1,5 % (15 beren in het eerste jaar) en met het volledige Protocol van Kyoto dat de opwarming van de aarde vermindert met ongeveer 7 procent in 2100. Wigley, 1998

Hoofdstuk 2

1 Karl & Trenberth, 1999; Mahlman, 1997

2 In dit boek zullen we het voornamelijk over CO_2 hebben, daar dit momenteel 60 procent van de extra warmtevasthoudende gassen uitmaakt en naar verwachting zal dit deel in de toekomst groter worden. In 2100 zal CO_2 naar verwachting ergens tussen de 68 procent van het totale broeikaseffect in scenario A2 tot 97 procent in scenario B1 uitmaken. IPCC, 2001a: p. 403

3 IPCC, 2001a: p. 89

4 IPCC, 2007b: 2.3.1

5 Ontwikkelingslanden stootten 10,171 Gt van de mondiale 26 Gt in 2004 uit. (IEA, 2006b: p 513, 493); OESO-landen 51 procent in 2003 (OECD, 2006: p. 148); Wigley schat de bijdrage van industrielanden op 29 procent (OECD, 1998: p. 2286); in de emissiescenario's van het IPCC varieert dit van 23 procent bij ongewijzigd beleid (A1) tot 36 procent. Nakicenovic & IPCC WG III., 2000.

6 Van A1B, omschreven als het scenario ongewijzigd beleid. A. Dai, Wigley, Boville, Kiehl, & Buja, 2001; IPCC, 2007a:91 p. 14; 2007b: fig 10.3.1

7 Alexander et al., 2006; Easterling et al., 1997; Vose, Easterling & Gleason, 2005

8   Michaels, et al., 2000
9   Easterling et al., 2000: p. 419
10 Plummer et al., 1999
11 Easterling et al., 2000: p. 419
12 Horton, Folland, & Parker, 2001; Jones et al., 1999
13 Edwards, 2006; Vergano, 2006
14 Klimaatgeleerde Bill Chameides van de milieugroep Environmental Defense; Vergano, 2006
15 Deze redenering wordt ook gebruikt door William Collins van het National Center for Atmospheric Research, waar hij zegt: 'Wetenschappers zijn ervan overtuigd dat we het klimaat in de voorzienbare toekomst aan het veranderen zijn. Wat we niet zeker weten is of we wel of niet met die veranderingen zullen kunnen leven.' Edwards, 2006; Lean, 2004
16 Gore & Melcher Media, 2006: p.75
17 IPCC, 2007b: samenvatting hoofdstuk 10
18 IPCC, 2007b: fig. 10.3.6
19 IPCC, 2007b: samenvatting hoofdstuk 10
20 Het model waarnaar verwezen wordt in: IPCC, 2007b: 10.3.6.2; Weisheimer & Palmer, 2005. Zij schrijven twee tot drie jaar en schatten dat hun extreem, 5 procent, naar 'ongeveer 40 procent' zal oplopen, maar het echte gemiddelde van hun cijfers in tabel 2 levert 34 en 37 procent op, ongeveer een op drie jaren.
21 76 procent reductie in 2050 S. Vavrus, Walsh, Chapman, & Portis, 2006, aangehaald in IPCC, 2007b: 10.3.6.2
22 Ebi et al., 2006; zie ook Basu & Samet, 2002; McMichael, Woodruff, & Hales, 2006, die het *alleen* over sterfgevallen in verband met warmte hebben.
23 Martens, 1998.
24 Gebaseerd op de samenvatting van de grootste studie naar warmte en kou in Europa (Keatinge et al. 2000: p. 672).
25 De overige 44 dagen is de temperatuur in Helsinki binnen de optimale temperatuurzone van 3 graden Celsius.
26 Met een bevolking van 3,1 miljoen
27 Vandentorren et al., 2004: p. 1519
28 Larsen, 2003
29 Larsen, 2003
30 Uiteraard kwam de opwarming van de aarde al lang voor 1979 voor, maar we hebben pas sindsdien satellieten in de ruimte die dit daadwerkelijk kunnen meten. Chase et al., 2007
31 BBC Annon., 2006b
32 207 000; gebaseerd op een eenvoudig gemiddelde van de beschikbare cijfers voor sterfte door kou en door warmte per miljoen, waarbij Londen voorzichtig buiten beschouwing is gelaten, en met gebruikmaking van de raming van de WHO voor de Europese bevolking van 878 miljoen (WHO, 2004a: p. 121).
33 1,48 miljoen op dezelfde manier geschat als het totale aantal sterfgevallen door warme.

34 Keatinge et al., 2000: p. 672

35 Keatinge & Donaldson, 2004: p. 1096; ook Langford & Bentham, 1995, raamt 9 000 minder sterfgevallen door kou.

36 Martens, 1998: p. 342

37 Davis et al. 2003; Davis et al., 2002

38 Annon., 2006; Arnfield, 2003

39 Tel Aviv: Saaroni et al., 2000; Baltimore en Phoenix: Brazel et al., 2000; Guadalajara: Tereshchenko & Filonov, 2001; Shanghai: L.X. Chen et al., 2003; Barrow: Hinkel et al., 2003; Seoul: Chung, Choi & Yun, 2004; Milaan: Maugeri et al., 2002; Wenen: Bohm, 1998 & Stockholm: Moberg & Bergstrom, 1997

40 Akbari, Pomerantz & Taha, 2001

41 Rosenzweig et al., 2006

42 Streutker, 2003

43 Hung et al., 2006: p. 41

44 We moeten bedenken dat de 2,6 graden Celsius een mondiaal gemiddelde is, en het cijfer ligt op land waarschijnlijk hoger; bovendien gelden veel van de cijfers voor het urbane warmte-eiland waarschijnlijk alleen voor minimum- en maximumtemperaturen. Toch ligt de gemiddelde dagtemperatuur voor een stad als Bangkok gedurende het hele droge seizoen 6 graden hoger en in Tokio varieert die verhoging over het hele jaar van 3 tot 12 graden, dus in elk geval heeft deze de orde van grootte van de gemiddelde stijging van 2,6 graden. Khandekar, Murty, & Chittibabu, 2005: p 1573, vermelden dat de temperatuur in Tokio in de afgelopen 150 jaar 4 graden Censius is gestegen.

45 Bijvoorbeeld: 'Op lokale en regionale schaal kunnen veranderingen in het landgebruik het effect van door broeikasgassen veroorzaakte opwarming versterken, of zelfs de grootste impact hebben op klimatologische condities. Urbane "warmte-eilanden" bijvoorbeeld ontstaan door minder afkoeling door verdamping, verhoogde warmte-opslag en voelbare warmtestromen als gevolg van de geringere bedekking door vegetatie, hogere ondoordringbare bebouwing en complexe oppervlakten van het stadslandschap.' (cursivering toegevoegd); Patz, Campbell-Lendrum, Holloway & Foley, 2005: p. 310

46 Voor Londen wordt het extra effect van de urbane warmte geraamd op 0,26 graden Celsius en 15 meer dagen extreme hitte per jaar in 2080; Wilby, 2004: p. 5

47 Greater London Authority, 2006

48 Greater London Authority, 2006

49 Synnefa, Santamouris & Livada, 2006

50 Greater London Authority, 2006

51 De auteurs berekenen in feite niet de totale kosten, maar uit de prijs van bomen gesteld op 45 dollar, van nieuwe dakbedekking waar nodig op 29 dollar per 100 m² en verven van asfalt op 29 dollar per 100 m², resulteert een totaalsom van 1,17 miljard dollar. Rosenfeld et al., 1998

52 Zie Michael Grubb, 2004; zie voor de tekst UNFCCC, 1997. Een Britse minister zegt: 'De mening van de regering is dat Kyoto de enige optie is.' Dalyell, 2004

53 Blakely, 1998; zie ook Gore & Melcher Media, 2006: p. 282-3, 288-9. Rob Gelbspan

ziet dit als een van weinige redenen voor optimisme. Gelbspan, 2004). Voor Leggett, 2001, vormt het de climax van zijn epische verhaal.

54 Wigley, 1998: p. 2286; de industrielanden zijn de zogeheten Annex I-landen.

55 Gebaseerd op Wigley, 1998, en op een stijging van 2,6 graden Celsius over de eeuw.

56 Annon., 200424521

57 Milliken, 2004

58 'Onze inspanningen om het klimaat te stabiliseren moeten in de loop van de jaren veel ambitieuzer worden dan het Kyoto Protocol.' Blair, 2004a.

59 Bohringer & Vogt, 2003: p. 478

60 Een reductie met 0,7 procent (Bohringer & Vogt, 2003: p. 481), ongeveer 0,8-1 procent (Nordhaus, 2001: p. 1283; William D. Nordhaus, 2006: figuur 4).

61 Gebaseerd op vereenvoudigde aannames van 1 procent reductie van de emissies over 5 jaar (2008-2012) vergeleken met de centrale raming, met behulp van het DI-CE-99 model Nordhaus & Boyer, 2000.

62 Graham-Harrison, 2006; zie ook Zhang, 2000

63 Onder de veronderstelling van slimme emissiehandel. Weyant & Hill, 1999. Ook aangehaald in IPCC, 2001c: p. 537, en Golub, Markandya & Marcellino, 2006: p. 522

64 5 à 10 miljard dollar. Dagoumas, Papagiannis & Dokopoulos, 2006: p. 37, ergens tussen de 0.2-0.4 procent BBP in verband met de verwachting van toekomstige toezeggingen en afhankelijk van het vermogen van Rusland om het aanbod van vergunningen te beperken, waardoor ze duurder worden. Manne & Richels, 2004: p. 453). Wanneer de EU de reducties zelf zou moeten realiseren, zou dit heel duur zijn, ergens tussen de 0 en 5 procent van de nationale BBP's. Viguier, Babiker & Reilly, 2003: p. 479)

65 Craig, Vaughan & Skinner, 1996: p. 135

66 Geschat met 80,1 miljoen vaten per dag à 54,57 dollar (gemiddelde 2005), EIA, 2006b: p. 87, tegen een mondiaal BBP van 47 767 miljard dollar. IMF, 2006: p. 189

67 In de modellenliteratuur staat dit bekend als de Autonomous Energy Efficiency Improvement-factor (autonome energie-efficiëntieverbetering, AEEI), die vaak wordt geschat op 0,7 tot 1 procent. J.P. Weyant, 1996: p. 1007, die wordt bekitiseerd door M. Grubb, Kohler, & Anderson, 2002, en waarvan Schwoon & Tol, 2006, laten zien dat deze kan worden meegenomen in een meer algemeen model.

68 Lomborg, 2001: p. 126; het equivalent van een jaarlijkse toename van de efficiëntie van 0,77 procent.

69 Van 5,7 km/l in 1973 tot 9,4 km/l in 2004. EIA, 2006c: p. 17.

70 Europa gebruikte in 1992 24 procent minder energie per vierkante meter dan in 1973; de VS gebruikte 43 procent minder. Schipper, Haas & Sheinbaum, 1996: p. 184

71 Schipper et al., 1996: p. 187; Adam B. Jaffe et al., 1999: p. 13). In Denemarken zijn elektrische huishoudelijke apparaten in de afgelopen tien jaar 20-45 procent effectiever geworden. NERI, 1998: p. 238

72 Lomborg, 2001: p. 79

73 Weyant, 1996

74 Voor huishoudens in de EU nam ondanks vooruitgang in energie-efficiëntie het verbruik in de afgelopen tien jaar jaarlijks met 2 procent *toe*. Almeida et al., 2006

75 BA, 2006

76 Een typische economenuitspraak is 'er bestaat niet zoiets als een gratis lunch' – ergens zullen de kosten moeten worden betaald. Dat er een winstgevende reductie van koolstofemissies zou zijn betekent dus: 'In de omgangstaal van economen suggereert deze analyse niet alleen dat er gratis lunches zijn, maar dat je in sommige restaurants betaald kan worden om er te eten.' Lomborg, 2001: p. 312-13

77 AP, 2006b

78 AP, 2006b

79 Metcalf & Hassertt, 1997

80 Aangehaald in Monbiot, 2006: p. xvi

81 Beinecke, 2005; Hawkins, 2001; Sierra Club, 2007

82 Mendelsohn, 2004

83 Ervan uitgaande dat elke moeder 8 kilometer rijdt tegen een gemiddelde uitstoot van 0,258 kg CO_2/km (EPA, 2000), waarbij 3,7 kg CO_2 = 1 ton koolstof. IPCC, Houghton, Jenkins, Ephraums & Working Group I., 1990: p. 364

84 De gemiddelde omrekenfactor voor de VS is 1630 kWh/ton CO_2 (EIA, 1999: p 2; 2002: p. 4); de (marginale) omrekenfactor voor de EU is hoger, ongeveer 2000 kWh/ton CO_2 , volgens de schatting (300TWh for 150m ton) in Almeida et al., 2006, en een gemiddelde voor een telefoonoplader van 1,5 W/h (Almeida et al., 2006: figuur 14). Attenborough werd ongeveer vier keer zo veel beloofd, maar zonder bronvermelding. BA, 2006

85 Postman, 2006, schat 156 kg CO_2 voor twee minuten warme douche.

86 EIA, 2006d, schat 8,87 kg CO_2 per gallon autobenzine, ofwel 0,887 dollarcent per gallon (0,234 cent per liter).

87 Dit is ongeveer 390 miljoen dollar per jaar.

88 De kostenfunctie is sterk non-lineair, aangezien verdergaande koolstofreducties veel duurder worden – we beginnen met de goedkope, gemakkelijke reducties ('het laaghangende fruit plukken').

89 Tol, 2005

90 50 dollar per ton koolstof. Tol, 2005: 2071

91 Vanuit het Environmental Assessment Institute vroegen we hem in juli 2005: 'Zou u nog steeds vasthouden aan de conclusie dat 15 dollar per ton koolstof gerechtvaardigd is of zou u liever een bovenste grens van de raming geven?' Hij antwoordde: 'Ik geef liever geen centrale raming, maar als u me het mes op de keel zet zou ik zeggen 7 dollar per ton, de mediane raming met een discontovoet van 3 procent.' (7 dollar per ton koolstof is 1,90 dollar per ton CO2.) Dit is vergelijkbaar met de raming van Pearce van 1 tot 2 dollar per ton CO_2 (4-9 dollar per ton koolstof). Pearce 2003: p. 369

92 Stern, 2006: p. 287; zo beschouwt ook de EU 20 euro (ongeveer 25 dollar) per ton CO_2 als 'betaalbaar'. EU, 2001

93 W. D. Nordhaus, 2006b, met permanent 85 dollar per ton CO_2 ($314.5/tC), verdisconteerd tegen de huidige waarde (2005)

94 11678 miljard dollar. OECD, 2005: p. 13

95 Pearce, 2003: p. 377-78, schat 45 pond per ton CO_2, tegen 1 pond sterling = 1,93158 dollar (25-11-06); dit is het equivalent van 23,7 dollar per ton CO_2.

96 Nordhaus, 1992; Nordhaus, 1994; Nordhaus, 2001; W.D. Nordhaus, 2006a; Nordhaus & Boyer, 2000; Nordhaus & Yang, 1996; en IPCC et al., 1996: p. 385

97 IPCC et al., 1996: p. 189; Nordhaus & Boyer, 2000: p. 4-35

98 IPCC et al., 1996: p. 187

99 Nordhaus, 2006c. Vergelijk met Nordhaus, 2006: p. 25. Conceptueel is dit de 150 miljard dollar per jaar over de eeuw, verdisconteerd tegen de huidige (2005) waarde.

100 Nordhaus, 2006c

101 Nordhaus, 2006: p. 10

102 Nordhaus, 2006d

103 Nordhaus, 2006d

104 Nordhaus, 2006c

105 310 pond per ton koolstof. D Pearce, 2003: p.380

106 Bohringer & Loschel, 2005, concludeert dat de meeste deskundigen enige reductie verwachten na 2012, maar dan vrij weinig.

107 De EU heeft in 1996 bepaald dat de temperaturen met niet meer dan 2 graden Celcius mogen stijgen boven het pre-industriële niveau – dat is niet meer dan 1,2 graden Celcius vanaf nu. EU, 1996b, in EU 2005: p. 3. In 1991 ging de EU nog uit van stabilisering van de uitstoot in 2000 tot het niveau van 1990. EU 1996a: p. iv; zie ook de discussie in Tol, 2007.

108 Nordhaus & Boyer, 2000: p. 7-6

109 Nordhaus, 2006d

110 Opgemerkt zij dat Nordhaus & Boyer dit scenario voornamelijk als maatstaf gebruikt: 'Dit wordt niet genoemd in de overtuiging dat er opeens een milieupaus zal opstaan die onfeilbare beleidscanons biedt die door ieder scrupuleus zullen worden nagevolgd. Het optimale beleid wordt vooral gepresenteerd als benchmark voor beleid, om te bepalen hoe efficiënt of inefficiënt alternatieve benaderingen eventueel zijn.'Nordhaus & Boyer, 2000: p. 7

111 Nordhaus, 1998: p. 18

112 Stern, 2006: p. 298. Zie pagina 124-125 voor een kritiek op de nieuwe cijfers van Stern.

113 Kavuncu & Knabb, 2005: p. 369, 383

114 Bosello, Roson & Tol, 2006: p. 582

115 Tol, 2002b: p. 154-5. Na 2200 zal het verschil overigens wel geleidelijk minder worden.

116 Dertig levensjaren tegen een gemiddelde prijs van 62 dollar. Hahn, 1996: p. 236

117 Lovelock, 2006a, 2006b. Hoewel Lovelock in technische zin gelijk heeft – miljarden van ons zullen sterven, omdat maar een enkeling van de 6 miljard mensen die nu leven in 2010 nog steeds in leven zullen zijn – bedoelt hij duidelijk dat de meesten van ons zullen omkomen en wel voortijdig. In Lovell, 2006, legt hij uit dat 'een hete aarde niet veel meer dan 500 miljoen [mensen] zou kunnen ondersteunen'.

118 Sir Crispin heeft het over hoe Lovelock 'een geweldige inleiding tot de wetenschap' biedt (Lovelock, 2006b: p. xvii), en Al Gore zegt: 'Lovelock is een waar vi-

sionair' (Dana, 2006), waarbij hij diens wetenschappelijke opvattingen niet ter discussie stelt, maar wel aanneemt dat het politieke systeem beter zal blijken te zijn dan Lovelock vreest.

119 Helm, 2003, biedt een overzicht van klimaatveranderingsbeleid, maar maakt geen melding van iets anders dan koolstofreductie en de politieke implicaties daarvan.
120 Goklany, 2006: p. 314
121 WHO, 2002: p. 224, en WHO et al., 2006. De schatting van de WHO is gebaseerd op de aanname dat de temperaturen nu 0,5 graden Celcius hoger zijn dan in 1970.
122 Goklany, 2006: p. 322
123 Lomborg, 2004, 2006). Er is meer te vinden op www.copenhagenconsensus.com
124 Bjørn Lomborg, 2004: p. 606
125 Maar merk op dat dit niet zo hoeft te zijn geweest, omdat de Nobelprijswinnaars de prioriteiten aangaven in waar we het meeste *extra* goeds kunnen doen met *extra* middelen. Dus er kunnen beperkte, obscure ziektes zijn geweest waarbij het rendement nog hoger was.
126 Lomborg, 2004: p. 104
127 Lomborg, 2004: p. 404-5
128 Lomborg, 2004: p. 109; 2006: p. 26-27
129 Lomborg, 2004: p. 647
130 Copenhagen Consensus, 2006; Kyoto is nummer 23 en de andere voorstellen 37-40 uit 40
131 MESSAGE A1, Nakicenovic & IPCC WG III, 2000
132 Dit is het scenario A2, met heel hoge bevolkingsgroei en lage economische groei.
133 Maddison, 2006
134 Roy Morgan Research, 2006
135 Chicago Council, 2006a: p 14, 16). Alleen India vond 'bestrijding van mondiale honger' iets belangrijker dan 'verbetering van het mondiale milieu'.
136 Chicago Council, 2006b: p. 68
137 Gore & Melcher Media, 2006: p. 13
138 Gore & Melcher Media, 2006: p. 13. Zie ook Gore: 'Ik geloof dat het land ernaar hongert deel uit te maken van een grootser visioen dat de manier waarop we tegenover het milieu en de economie staan verandert.' Dana, 2006
139 Gore & Melcher Media, 2006: p. 13, 291
140 Gore & Melcher Media, 2006: p. 13
141 Gore & Melcher Media, 2006: p. 13

Hoofdstuk 3

1 Hier gebaseerd op de meest omvattende reconstructie van Moberg et al., 2005
2 Hughes & Diaz, 1994
3 Dillin, 2000, gevolgd door EB, 2006c
4 EB, 2006c
5 EB, 2006c

6   Matthews & Briffa, 2005; Paul Reiter, 2000
7   Reiter, 2000
8   Burroughs, 1997: p. 109
9   Reiter, 2000
10 Le Roy Ladurie, 1972: p. 68, bevolking rond 1700 geschat op 21 miljoen, http://en.wikipedia.org/wiki/Demographics_of_France, afgelezen op 27-12-06.
11 Reiter, 2000
12 Gore & Melcher Media, 2006: p. 42-59; F. Pearce, 2005b
13 Joerin, Stocker & Schluchter, 2006
14 Hoewel ze niet meer dan tweemaal geheel verdwenen zijn, hebben ze namen van Bjørnbreen I tot VI. J.A. Matthews et al., 2005
15 IPCC, 2007b: kader 6.3
16 Oerlemans, 2000
17 EB, 2006d
18 J.A. Matthews et al., 2005: p. 31; merk op dat dit slechts een schematische voorstelling is.
19 Oerlemans, 2005
20 Kaser et al., 2004
21 Kaser et al., 2004: p. 330
22 Kaser et al., 2004: p. 331
23 Kaser et al., 2004
24 Cullen et al., 2006
25 Greenpeace, 2001. *Rolling Stone* laat zelfs – zonder enige ironie – de foto van de Kilimanjaro zien als eerste beeld van 'de mondiale schade veroorzaakt door de opwarming van de aarde' en zet als onderschrift bij de foto uit 1970: 'Voor de opwarming: Kilimanjaro, 1970.' *Rolling Stone*, 2007
26 Reuters, 2001
27 Thijssen, 2001
28 Ijumba, Mosha & Lindsay, 2002; Richey, 2003; Soini, 2005: p. 316; F. Vavrus, 2002
29 Barnett, Adam & Lettenmaier, 2005: p. 306; Gore & Melcher Media, 2006: p. 58)
30 Coudrain, Francou, & Kundzewicz, 2005:p. 930
31 Barnett et al., 2005
32 Barnett et al., 2005: p. 307
33 28 procent meer in de zomer. Singh, Arora, & Goel, 2006: p. 1991-2). Merk op dat dit voor door gletsjers gevoede rivieren geldt, terwijl door sneeuw gevoede rivieren een afname zullen laten zien (Singh & Bengtsson, 2005); voor een rivierdal dat zowel door gletsjers als door sneeuw wordt gevoed geldt dat 'tegenover de reductie in smeltwater in de lagergelegen gebieden de toename staat van smeltwater uit hogergelegen gebieden'. Singh & Bengtsson, 2004: p. 2382
34 Lehmkuhl & Owen, 2005; Ruhland, Phadtare, Pant, Sangode & Smol, 2006. Tegelijk lijkt er sinds 1840 ook opeenhoping van sneeuw in de lagere Himalayagebieden te zijn geweest als gevolg van de zwakkere passaatwinden over de Stille Oceaan. Zhao & Moore, 2006
35 IPCC, 2007c: 3.4.1; Schneeberger et al., 2003

36 Tegen 1700 was de omvang van de Franse bossen met meer dan 70 procent afgenomen vergeleken met het jaar 1000 UNECE, 1996: p. 19. In de VS werd ongeveer 30 procent van het oorspronkelijke bosgebied gekapt, waarvan het meeste in de negentiende eeuw. UNECE, 1996: p. 59

37 Fowler & Archer, 2006

38 Fowler & Archer, 2006: p. 4291

39 EB, 2006a

40 McKibben, 2004

41 Parkinson, 2006: p. 42

42 IPCC, 2007b: tabel 5.5.2. Uitzetting van water lijkt voor de meeste mensen een onwaarschijnlijke oorzaak van de stijgende zeespiegel. De econoom Richard Tol gebruikt vaak het voorbeeld van een kop thee die niet merkbaar slinkt als deze afkoelt; dan herinnert hij mensen eraan dat de oceaan diep is, en dat een uitzetting met 0,1 procent van een kilometer water een meter zeespiegelstijging oplevert.

43 IPCC, 2007b: 10.6.5. Het middelste punt van de beschikbare cijfers is volgens (IPCC, 2007a) 38,5 cm.

44 Gebruikmakend van Jevrejeva et al., 2006, 28,5 cm sinds 1860

45 1996: 38-55 cm (IPCC & Houghton, 1996: p. 364); 1992 en 1983 EPA uit Yohe & Neumann, 1997: p. 243, 250

46 Shute et al., 2001

47 Matthews, 2000

48 Yohe & Neumann, 1997

49 IPCC, 2001b: p. 396

50 EDD, 2006a: p. 11

51 EDD, 2006b

52 Gore & Melcher Media, 2006: p. 196-209

53 Gore & Melcher Media, 2006: p. 196

54 Maar hij zegt ook: 'In de eerste plaats is dit niet de *worst case*. De *worst case*, die wilt u niet weten! Ik denk dat ik precies in het midden zit en de wetenschappelijke gemeenschap heeft de wetenschap in deze film zelfs geverifieerd, en bijvoorbeeld de zeespiegelstijging van zes meter, van zes tot zeven meter – die zou plaatsvinden wanneer Groenland uit elkaar viel en in zee schoof. Die zou plaatsvinden wanneer het westen van Antarctica, het stuk dat tegen de toppen van de eilanden aanligt waar de warmere zee onder komt, als dat het begaf. Als beide het zouden begeven, zou het 12 tot 14 meter zijn.' Denton, 2006

55 IPCC, 2007b: 10.6.1

56 IPCC, 2007b: 10.6.3; het is feitelijk 8,8 cm, maar de 0,8 schijnt ergens in de berekening te zijn zoekgeraakt.

57 IPCC, 2007b: 10.6.4

58 IPCC, 2007b: 10.6.4

59 IPCC, 2007b: figuur 10.6.1

60 IPCC, 2007b: tabel 4.1.1

61 IPCC, 2007b: tabel 4.1.1

62 Huybrechts & de Wolde, 1999

63 Johannessen et al., 2005; Zwally et al., 2005

64 Cazenave, 2006; J. L. Chen, Wilson & Tapley, 2006; Howat, Joughin & Scambos, 2007; Kerr, 2007; Luthcke et al., 2006; Murray, 2006; Velicogna & Wahr, 2006. Shepherd & Wingham, 2007, schatten dat Groenland 100 Gt per jaar ofwel 0,28 mm per jaar verliest.

65 Oerlemans et al., 2005: p. 235.

66 Gregory & Huybrechts, 2006: p. 1721

67 IPCC, 2007b: 10.6.4.3 zegt 0,2 m, op grond van Parizek & Alley, 2004: p. 1024, die alleen spreekt van 21 cm bij acht maal het pre-industriële CO_2 -niveau, ofwel 2-4 maal zo hoog als enige van de IPCC-scenario's tegen 2100. Zie ook Gregory & Huybrechts, 2006: p. 1727

68 Vinther, et al., 2006a, Vinther, et al., 2006b

69 Chylek, Dubey & Lesins, 2006

70 Vinther et al., 2006b

71 Zachos et al., 2001: p. 688

72 Parkinson, 2006: p. 35

73 J.B. Anderson et al., 2002; Bindschadler, 2006; en Huybrechts & de Wolde, 1999: p. 2172, schatten de bijdrage van Antartica op bijna 4 cm per eeuw aan het zeeniveau in een stabiele toestand.

74 Chapman & Walsh, 2005; Humlum, ND; Monaghan & Bromwich, 2006

75 Een daling van 0,4 graad Celsius tot 2006 door regressie, GISS, 2006

76 Marshall et al., 2006; Vaughan et al., 2003: p. 266

77 Gore & Melcher Media, 2006: p. 182-83

78 Direct na Gores bespreking van het afbreken van Larsen-B laat hij ons beelden zien van hoge vloedgolven die Tulavu overstromen. Gore & Melcher Media, 2006: p. 186-87

79 Pudsey et al., 2006

80 Pudsey et al., 2006: p. 2375; Vaughan et al., 2001

81 Greenpeace, 2006b, wijst erop dat het niettemin 'een dramatische herinnering [is] aan de effecten van de opwarming in het gebied'.

82 Cook et al., 2005; Parkinson, 2006

83 Turner, Lachlan-Cope, Colwell & Marshall, 2005, laat toenemende neerslag zien. Wingham, Shepherd, Muir & Marshall, 2006: p. 1629; Zwally et al., 2005: p. 512, laten grote en toenemende accumulatie op het schiereiland zien. Morris & Mulvaney, 2004, laat zien dat onder de omstandigheden van de afgelopen 30 jaar, een temperatuurstijging van 2 graden Celsius per jaar een ongeveer 0,012 mm *geringere* stijging van het zeeniveau zou betekenen. Ze verwachten echter wel dat er een sterkere stijging van het zeeniveau plaats kan hebben door afsmelting, en het zou hier nodig zijn om de toenemende neerslag expliciet mee te nemen.

84 Gregory & Huybrechts, 2006: p. 1721

85 IPCC, 2007b: figuur 4.6.2.2; Gregory & Huybrechts, 2006: p. 1721

86 Gore & Melcher Media, 2006: p. 178-79

87 Barbraud & Weimerskirch, 2001: p. 184. Gore stelt dat de afname 70 procent is, maar zonder verwijzing.

88 In de jaren 1970 namen alleen de wintertemperaturen toe, wat in feite gunstig zou zijn voor de pinguïns omdat het broeden succesvoller zou zijn. (Barbraud & Weimerskirch, 2001: p. 185). Bovendien namen de wintertemperaturen in de jaren tachtig en daarna weer toe, zonder toename van de populatie.

89 Australian Antarctic Division, 2003

90 Woehler & Croxall, 1997: p. 44, vermeldt dat Kooyman concludeert dat kolonies in de Rosszee mogelijk toenemen. Kooyman, 1993, schat het aantal jonge vogels (of broedende paren) op zowel Cape Washington als Coulman Island op ongeveer 20 000. Op Cape Washington zouden volgens metingen uit 1964 maar ongeveer 2500-3800 paren zijn. Wilson, 1983: p. 5.

91 BirdLife International, 2004 & Grzimek (ongedateerd) melden zelfs stabiele of groeiende populatie.

92 Jenouvrier, Barbraud, & Weimerskirch, 2006, met een toename van 1,77 procent over the periode.

93 Bijvoorbeeld in het IPCC-rapport van 2001, zie Bjorn Lomborg, 2001: p. 289-90. Dit geldt ook voor de nieuwe beleidssamenvatting IPCC WGII, waarin alle belangrijke bevindingen in de enige tabel staan en waarin ronduit staat: 'Aanpassing aan klimaatverandering is in deze ramingen niet meegenomen.' IPCC, 2007d

94 Nicholls, 2004; Nicholls & Tol, 2006, met gebruik van A1FI (dat het argument zelfs sterker maakt dan A1B).

95 Pielke & Landsea, 1998: figuur 3

96 Waltham, 2002: p. 95

97 Dit is gebaseerd op de twee scenario's van het IPCC, A1 and B1, BEA, 2006a; Nicholls, 2004: p. 72) in dollars van 2005. A1 gaat uit van een focus op economische groei en dus hogere groeipercentages, terwijl B1 uitgaat van een focus op het milieuvraagstuk en dus op een vermindering van de uitstoot van CO_2 maar ook een lagere economische groei.

98 Geen verhoging voor for B1 (ongeveer 2 miljoen) en een verhoging voor A1 (minder dan 1 miljoen). Nicholls & Tol, 2006: p. 1084

99 Nicholls & Tol, 2006: p. 1088., Schattingen voor 2085. Merk op dat laagliggende onontwikkelde kusten op plekken als polair Rusland, Canada en Alaska naar verwachting onbeschermd zullen zijn. Merk op dat de hier gepresenteerde cijfers het verlies aan droge gronden betreft, terwijl tot wel 18 procent van de natte gebieden verloren zal gaan.

100 Micronesia, CIA, 2006

101 Tol, 2004: p. 5

102 'Een globale vergelijking van de kosten van bescherming en de kosten van verlies van droge gronden geeft aan waarom het niveau van protectie zo hoog is.' Tol, 2004

103 Blair, 2004a

104 Wigley, 1998

105 Greenpeace, 2006b

106 NRDC, 2006

107 FOE, 2006

108 Greenpeace, 2006a. Greenpeace, 2004 beweert: 'Naarmate de klimaatverandering sneller gaat, wordt verwoesting door extreem weer meer algemeen.'

109 Kennedy, 2005

110 Gelbspan, 2005

111 WMO-IWTC, 2006a, WMO-IWTC 2006b; WMO, 2006. Dit werd vastgesteld in december 2006, terwijl de deadline voor gegevens voor het IPCC eerder dat jaar was.

112 WMO-IWTC, 2006b.

113 Gore & Melcher Media, 2006: p. 292

114 WMO-IWTC, 2006b

115 Gore & Melcher Media, 2006: p. 202

116 Gore, 2006a

117 Persoonlijk gesprek met Angelika Wirtz, Geoscience Research Group Munich Re.

118 6.465 miljard in 2005 vs. 2.519 miljard in 1950, UNPD, 2006: p. 5. Gemiddeld inkomen van 9233 dollar in 2005 versus 2803 dollar in 1950. Worldwatch Institute, 2006: p. 53. Bij een stijgend inkomen kan er meer vermogen worden geaccumuleerd, waardoor het vermogen sneller stijgt dan het inkomen en in de richting van de kustgebieden verschuift. Zie Pielke, 1999; Swiss Re, 1999: p. 8

119 Pielke & Landsea, 1998

120 Pielke & Landsea, 1998; Pielke, 2006; Pielke et al., 2007

121 NOAA, 2006

122 NOAA, 2006

123 Merk op dat zowel de Great Miami als de Galveston Hurricane vele slachtoffers eisten – de orkaan van Galveston was zelfs de dodelijkste in de Amerikaanse geschiedenis, met 8000 doden. Als zij vandaag hadden toegeslagen, zou met betere waarschuwingssystemen een groot deel van de stad geëvacueerd zijn en waren veel van de sterfgevallen vermeden, hoewel de materiële schade even ernstig geweest was.

124 Association of British Insurers, 2005. Zij doen een aantal andere uitspraken over de effectiviteit van klimaatbeleid, maar vergelijken die niet met de effecten van sociaal-economische factoren zoals die waar wij hieronder op ingaan.

125 Insurance Journal, 2006

126 Gebaseerd op Pielke, 2005; Pielke, Klein & Sarewitz, 2000, een gemiddelde van de drie sterk overeenkomende temperatuurstijgingen en het A1-scenario voor sociale groei.

127 Met Kyoto zou de temperatuur in 2050 6 procent lager uitkomen, wat tot 0,6 procentpunt minder stijging zou leiden dan de 10 procent voorzien in Pielke, 2005; Pielke et al., 2000

128 De volgende voorbeelden zijn vooral ontleend aan Pielke et al., 2000

129 Mills & Lecomte, 2006: p. 16

130 Stern, 2006: p. 420

131 McCallum & Heming, 2006

132 Congleton, 2006; Travis, 2005

133 McCallum & Heming, 2006: p. 2113

134 Tol, 2002a: p. 49
135 Sarewitz & Pielke, 2005
136 Sarewitz & Pielke, 2005
137 Mitchell, 2003
138 Zie voor een beschrijving Petrow, Thieken, Kreibich, Bahlburg & Merz, 2006, oproep tot Kyoto: 'Blair, Chirac en de Duitse kanselier Gerhard Schröder drongen aan op definitieve ratificatie van het Protocol van Kyoto over klimaatverandering, verwijzend naar de overstromingen die Midden-Europa de afgelopen maand troffen.' Reuters, 2002
139 Reuters, 2002; Xinhuanet, 2002
140 Groisman et al., 2005; IPCC, 2007b: 10.3.2.3, 10.3.6.1
141 Milly et al., 2002
142 IPCC, 2007b: Q9.1). Zie ook Barnett et al., 2005, voor een algemene verklaring van neerslag; Bronstert, 2003; Huntington, 2006, over een zwak of ontbrekend verband tussen overstromingen en klimaatverandering.
143 Kundzewicz et al., 2005, die de veel beperkter gegevens van Milly et al., 2002, weerspreekt.
144 Svensson, Kundzewicz & Maurer, 2005
145 Small, Islam & Vogel, 2006, die ook de bevindingen bevestigen van Lins & Slack, 1999, 2005, USGS, 2005; hoewel Groisman, Knight & Karl, 2001, ook een signaal vinden in hogere doorstroom.
146 Mudelsee et al., 2003
147 Thorndycraft et al., 2006
148 Demaree, 2006
149 Demaree, 2006: p. 895-96; Pfister, Weingartner & Luterbacher, 2006
150 Mudelsee, Deutsch, Borngen & Tetzlaff, 2006
151 Yiou et al., 2006
152 Mitchell, 2003
153 Mitchell, 2003
154 Brazdil, Kundzewicz & Benito, 2006; Mitchell, 2003
155 Pielke, 1999: p. 419ff)
156 Pinter, 2005
157 GAO, 1995: p. 37
158 Larson, 1994
159 Pinter & Heine, 2005
160 BEA, 2006a, 2006b; Downton, Miller & Pielke, 2005a, 2005b; R.A. Pielke & Downton, 2000. Exponentiële trendlijnen, $y = 0,4871\exp(0.0308(x-1928))$ en $y = 172,01\exp(-0,0046(x-1928))$
161 Uitgaande van lineair temperatuurverloop, met een temperatuur volgens A1FItemperatuur in 2100. IPCC, 2001a: p. 824; Wigley, 1998.
162 Pinter, 2005
163 Evans, Ashley, Hall, Penning-Rowsell, Sayers, Thorne et al., 2004: p. 217-18
164 Met behulp van de BBP-ramingen voor het wereldscenario en de relatieve efficiënties die hierboven werden uiteengezet. Evans, Ashley, Hall, Penning-Rowsell,

Saul, Sayers et al., 2004: p. 225; Evans, Ashley, Hall, Penning-Rowsell, Sayers, Thorne et al., 2004: p. 217-18)

165 Inclusief de Noord-Atlantische Stroom. (EB, 2006b; Seager, 2006). In de tekst gebruik ik gewoon de term '(Warme) Golfstroom' voor al deze stromen. Ik zal die ook gebruiken als korte en bekende uitdrukking voor de zogeheten thermohaline circulatie, omdat deze vooral door de wind wordt voortgedreven, zoals in de Golfstroom. Wunsch, 2002. 'Dus kunnen de Golfstroom, en derhalve de wind, in plaats van als ondergeschikte aspecten van het oceaanklimaat het beste worden beschouwd als de primaire elementen.' Wunsch, 2006.

166 Dit is het verhaal dat Al Gore ons vertelt (Gore & Melcher Media, 2006: p. 151), maar hij heeft de data verkeerd (Barber et al., 1999; Meissner & Clarke, 2006).

167 In zijn film kijkt Al Gore naar een kaart van de Atlantische Oceaan en vraagt zich hardop af of er nog een andere 'grote ijsklomp te vinden is'. Vervolgens wijst hij Groenland aan, Gore, 2006b.

168 Jungclaus et al., 2006

169 Jungclaus et al., 2006

170 Pearce, 2006: p. 185

171 Calvin, 1998: p. 47

172 Stipp, 2004; Townsend & Harris, 2004

173 Schwartz & Randall, 2003

174 De website van de film gaf links naar nieuwsberichten die sinds februari 2004 zijn verschenen over een 'geheim rapport dat was opgesteld door het Pentagon' waarin werd gewaarschuwd dat klimaatverandering zou 'leiden tot een mondiale catastrofe die miljoenen levens zou kosten'. Ook wetenschappelijke bladen hebben gerefereerd aan The Day after Tomorrow, zie bijvoorbeeld Hansen et al., 2004

175 Barber et al., 1999; Wiersma & Renssen, 2006: p. 73

176 Stouffer et al., 2006; Wood, Vellinga & Thorpe, 2003

177 Ruwe berekening op basis van de gedigitaliseerde mondiale temperatuurkaart van NCEP, 2006, met Europa tot 40 graden oosterlengte op 6,94 graden Celsius en met Siberië gedefinieerd vanaf 60 graden oosterlengte en ten noorden van 50 graden noorderbreedte op -5,86 graden Celsius. Een soortgelijke raming voor Siberië komt van FAO, 2001: hoofdstuk 27, met West-Siberië -4 graden, Zuid-Siberië -0,5 graad, het Siberische Plateau -12 graden en Centraal-Siberië -13,5 graden, ofwel een eenvoudig gemiddelde van -7,5 graden Celsius.

178 Wunsch, 2004

179 Bryden, Longworth & Cunningham, 2005; Kerr, 2005

180 Owen, 2005

181 Pearce, 2005c

182 Connor, 2005; Henderson, 2005; Smith, 2005

183 Pearce, 2005a; Schiermeier, 2006: p. 259

184 Schiermeier, 2006: p. 258

185 Kerr, 2006

186 Merali, 2006

187 Gebaseerd op een Google-search naar 'RAPID array observations Birmingham',

'Rapid Climate Change Conference Birmingham' en 'RAPID bryden Birmingham'.

188 IPCC, 2007b: vraag 10.2
189 Zie bijvoorbeeld Link & Tol, 2004
190 IPCC, 2007b: vraag 10.2; IPCC schrijft MOC in plaats van Golfstroom.
191 McMichael et al., 2003; WHO, WMO & UNEP, 2003
192 Khaleque, 2006; LibDem, 2006: p. 6; Tindale, 2005
193 Plumb, 2003
194 Campbell-Lendrum, Corvalán & Prüss-Ustün, 2003.
195 Deze analyse werd in 2005 overgedaan met vrijwel dezelfde resultaten. Patz et al. 2005
196 'Aan klimaatverandering toe te schrijven sterfgevallen werden berekend als de verandering in het aandeel van aan temperatuur toe te schrijven sterfgevallen (d.w.z. aan warmte toe te schrijven doden plus aan kou toe te schrijven doden) voor elk klimaatscenario ten opzichte van het basisklimaat. Campbell-Lendrum et al., 2003: p. 142). Zij hebben alleen oude en heel beperkte overzichten voor deze resultaten – voor Europa gebruiken ze Kunst, Looman & Mackenbach, 1993, dat alleen over Nederland gaat, terwijl er een overzicht voor heel Europa beschikbaar is van Keatinge et al., 2000.
197 'De relatieve risico's voor 2000 zijn geraamd als boven beschreven en toegepast op de voor dat jaar geschatte ziektelast, met uitzondering van de effecten van extreme temperaturen op hart- en vaatziekten, om de hierboven beschreven redenen. Campbell-Lendrum et al., 2003: p. 152. Er zijn echter nergens 'hierboven beschreven redenen' te vinden. In de update voor 2005 noemen ze weliswaar zowel sterfte door kou en warmte en proberen ze het aantal doden door warmte te ramen, maar nemen zij het opnieuw niet mee in het totaal. Patz et al., 2005: p. 312
198 CRU, 2006, laat een verandering in 2000 van 0,361 graden Celsius zien ten opzichte van het gemiddelde voor 1961-90; WHO et al., 2003: p. 7, schat 0,4 graad. De schatting berust op een lineaire extrapolatie uit Bosello et al., 2006, dat een toename raamt van 1,03 graad ten opzichte van de huidige temperatuur. De verhouding tussen sterfte door kou en door warmte (0,35=0,361/1,03) levert de hier genoemde aantallen op. Het geeft ook een raming van alle andere ziekten, 193 000, een aantal dat redelijk overeenkomt met de 150 000 van de WHO.
199 300-500 miljoen in WHO & UNICEF, 2005: p. xvii; 515 miljoen in R. W.Snow, Guerra, Noor, Myint & Hay, 2005; ter vergelijking: bijna 2 miljard perioden van koorts gelijkend op malaria elk jaar, Breman, 2001
200 Annan, 2006
201 Shute et al., 2001
202 Robert W. Snow & Omumbo, 2006: p. 197
203 Martens et al., 1999; Van Lieshout et al., 2004, achter de bewering van King, 2004
204 N.W. Arnell et al., 2002: p. 439, geïnterpoleerd uit 1990 en 2025; wereldbevolking van 6,6 miljard, USCB, 2007
205 Reiter et al., 2004
206 CDC, 2006; Reiter, 2000; Swellengrebel, 1950

207 Kuhn et al., 2003; Reiter, 2000. Zie ook de spreidingskaart voor 1900 in Hay et al., 2004

208 Boyd, 1975; CDC, 2004; Reiter, 2000: p. 9

209 Thompson, 1969: p. 199

210 Thompson, 1969: p. 199

211 Madden, 1945: p. 2

212 USCB, 1999: p. 875; Mégroz, 1937: p. 353

213 CDC, 2004

214 CDC, 1999: p. 106; Konradsen et al., 2004

215 Brierly, 1944

216 Kuhn et al., 2003

217 Longstreth, 1999

218 Guerra, Snow & Hay, 2006; Hay et al., 2004; R.W. Snow et al., 2005

219 Beard, 2006; Rosenberg, 2004; Schapira, 2006; Walker, 2000

220 Jamison et al., 2006: p. 3; Snow & Omumbo, 2006: p. 205

221 Robert W. Snow & Omumbo, 2006: p. 208

222 Epstein, 2000; Epstein et al., 1998; Patz et al., 2005

223 Hay, Cox, Rogers, Randolph, Stern, Shanks, et al., 2002a; Hay, Rogers et al., 2002; Hay, Cox, Rogers, Randolph, Stern, 2002b; Pascual et al, 2006; Patz et al., 2002; Reiter et al., 2004; Shanks et al, 2002. Persoonlijk vond ik de volgende uitspraak over een verband tussen opwarming en malaria veelzeggend: 'Uit de afwezigheid van een historisch klimaatsignaal mogen geen conclusies worden getrokken over het effect van toekomstige klimaatverandering op malaria in de regio.' Patz et al., 2002. Dus cijfers zouden ons niets mogen zeggen over de toekomst?

224 Snow & Omumbo, 2006: p. 208

225 Purcell, 2006; Shanks, 2006

226 Arnell et al., 2002; P. Martens et al., 1999; Van Lieshout et al., 2004). Arnell vindt als gemiddelde voor scenario's zonder afremming 289,5 miljoen. We gebruiken hier Arnell omdat hij als enige cijfers geeft over de bevolking die risico loopt zonder klimaateffect, maar hij blijft binnen hetzelfde kader en dezelfde ordes van grootte als de andere artikelen waarnaar verwezen wordt.

227 Van Lieshout et al., 2004: p. 91: 'Deze inschatting beschrijft de potentiële bevolking die risico loopt op basis van het *huidige* niveau van aanpassing aan malaria.'

228 World Bank, 2006: p. 289

229 Van Lieshout et al., 2004: p. 97; zie ook Hay, Guerra, et al., 2005; Utzinger & Keiser, 2006: p. 530; Van Lieshout et al., 2004: p. 96-7

230 Rogers & Randolph, 2000

231 Arnell et al., 2002: p. 439

232 289,5 miljoen op 9109,5 miljoen

233 7 procent van 289,5 miljoen gedeeld door 9109,5 miljoen. Wigley, 1998: p. 2287

234 Het gaat hier om stabilisatie op 550 ppm. Arnell et al., 2002: p. 440

235 Mills & Shillcutt, 2004: p. 84-5

236 Berekend uit de 500 miljoen feitelijke jaarlijkse malariagevallen in 2000 en verder proportioneel. Arnell et al., 2002: p. 439

237 Dit is ook duidelijk in Tol, Ebie & Yohe, nog te verschijnen.

238 WHO & UNICEF, 2003: p. 20

239 WHO & UNICEF, 2003: p. 28

240 WHO & UNICEF, 2003: p. 28, 35

241 WHO & UNICEF, 2003: p. 35

242 Alles in dollars van 2005 BEA, 2006a; Department of Commerce, 1982: p. 54; 2006: D71

243 World Bank, 2006: p. 289

244 Tol & Dowlatabadi, 2001

245 Hanley, 2006

246 Snow et al., 1999: 6.2

247 Vergelijkbaar met de uitkomsten in Shanks et al., 2005

248 UNDESA, 2006: p. 5

249 McCarthy, 2005; Pullella, 2005

250 FAO, 2006: p. 8; FAO 2007; Fischer et al., 2005: 2080; Fischer, Shah & Velthuizen, 2002: p. 112-13; Grigg, 1993: p. 50; Nakicenovic & IPCC WG III, 2000; WFS, 1996: p. 1, tabel 3

251 Fischer et al., 2005; Fischer, Shah & Velthuizen, 2002; Fischer et al., 2002; Parry, Rosenzweig & Livermore, 2005; Parry et al., 2004; Rosenzweig & Parry, 1994. zoals Fischer et al., 2005, de enige recente poging om een aantal verschillende klimaat-modellen te gebruiken, is het hier gebruikte centrale model.

252 Voor A1 een toename van 1800 Mt tot 3900 Mt. Parry et al., 2004: p. 64

253 Fischer et al., 2005: 2080

254 Dit is het HadCM3-model met een hoge klimaatgevoeligheid, Fischer et al., 2005: 2071, en A1FI dat tot de absoluut hoogste CO_2-concentratie leidt, Fischer, Shah & Velthuizen, 2002: p. 109

255 A2 en NCAR. G. Fischer, Shah & Velthuizen, 2002: p. 109

256 FAO, 2006: p. 16

257 Het is van belang erop te wijzen dat we in de toekomst lagere groeipercentages verwachten, maar dat is vanwege de geringere vraag, niet vanwege inherente be-perkingen op de productie, zoals het A2-scenario duidelijk laat zien (wat een tota-le graanproductie mogelijke maakt van 4800 Mt). Parry et al., 2004: p. 64

258 Fischer, Shah & Velthuizen, 2002: p. 109

259 Maximaal 3,3 biljoen dollar uit 380 biljoen dollar. G. Fischer, Shah & Velthuizen, 2002: p. 108; Nakicenovic & IPCC WG III., 2000

260 In dit hoofdstuk is aangenomen dat het volledige CO_2-effect opgevangen wordt. Long et al., 2006, spraken hier hun twijfels over uit, Tubiello et al., 2007, laten zien dat FACE-studies op één lijn zitten met eerdere onderzoeken. IPCC, 2007c: 5.4.1.1, concludeert ook: 'Het is onze inschatting dat de voornaamste modellen voor ge-wasstimulering, zoals CERES, Cropsys, EPIC en SoyGrow, en de voornaamste modellen voor weidegronden, CENTURY en EPIC, in overeenstemming zijn met recente bevindingen – en zelfs iets lager uitkomen – door uit te gaan van toenames van de gewasopbrengst van ongeveer 8 tot 17 procent.

261 Parry et al., 2004: p. 64

262 Fischer, Shah & Velthuizen, 2002: p. 96
263 LCD's in A1, Fischer, Shah & Velthuizen, 2002: p. 98
264 Fischer et al., 2005: 2079
265 Fischer, Shah & Velthuizen, 2002: p. 112
266 Parry et al., 2004: p. 62, en zie vooral de A2 en B2 vergeleken met de A2 en B2 in G. Fischer, Shah & Velthuizen, 2002: p. 100. 'De betekenis van enig klimaateffect op het aantal ondervoeden hangt volledig af van het niveau van economische ontwikkeling dat is verondersteld in de SRES-scenario's.' Fischer, Shah & Velthuizen, 2002: p. 112
267 Parry, 2004
268 Honger heeft maar voor ongeveer 26 procent te maken met de beschikbaarheid van voedsel maar veel meer met de opleiding, status en gezondheid van vrouwen. Sanchez et al., 2005: p. 22-23)
269 Zonder 'rijke landen...' Fischer, Shah & Velthuizen, 2002: p. 112-13
270 7 procent van 28 miljoen. Wigley, 1998: 2287
271 Sanchez et al., 2005: p 189
272 UN Millennium Project, 2005: p. 252, schat de totale extra kosten van het bereiken van de Millennium-ontwikkelingsdoelen op 0,44 tot 0,54 procent van het BBP van de OESO-landen, van 2005 tot 2015. 0,5 procent van het OESO-BBP is 165 miljard dollar. OECD, 2005: p. 13. Sanchez et al., 2005: p. 18, schat de totale kosten van het reduceren van honger op 5 tot 8 procent van de totale MDG-kosten, ofwel 8,25 tot 13,2 miljard dollar. De 5-8 procent lijkt redelijk weerspiegeld te worden in de kostenstructuur in UN Millennium Project, 2005: p. 244. De 229 miljoen zijn de *extra* mensen die worden gered door de extra inspanning over deze periode, het verschil tussen het verwachte aantal hongerigen in 2015 zonder de extra inspanning, 749 miljoen, en met de extra MDG-uitgaven, 520 miljoen. UN Millennium Project, 2005: p. 259
273 1/18 van 2 miljoen (111 111) gefaseerd ingevoerd tussen 2050 en 2080 en constant tot 2100, gemiddeld over de hele eeuw.
274 Uitgaande van de 229 miljoen gefaseerd tussen 2005 en 2015, en daarna constant (dit is een *zeer* behoudende raming daar de economische groei en het menselijk welzijn die gepaard gaan met het vermijden van 229 miljoen hongerigen waarschijnlijk snel mogelijk maakt dat deze vooruitgang op eigen kracht wordt voortgezet), wat neerkomt op 206 miljoen over de eeuw. 206 miljoen gedeeld door 39 000 is 5282.
275 Gore & Melcher Media, 2006: p. 117
276 Zie de analyse in Lomborg, 2001: p. 149-58
277 UNESCO, 2006: p. 45. Ook, 'Er is genoeg water voor iedereen. Het probleem waar we nu mee kampen is voornamelijk bestuurlijk.' UNESCO, 2006: executive summary 3
278 World Water Council, 2000: p. xix
279 Gebruikt door de Wereldbank en vele anderen; Ashton, 2002; Revenga et al., 2000; Serageldin, 1995; Simonovic, 2002; UNEP, 2000
280 Arnell, 2004: p. 37

281 Arnell, 2004

282 Dit is voor het A1B-scenario, Nohara et al., 2006: 1081

283 Arnell, 2004: p. 50, benadrukt dat toename in afvloeiing gewoonlijk zal gebeuren tijdens seizoenen met hoogwater, maar uit een veelheid van modellen blijkt dat dit geldt voor de Amazone, Ganges en Mekong, maar niet voor Amudaryo, Colombia, Donau, Eufraat, Lena, Mackenzie, Nijl, Ob, Syrdariya, Wolga en Jenisej (Nohara et al., 2006: 1085-86). Arnell, 2004: p. 48, 50, merkt ook op: 'De stroomgebieden die blijkbaar profiteren van een verlaging van waterstress bevinden zich in een beperkt aantal, maar dichtbevolkte delen van de wereld, en zijn vooral gesitueerd in Oost- en Zuid-Azië; gebieden die een toename van de stress zien, zijn breder gespreid. Alsof het gebied voor het welzijn van de mens gaat. Mij lijkt dit een onverdedigbaar argument.

284 Ongeveer 10 miljard dollar, op grond van een reeks mondiale studies (Toubkiss, 2006: p 7), vergeleken met ongeveer 100 miljard dollar over de periode in Rijsberman, 2004: p. 521. De annuïteit is berekend met een disconto van 5 procent voor 10 miljard dollar van 2007 tot 2015.

285 Hutton & Haller, 2004: p. 25

286 Hutton & Haller, 2004: p. 32. Misschien verbazend is dat de grootste winst van sanitair komt en niet van water.

287 Gore & Melcher Media, 2006: p. 119

288 Dai et al., 2004; Giannini, Saravanan & Chang, 2003. Natuurlijk zegt dit alleen dat er een causaal verband is met het klimaatsysteem – wat we vervolgens moeten doen is aantonen dat de hogere watertemperaturen in de Indische Oceaan worden veroorzaakt door de opwarming van de aarde.

289 Hoerling et al., 2006; Lau et al., 2006

290 Lau et al., 2006: p. 8

291 Hoerling et al., 2006

Hoofdstuk 4

1 Malaria bestrijden door het broeikaseffect tegen te gaan door middel van het Kyoto-verdrag levert per saldo jaarlijks 0,1 procent minder malariadoden op, over de hele eeuw gemiddeld (289,5 miljoen gedeeld door 9109,5 miljoen * 7 procent gedeeld door 2; Arnell et al. 2002, p. 439; Wigley, 1998: p. 2287), oftewel 1000 levens op een totaal van 1 miljoen doden (Teklehaimanot et al. & UN Millennium Project, 2005, p. 1). Door bevolkingsgroei en klimaatveranderingen zouden de werkelijke jaarlijkse gemiddelden waarschijnlijk neerkomen op 1400 en 850 000. Een meer gerichte benadering zou het aantal malariadoden met 75 procent, 750 000 per jaar, kunnen verminderen. Bovendien kosten de maatregelen van Kyoto jaarlijks 180 miljard dollar, terwijl een gericht malariabeleid slechts 3 miljard dollar per jaar zou kosten (Teklehaimot et al. & UN Millennium Project, 2005, p. 2; Weyant & Hill, 1999). Kyoto zou dus 140 000 mensen redden tegen zestig maal zoveel kosten, terwijl een gericht malariabeleid meer dan 85 miljoen mensen het leven zou redden.

2   Sarewitz & Pielke, 2007

3   EU, 2007c: p. 12. Opgemerkt zij dat wat dergelijke doelen beloven niet hetzelfde is als wat ze bereiken. In hetzelfde EU-document begint de EU in feite met gejuich over de resultaten van de Lissabon-strategie van 2000, die erop gericht is 'van de Europese Unie de meest concurrerende economie ter wereld te maken'. EU, 2007b. Hier is het centrale doel het bereiken van R&D van 3 procent van het BBP. Maar in een recente beoordeling van de Lissabon-strategie blijkt dat dit doel 'niet bereikt zal worden voor 2010'. CEP, 2006. Terwijl het EU-gemiddelde voor R&D in 2000 1,86 was, laten de laatste cijfers voor 2005 een *verlaging* zien tot 1,84 procent. (Voor EU-27; voor EU-15 ging het cijfer van 1,92 naar 1,912 procent. EU, 2007a.)

4   IEA, 2006b: p. 507

5   Geraamd met Nordhaus, 2006d

6   Bohringer & Vogt, 2003: p. 478; EIA, 2006a: EIA, 2006b; EIA, 2006e; IEA, 2006a, II.4; IEA, 2006b: p. 493, 529; Marland, Andres & Boden, 2006

7   Sarewitz & Pielke, 2007

8   UNFCCC, 1992: 42a

9   78 deskundigen op het gebied van klimaatbeleid verwachten een reductie van 10 procent. Bohringer & Loschel, 2005

10 IEA, 2007; WDI, 2007, gemiddelde van percentages individuele landen. (Het gemiddelde van de totale investeringen als percentage van het totale BBP is vergelijkbaar, maar wordt sterk beïnvloed door Japan, dat goed is voor bijna de helft van alle R&D in energie-efficiëntie.) Hier gebruik ik dezelfde lijst van landen als in Runci, 2005, maar zonder de VS: Canada, Denemarken, Frankrijk, Duitsland, Italië, Japan, Nederland, Spanje, Zweden en het Verenigd Koninkrijk, die ongeveer 95 procent van de R&D-investeringen van de industrielanden in 2003 vertegenwoordigen. Particuliere R&D-gegevens voor de VS uit Nemet & Kammen, 2007

11 Vergeleken met de totale publieke R&D in hernieuwbare energie en energiebesparing, van ongeveer 2 miljard dollar. IEA, 2007.

12 Sarewitz & Pielke, 2007: p. 13

13 Kammen & Nemet, 2005, IPCC, 2001a: 18513, schatten de pre-industriële CO_2 op 280 ppm, dus een CO_2-concentratie van 560 ppm zou waarschijnlijk een stijging van ongeveer 2,38 graden Celsius betekenen. (A1T vanaf 2000 met 575 ppm, IPCC, 2001a: p. 808, 824)

14 Jaffe, Fogarty, & Banks, 1998; Nemet & Kammen, 2007: p. 752; O'Rangers, 2005

15 Ereaut & Segnit, 2006: p. 7

16 Ereaut & Segnit, 2006: p. 7

17 Behringer, 1999; Oster, 2004

18 Oster, 2004: p. 217

19 Van 1520 tot 1770, Oster, 2004: p. 220

20 Miguel, 2005

21 Von Storch & Stehr, 2006: p. 108

22 Von Storch & Stehr, 2006: p. 109

23 *Los Angeles Times*, 7 oktober 1912

24 Anderson & Gainor, 2006: p. 9

25 Von Storch & Stehr, 2006: p. 109

26 *New York Times*, 10 augustus 1952

27 *New York Times*, 20 februari 1959

28 *New York Times*, 20 februari 1969

29 Ponte aangehaald in Von Storch & Stehr, 2006: p. 109

30 Anderson & Gainor, 2006: p. 13

31 Anderson & Gainor, 2006: p. 7

32 Aangehaald in Bray, 1991: p. 82

33 *Science News*, 1 maart 1975

34 Nigel Calder aangehaald in Bray, 1991: p. 83

35 *New York Times*, 21 mei 1975

36 Simms, Magrath, & Reid, 2004: p. 18

37 Monbiot, 2006: p. 90

38 EurActiv, 2007

39 Omslagtekst van Kluger, 2006

40 *New Scientist* annon., 2005

41 Pearson in *Take a Break*, aangehaald in Ereaut & Segnit, 2006: p. 30. Misschien is het ironisch dat de slogan van het blad is: 'Take a Break Magazine – the world can wait...' (Neem even rust [...] – de wereld kan wachten.)

42 Berger, 2007

43 Berger, 2007

44 Hulme, 2006

45 Brahic, 2007

46 Met behulp van Nordhaus, 2006d, vergeleken met ongewijzigd beleid.

47 Van 2,52 tot 2,43 graden Celsius.

48 Monbiot, 2006: p. 3-15

49 Speciaal verwijzend naar mij. Monbiot, 2006: p. 49-53, zegt ook dat hij massa's andere argumenten tegen mijn betoog zou kunnen inbrengen, maar helaas verkoos hij die hier niet te presenteren.

50 Monbiot, 2006: p. 175

51 IPCC, 1999a: SPM 4,8 en dit is inclusief de beste ramingen voor condensatiestrepen.

52 Kyoto zou in 2050 5,2 procent onder de CO_2-emissies bij ongewijzigd beleid liggen. Wigley, 1998: 2286

53 Monbiot, 2006: p. 50

54 Stern, 2006: p. 298. Dit is vergelijkbaar met de conclusie van een bijeenkomst van alle economische modelbouwers: 'De huidige inschattingen bepalen dat het "optimale" beleid om een relatief bescheiden niveau van beperking van CO_2 vraagt.'94 Nordhaus, 1998: p. 18

55 Bijvoorbeeld Gibbon, 2006; Stern, 2006; Timmons, 2006. De Britse adviseur van de VN zei dat de wereldwijde aandacht 'de stoutste verwachtingen' van de Britse regering had overtroffen. Hagen, 2007

56 Timmons, 2006

57 Stern, 2006: vi
58 Stern, 2006: vi
59 Stern, 2006: vi
60 Zelfs premier Tony Blair zegt: 'Stern laat zien dat de kosten van de ontwrichting voor mensen en economieën minstens 5 procent – en mogelijk zelfs 20 procent – van de wereldproductie zullen bedragen als we nalaten actie te ondernemen. De kosten daarentegen van actie om klimaatverandering een halt toe te roepen en te keren zouden maar 1 procent bedragen. Of anders gesteld, voor elke pond die we nu investeren, kunnen we minstens vijf pond besparen, en mogelijk veel meer.' Blair, 2006
61 Grice, 2006
62 Byatt et al., 2006; Carter, De Freitas et al., 2006; Dasgupta, 2006; Mendelsohn, 2007; Nordhaus, 2006e; Tol, 2006; Tol & Yohe, 2006; Varian, 2006; Weitzman, 2007; Yohe, 2006
63 Carter et al., 2006: p. 193
64 Carter et al., 2006: p. 194, 189; vergelijk met Tol & Yohe, 2006: p. 236
65 In een kritisch BBC-interview vond de volgende dialoog plaats, die moeilijk anders te interpreteren is dan dat Stern zichzelf slimmer vindt dan het IPCC. Nick Stern zegt: 'We baseren ons op de elementaire wetenschap. We hebben niet geprobeerd nieuw wetenschappelijk onderzoek te doen. We zijn geen wetenschappers.' Simon Cox (BBC): 'Ik vraag me alleen af waarom uw cijfers afwijken als u zich baseert op de bestaande literatuur, waarom wijken uw cijfers af van die van het IPCC?' Nick Stern: 'Het IPCC is een goed proces, maar het is afhankelijk van consensus. Dat betekent dat ze heel voorzichtig moeten zijn in wat ze zeggen. Wij hebben naar de feiten kunnen kijken en die op een bijzondere manier gebruikt om naar de economie van de risico's te kijken.' S. Cox, 2007: 11 min.
66 Byatt et al., 2006: p. 203; Tol & Yohe, 2006: p. 235
67 Byatt et al., 2006: p. 204-5; Tol, 2006: p. 979; Tol & Yohe, 2006: p. 238
68 Tol, 2006: p. 979; Tol & Yohe, 2006: p. 238
69 Ze stoppen gewoon met de kosten tellen na 2050, terwijl de kosten sterk oplopen van 2,2 procent tot 6,4 procent van het BBP in 2100. Tol & Yohe, 2006: p. 239
70 Dasgupta, 2006
71 Byatt et al., 2006: p. 206
72 Mendelsohn, 2007: p. 45
73 Tol & Yohe, 2006: p. 239
74 Tol, 2006: p. 979-80
75 Nordhaus, 2006e: p. 5
76 Giles, 2006
77 Giles, 2006
78 Stern, 2006: p. 298. Dit is vergelijkbaar met de conclusie van een bijeenkomst van alle economische modelbouwers: 'De huidige inschattingen bepalen dat het "optimale" beleid om een relatief bescheiden niveau van beperking van CO_2 vraagt.' Nordhaus, 1998: p. 18
79 IPCC, 1999b, IPCC, 2004.

80   Lean, 2005. Zie ook zijn opmerkelijke inleiding in het nieuwe IPCC-rapport van 2007: 'Ik hoop dat dit rapport mensen, regeringen genoeg zal schokken om serieus actie te ondernemen, daar je echt geen authentieker en geloofwaardiger stuk wetenschappelijk werk kunt krijgen.' Bhalla, 2007. Los van de dubieuze koppeling van serieuze wetenschap aan schokeffecten, is het duidelijk dat 'politiek neutraal' niet betekent dat je mensen de stuipen op het lijf moet jagen.

81   Von Storch, Stehr, & Ungar, 2004. In elk geval één prominente (niet met name genoemde) wetenschapper wilde dat de middeleeuwse warme periode verdween; hij zond een email aan wat hij voor een mede-gelovige aanzag: 'We moeten af van de middeleeuwse warme periode.' Deming, 2005

82   Lindzen, 2006

83   Kerr, 2000

84   Voorlopige versie van IPCC, 2001a: SPM5

85   IPCC, 2001a: p. xi

86   Pearce, 2001

87   'Alternatieve ontwikkelingspaden' is de titel, IPCC, 2001c: p. 95

88   IPCC, 2001c: p. 102

89   IPCC, 2001c: p. 101

90   IPCC, 2001c: p. 369

91   Schell, 1989

92   Zie O'Neill, 2006a, voor een uitgebreide discussie, die de redenering hier deels volgt.

93   Sommige mensen maken een onderscheid tussen wetenschap en beleid, maar velen doen dat niet, zie Bailey & English, 2006; Rising Tide, 2007

94   Kingston, 2005

95   Lynas, 2004

96   Lynas, 2006

97   Roberts, 2006a, Roberts, 2006b

98   Dohm & From, 2004: 'Wanneer je de denkwijze van Lomborg volgt, was wat Hitler deed misschien juist' is het harde commentaar van Pachauri. [Hvis man skal følge Lomborgs tankegang, var det måske rigtigt, hvad Hitler gjorde,« lyder den barske kommentar fra Pachauri.]

99   Ben-Ami, 2006. Dit was ook het antwoord van Gore op de Deense televisie, toen hij werd geconfronteerd met een kritische vraag over mij.

100 Winfrey, 2006: slide 13

101 Blackman, 2006

102 40 miljard pond tot de CO_2 verdubbelt, ofwel ongeveer 2,4 miljard dollar per jaar tegen 3 procent. Blackman, 2006

103 Blackman, 2006

104 Bower et al., 2006; Latham, 1990

105 O'Neill, 2006b. Hoewel het nogal moeilijk is voor te stellen dat deze kreet bijzonder ritmisch klinkt.

106 Brignell, 2006

107 California Assembly, 2006. De gemiddelde Kyoto-restrictie is 5,2 procent onder

het niveau van 1990 in 2008-12, terwijl Californië tegen 2020 zijn uitstoot tot het niveau van 1990 zal reduceren, te beginnen met plafonds in 2012.
108 van 1997 tot 2004, EIA, 2006a
109 Forster, 2006: p. 15
110 Forster, 2006: p. 12
111 Forster, 2006: p. 13
112 Forster, 2006: p. 15
113 Tol & Yohe, 2006: p. 245

Hoofdstuk 5

1 Labour heeft in drie verkiezingsmanifesten gezegd de CO_2-uitstoot in 2010 met 20 procent te reduceren ten opzichte van 1990 (BBC Annon., 2006a); dit vertaalt zich in een reductie met 14,6 procent ten opzichte van 1997. Tussen 1997 en 2004 zijn de CO_2-emissies met 3,4 procent toegenomen. EIA, 2006b

2 EIA, 2006b

3 Neem bijvoorbeeld zowel Gore's 'we moeten een manier vinden om de ernst van de situatie te communiceren' als Hansens 'wetenschappers hebben geen goed werk gedaan in hun communicatie met het publiek'. Fischer, 2006

4 EIA, 006b

5 Clinton Global Initiative, 2005: p. 15

6 Tol, 2007: p. 430

7 Belastingen (heffingen) hebben veel voordelen boven emissieplafonds, vooral omdat bij belastingen de autoriteiten een belang hebben bij de inning ervan (omdat ze de regering financieren), terwijl bij plafonds individuele landen veel minder belang hebben bij resultaat behalen, omdat de voordelen mondiaal gespreid zijn terwijl de schade lokaal is (de lokale industrie treft).

8 Akerhielm, 1995; Angrist & Lavy, 1999; Graddy & Stevens, 2005. Dit kan natuurlijk op vele manieren aangepast worden, bijvoorbeeld met beter betaalde onderwijzers, meer geld voor boeken, computers enz. Het is ook van belang dat we zeggen: 'Meer onderwijzers zullen scholen in elk geval niet slechter en ze waarschijnlijk beter maken', omdat veel onderzoek geen of weinig effect van extra middelen laat zien, maar op enkele negatieve resultaten.

9 Bijvoorbeeld Fleitas et al., 2006; Gebhardt & Norris, 2006). Aan de andere kant is het minder evident dat (voorbij een zekere grens) meer artsen en ziekenhuisbedden het antwoord zouden zijn, omdat ze misschien alleen maar meer visites afleggen en misschien meer infecties en schade veroorzaken. Weinberger, Oddone, & Henderson, 1996; Wennberg et al., 2004.

10 USCB, 2006: p. 672

11 Lopez et al., 2006: 1751; WHO, 2002: p. 72, WHO 2004b: p. 3, 172)

12 AWEA, 2007: p. 2

13 WHO, 2004b: p. 172

14 WHO, 2004b: p. 5

15 WHO, 2002, p. 129 zet het op de tweede plaats, terwijl WHO, 2004b, p. 5 het op de derde plaats zet.

16 Grappig genoeg is 5 mijl per uur ongeveer de 96 procent reductie van Monbiot ten opzichte van 55 mijl per uur.

17 Hierbij wordt alleen gekeken naar de marginale bate van fossiele brandstoffen – wat voor onze discussie de relevante grootheid is. Het is echter van belang te beseffen dat zij op elementair niveau ons leven fundamenteel veranderd hebben. Vóór we fossiele brandstoffen gebruikten, waren we uren kwijt met het verzamelen van hout – zoals in de derde wereld miljoenen nog steeds doen – wat leidde tot ontbossing en bodemerosie. Kammen, 1995. We hebben elektrische wasmachines die vooral het werk van vrouwen drastisch verlicht hebben. De economisch historicus Stanley Lebergott schreef, half grappend: 'Van 1620 tot 1920 was de Amerikaanse wasmachine een huisvrouw.' (Lebergott, 1993: p.112.) In 1900 besteedde een huisvrouw zeven uur per week aan de was, droeg ze ongeveer duizend liter water het huis binnen en gebruikte ze een wasbord. Tegenwoordig is ze 84 minuten kwijt, met veel minder inspanning. (Robinson & Godbey, 1997: p. 327). We hebben een koelkast die ons zowel meer vrije tijd bezorgt, voorkomt dat ons voedsel bederft en ons in staat stelt een gezonder dieet van fruit en groenten te hebben. (Lebergott, 1995: p. 155) Aan het eind van de negentiende eeuw was menselijke arbeid goed voor 94 procent van al het industriële werk in de VS. Nu is dat maar 8 procent. (Berry, Conkling, Ray & Berry, 1993: p. 131) Als we om de gedachten te bepalen energie in termen van 'bedienden' zien, met elk dezelfde arbeidskracht als een mens, heeft elk persoon in West-Europa de beschikking over 150 bedienden, elke Amerikaan heeft er ongeveer 300 en zelfs in India heeft iedereen 15 bedienden. (Craig et al., 1996: p. 103)

18 Davis et al., 2003

19 Steve Jones van Help the Aged zei: 'Voor veel gepensioneerden is het nog altijd een moeilijke afweging of ze bij koud weer hun huis zullen verwarmen. In het op drie na rijkste land van de wereld is dit simpelweg beschamend.' (BBC Annon., 2006b).

20 Het onderzoek van het World Cancer Research Fund schat dat een toename van de consumptie van fruit en groente met een gemiddelde van ongeveer 250 gram per dag tot 400 gram per dag het totale aantal mensen met kanker met ongeveer 23 procent zou verlagen. WCRF, 1997: p. 540

21 Schäfer, 2006

22 IEA, 2004: p. 338-40

23 IEA, 2006b: p. 419ff

24 IEA, 2006b: p. 428; Kammen, 1995; Kelkar, 2006

25 Vooral door minder sterfte en minder tijdbeslag. IEA, 2006b: p. 440

26 WHO, 2002: p. 72; WHO 2004b: p. 172

27 http://www.europe.org/speedlimits.html

28 Boykoff & Boykoff, 2006

29 UNCED, 1992: p. 15: 'Waar de dreiging bestaat van ernstige of onomkeerbare schade, dient gebrek aan volledige wetenschappelijke zekerheid zeker niet als reden te worden gebruikt voor uitstel van kosten-effectieve maatregelen om aantasting van het milieu te voorkomen.' Zie ook SEHN, 2007

30 Goklany, 2000
31 Met een stijging met 67 procent van 227 biljoen dollar tot 381 biljoen in 2100 bij de-
    zelfde bevolking. Nakicenovic & IPCC WG III.,2000.
32 De kosten en baten zijn uit de verschillende hoofdstukken in het boek, de periodes
    verschillen enigszins in verband met de uiteenlopende aard van de onderwerpen.
33 De lage schatting is te vinden bij EcoBusinessLinks, 2007. Het gemiddelde is onge-
    veer 17 dollar. De ramingen van de baten zijn van Tol, 2005.

Literatuur

Akbari, H., Pomerantz, M., & Taha, H. (2001). Cool Surfaces and Shade Trees to Reduce Energy Use and Improve Air Quality in Urban Areas. *Solar Energy*, 70(3), 295-310.

Akerhielm, K. (1995). Does Class Size Matter? *Economics of Education Review*, 14(3), 229-241.

Alexander, L. V., Zhang, X., Peterson, T. C., Caesar, J., Gleason, B., Tank, A., et al. (2006). Global Observed Changes in Daily Climate Extremes of Temperature and Precipitation. *Journal of Geophysical Research- Atmospheres*, 111(D5).

Almeida, A. d., Fonseca, P., Schlomann, B., Feilberg, N., & Ferreira, C. (2006). Residential Monitoring to Decrease Energy Use and Carbon Emissions in Europe. *Working Paper*. Gezien op 21-11-06, http://mail.mtprog.com/CD_Layout/Day_2_22.06.06/1400-1545/ID170_Almeida_final.pdf

Amstrup, S. C., Durner, G., York, G., Regehr, E., Simac, K., & Douglas, D. (2006, July 14). Polar Bears: Sentinel Species for Climate Change. *Environmental Science Seminar Series*. Gezien op 7-11-06, http://www.ametsoc.org/atmospolicy/documents/AmstrupFinal.pdf

Anderson, J. B., Shipp, S. S., Lowe, A. L., Wellner, J. S., & Mosola, A. B. (2002). The Antarctic Ice Sheet during the Last Glacial Maximum and Its Subsequent Retreat History: A Review. *Quaternary Science Reviews*, 21(1-3), 49-70.

Anderson, R. W., & Gainor, D. (2006). Fire and Ice. *Business & Media Institute*. Gezien op 21-1-07, http://www.businessandmedia.org/specialreports/2006/fireandice/FireandIce.pdf

Angrist, J. D., & Lavy, V. (1999). Using Maimonides Rule to Estimate the Effect of Class Size on Scholastic Achievement. *Quarterly Journal of Economics*, 114(2), 533-575.

Annan, K. (2006, November 15). UN Secretary-General Kofi Annan's Address to the Climate Change Conference, as Delivered in Nairobi. *United Nations*. Gezien op 2-1-07, http://www.un.org/News/Press/docs/2006/sgsm10739.doc.htm

Anon. (2004, November 6). Kyoto Ratification, editorial. *The Washington Post*, A22.

Gezien op 18-11-06, http://www.washingtonpost.com/wp-dyn/articles/ A29459-2004Nov5.html

Anon. (2006, October 28). Urban Heat Island. *New Scientist*, 58.

AP. (2006a, 26 September). AP Interview: Schwarzenegger says global warming a top priority Gezien op 6-11-06, http://www.iht.com/articles/ap/2006/09/26/america/NA_GEN_US_Schwarzene gger_Global_Warming.php

AP. (2006b, February 23). Japan Tries Some Conservation the Hard Way: Environment Ministry Shuts Off Heating in Race to Meet Kyoto Target. Gezien op 20-11-06, http://www.msnbc.msn.com/id/11522280/

Arnell, N. W. (2004). Climate Change and Global Water Resources: SRES Emissions and Socio-economic Scenarios. *Global Environmental Change*, 14(1), 31-52.

Arnell, N. W., Cannell, M. G. R., Hulme, M., Kovats, R. S., Mitchell, J. F. B., Nicholls, R. J., et al. (2002). The Consequences of CO2 Stabilisation for the Impacts of Climate Change. *Climatic Change*, 53(4), 413-446.

Arnfield, A. J. (2003). Two Decades of Urban Climate Research: A Review of Turbulence, Exchanges of Energy and Water, and the Urban Heat Island. *International Journal of Climatology*, 23(1), 1-26.

Ashton, P. J. (2002). Avoiding Conflicts over Africa's Water Resources. *Ambio*, 31(3), 236-242.

Association of British Insurers. (2005). Financial Risks of Climate Change, Summary Report, by Climate Risk Management. Gezien op 20-12-06, http://www.abi.org.uk/Display/File/Child/552/ Financial_Risks_of_Climate_Change.pdf

Australian Government Antarctic Division. (2003). Where Do Emperor Penguins Breed? Australian Antarctic Division. Gezien op 15-12-06, http://www.aad.gov.au/default.asp?casid=2879

AWEA. (2007). Facts about Wind Energy & Birds. Gezien op 30-1-07, http://www.awea.org/pubs/factsheets/avianfs.pdf

BA. (2006). Click for the Climate! *The BA National Science Week 2006*. Gezien op 20-11-06, http://www.the-ba.net/the-ba/Events/NSEW/AboutNSEW/NSEW_archive/NationalScienceWeek2006/ ClimateChange/_ClickfortheClimate.htm

Bailey, J., & English, O. (2006). Emptying the Sceptic Tank. *Corporate Watch*. Gezien op 26-1-07, http://www.corporatewatch.org.uk/?lid=2715.

Barber, D. C., Dyke, A., Hillaire-Marcel, C., Jennings, A. E., Andrews, J. T., Kerwin, M. W., et al. (1999). Forcing of the Cold Event of 8,200 Years Ago by Catastrophic Drainage of Laurentide Lakes. *Nature*, 400(6742), 344-348.

Barbraud, C., & Weimerskirch, H. (2001). Emperor Penguins and Climate Change. *Nature*, 411(6834), 183-186.

Barnett, T., Zwiers, F., Hegerl, G., Allen, M., Crowley, T., Gillett, N., et al. (2005). Detecting and Attributing External Influences on the Climate System: A Review of Recent Advances. *Journal of Climate*, 18(9), 1291-1314.

Barnett, T. P., Adam, J. C., & Lettenmaier, D. P. (2005). Potential Impacts of a

Warming Climate on Water Availability in Snow-dominated Regions. *Nature*, 438(7066), 303-309.

Basu, R., & Samet, J. M. (2002). Relation between Elevated Ambient Temperature and Mortality: A Review of the Epidemiologic Evidence. *Epidemiologic Reviews*, 24(2), 190-202.

BBC Anon. (2005, January 30). Climate Change 'Disaster by 2026.' Gezien op 7-11-06, http://news.bbc.co.uk/1/hi/england/oxfordshire/4218441.stm

BBC Anon. (2006a, March 28). UK to Miss CO2 Emissions Target. Gezien op 29-1-07, http://news.bbc.co.uk/2/hi/science/nature/4849672.stm

BBC Anon. (2006b, October 27). 'Winter Death Toll' Drops by 19 percent. Gezien op 13-11-06, http://news.bbc.co.uk/2/hi/uk_news/6090492.stm

BEA. (2006a). Table 1.1.9: Implicit Price Deflators for Gross Domestic Product. Bureau of Economic Analysis. Gezien op 22-11-06, http://bea.gov/bea/dn/nipaweb/TableView.asp#Mid

BEA. (2006b). Table 1.1: Current-Cost Net Stock of Fixed Assets and Consumer Durable Goods. Bureau of Economic Analysis. Gezien op 23-12-06, http://www.bea.gov/bea/dn/FA2004/TableView.asp#Mid

Beard, J. (2006). DDT and Human Health. *Science of the Total Environment*, 355(1-3), 78-89.

Behringer, W. (1999). *Climatic Change* and Witch-hunting: The Impact of the Little Ice Age on Mentalities. *Climatic Change*, 43(1), 335-351.

Beinecke, F. (2005). The Natural Resources Defense Council. StopGlobal Warming. Gezien op 29-1-07, http://www.stopglobalwarming.org/sgw_partner.asp?376

Ben-Ami, D. (2006, September 18). Global Warming: Time for a Heated Debate. Spiked. Gezien op 26-1-07, http://www.spiked-online.com/index.php?/site/article/1675/

Berger, E. (2007, January 22). Climate Scientists Feeling the Heat. *Houston Chronicle*. Gezien op 23-1-07.

Berner, J., Symon, C., Arris, L., Heal, O. W., *Arctic Climate Impact Assessment*, National Science Foundation (U.S.), et al. (2005). Arctic Climate Impact Assessment. New York: Cambridge University Press. Gezien op 7-11-06, http://www.acia.uaf.edu/pages#scientific.html

Berry, B. J. L., Conkling, E. C., & Ray, D. M. (1993). *The Global Economy: Resource Use, Locational Choice, and International Trade*. Englewood Cliffs, N.J.: Prentice-Hall.

Bhalla, N. (2007, January 25). U.N. Climate ReportWill Shock theWorld – chairman. Reuters. Gezien op 26-1-07, http://www.alertnet.org/thenews/newsdesk/DEL33627.htm.

Bindschadler, R. (2006). The Environment and Evolution of the West Antarctic Ice Sheet: Setting the Stage. *Philosophical Transactions of the Royal Society A: Mathematical, Physical and Engineering Sciences*, 364(1844), 1583-1605. Beschikbaar op http://dx.doi.org/10.1098/rsta.2006.1790

BirdLife International. (2004). Aptenodytes forsteri, in: IUCN, *2006 IUCN Red List of Threatened Species*. Gezien op 16-12-06, http://www.iucnredlist.org/search/details.php/49667/all

Blackman, S. (2006, November 15). Every Silver Lining Has a Cloud. Spiked. Gezien op 28-1-07, http://www.spiked-online.com/index.php?/site/article/2097/

Blair, T. (2004a, September 14). PM Speech on Climate Change. Gezien op 18-11-06, http://www.pm.gov.uk/output/Page6333.asp

Blair, T. (2004b, 27 April). Speech by the Prime Minister at the Launch of the Climate Group. Gezien op 6-11-06, http://www.number-10.gov.uk/output/page5716.asp

Blair, T. (2006, October 30). PM's Comments at Launch of Stern Review. Gezien op 29-12-06, http://www.number-10.gov.uk/output/Page10300.asp

Blakely, S. (1998). Climate Treaty Faces Cold Reception in Congress. *Nation's Business*, 86(2), 8-9.

Bohm, R. (1998). Urban Bias in Temperature Time Series – A Case Study for the City of Vienna, Austria. *Climatic Change*, 38(1), 113-128.

Bohringer, C., & Loschel, A. (2005). Climate Policy beyond Kyoto: Quo Vadis? A Computable General Equilibrium Analysis Based on Expert Judgments. *Kyklos*, 58(4), 467-493.

Bohringer, C., &Vogt, C. (2003). Economic and Environmental Impacts of the Kyoto Protocol. *Canadian Journal of Economics – Revue Canadienne D' Economique*, 36(2), 475-494.

Bosello, F., Roson, R., & Tol, R. S. J. (2006). Economy-wide Estimates of the Implications of Climate Change: Human Health. *Ecological Economics*, 58(3), 579-591.

Bower, K., Choularton, T., Latham, J., Sahraei, J., & Salter, S. (2006). Computational Assessment of a Proposed Technique for Global Warming Mitigation via Albedo-enhancement of Marine Stratocumulus Clouds. *Atmospheric Research*, 82 (1-2), 328-336.

Boyd, R. T. (1975). Another Look at the 'Fever and Ague' of Western Oregon. *Ethnohistory*, 22(2), 135-154.

Boykoff, J., & Boykoff, M. (2006, July 6). An Inconvenient Principle. CommonDreams.org. Gezien op 30-1-07, http://www.commondreams.org/views06/0706-26.htm

Brahic, Catherine (2007). 'Costs of Stabilizing Global Warming 'Negligible.' ' *New Scientist*. Gezien op 9-5-2007, http://environment.newscientist.com/article/dn11795-costs-of-stabilising-globalwarming-negligible.html

Bray, A. J. (1991). The Ice-Age Cometh – Remembering the Scare of Global Cooling. *Policy Review*, 58, 82-84.

Brazdil, R., Kundzewicz, Z. W., & Benito, G. (2006). Historical Hydrology for Studying Flood Risk in Europe. *Hydrological Sciences Journal – Journal des Sciences Hydrologiques*, 51(5), 739-764.

Brazel, A., Selover, N., Vose, R., & Heisler, G. (2000). The Tale of Two Climates – Baltimore and Phoenix Urban LTER sites. *Climate Research*, 15(2), 123-135.

Breman, J. G. (2001). The Ears of the Hippopotamus: Manifestations, Determinants, and Estimates of the Malaria Burden. *American Journal of Tropical Medicine and Hygiene*, 64(1-2), 1-11.

Brierly, W. B. (1944). Malaria and Socio-Economic Conditions in Mississippi. *Social Forces*, 23(1), 451-459.

Brignell, J. (2006, November 2). Got a Problem? Blame Global Warming! Spiked. Gezien op 27-1-07, http://www.spiked-online.com/index.php?/site/article/2045/

Bronstert, A. (2003). Floods and Climate Change: Interactions and Impacts. *Risk Analysis*, 23(3), 545-557. Beschikbaar op http://www.blackwell-synergy.com/doi/abs/10.1111/1539-6924.00335

Bryden, H. L., Longworth, H. R., & Cunningham, S. A. (2005). Slowing of the Atlantic Meridional Overturning Circulation at 25 degrees N. *Nature*, 438(7068), 655-657.

Buncombe, A. (2005, August 19). Climate Change: Will You Listen Now, America? *The Independent*. Gezien op 6-11-06, http://www.findarticles.com/p/articles/mi_qn4158/is_20050819/ai_n14918176

Bunting, M. (2006, November 6). It's Hard to Explain, Tom, Why We Did So Little to Stop Global Warming. *The Guardian*. Gezien op 6-11-06, http://www.guardian.co.uk/commentisfree/story/0,,1940384,00.html

Burroughs,W. J. (1997). *Does theWeather Really Matter? The Social Implications of Climate Change*. Cambridge: Cambridge University Press.

Byatt, I., Castles, I., Goklany, I. M., Henderson, D., Lawson, N., McKitrick, R., et al. (2006). The Stern Review: A Dual Critique, Part II: Economic Aspects. *World Economics*, 7(4), 199-232.

California Assembly. (2006, September 27). California Global Warming Solutions Act of 2006, AB 32. Gezien op 27-1-07, http://www.leginfo.ca.gov/pub/05-06/bill/asm/ab_0001-0050/ab_32_bill_20060927_chaptered.pdf

Calvin, W. H. (1998). The Great Climate Flip-flop. *The Atlantic Monthly*, 281(1), 47-64.

Campbell-Lendrum, D. H., Corvalán, C. F., & Prüss-Ustün, A. (2003). How Much Disease Could Climate Change Cause? 133-158 in McMichael et al., 2003.

Carter, R. M., de Freitas, C. R., Goklany, I. M., Holland, D., & Lindzen, R. S. (2006). The Stern Review: A Dual Critique, Part I: The Science. *World Economics*, 7(4), 167-198.

Cazenave, A. (2006). How Fast Are the Ice Sheets Melting? Science, 314(5803), 1250-1252.

CDC. (1999). Control of Infectious Diseases, 1900-1999. JAMA, 282(11), 1029-1032. Beschikbaar op http://jama.ama-assn.org

CDC. (2004). Eradication of Malaria in the United States (1947-1951). Gezien op 30-12-06, http://0-www.cdc.gov.milli.sjlibrary.org/malaria/history/eradication_us.htm

CDC. (2006). 2006 West Nile Virus Activity in the United States (Reported to CDC as of December 11, 2006). Gezien op 29-12-06, http://www.cdc.gov/ncidod/dvbid/westnile/surv&controlCaseCount06_detailed.htm

CEP. (2006). Boosting Innovation and Productivity Growth in Europe: The Hope and the Realities of the EU's 'Lisbon Agenda'. Centre for Economic Performance. Gezien op 15-3-07, http://cep.lse.ac.uk/briefings/pa_lisbon_agenda.pdf.

Chapman, W. L., & Walsh, J. E. (2005). A Synthesis of Antarctic Temperatures: Department of Atmospheric Sciences at the University of Illinois. Gezien op 15-12-06, http://arctic.atmos.uiuc.edu/Antarctic.paper.chapwalsh.2005.pdf

Chase, T. N., Wolter, K., Pielke Sr., R. A., & Rasool, I. (2007). Was the 2003 European Summer Heat Wave Unusual in a Global Context? *Geophysical Research Letters*, forthcoming. Gezien op 13-11-06, http://climatesci.colorado.edu/2006/11/06/was-the-2003-european-summer-heat-wave-unusual-in-a-global-context/

Chen, J. L., Wilson, C. R., & Tapley, B. D. (2006). Satellite Gravity Measurements Confirm Accelerated Melting of Greenland Ice Sheet. *Science*, 313(5795), 1958-1960.

Chen, L. X., Zhu, W. Q., Zhou, X. J., & Zhou, Z. J. (2003). Characteristics of the Heat Island Effect in Shanghai and Its Possible Mechanism. *Advances in Atmospheric Sciences*, 20(6), 991-1001.

Chicago Council. (2006a, October 11). Global Views 2006: Comparative Topline Reports. The Chicago Council on Global Affairs Gezien op 30-11-06, http://www.thechicagocouncil.org/dynamic_page.php?id-56

Chicago Council. (2006b, October 11). The United States and the Rise of China and India: Results of a 2006 Multination Survey of Public Opinion. The Chicago Council on Global Affairs. Gezien op 30-11-06, http://www.thechicagocouncil.org/dynamic_page.php?id=56

Chung, U., Choi, J., & Yun, J. I. (2004). Urbanization Effect on the Observed Change in Mean Monthly Temperatures between 1951-1980 and 1971-2000 in Korea. *Climatic Change*, 66(1-2), 127-136.

Chylek, P., Dubey, M. K., & Lesins, G. (2006). Greenland Warming of 1920-1930 and 1995-2005. *Geophysical Research Letters*, 33(11).

CIA. (2006). CIA World Fact Book. Gezien op 17-12-06, https://www.cia.gov/cia/publications/factbook/

Clinton Global Initiative. (2005, September 15). Special Opening Plenary Session: Perspectives on the Global Challenges of Our Time. Gezien op 29-1-07, http://attend.clintonglobalinitiative.org/pdf/transcripts/plenary/cgi_09_15_05_plenary_1.pdf

Comrie, A. C. (2000). Mapping a Wind-modified Urban Heat Island in Tucson, Arizona (with Comments on Integrating Research and Undergraduate Learning). *Bulletin of the American Meteorological Society*, 81(10), 2417-2431.

Congleton, R. D. (2006). The Story of Katrina: New Orleans and the Political Economy of Catastrophe. *Public Choice*, 127(1-2), 5-30.

Connor, S. (2005, December 1). Fears of Big Freeze as Scientists Detect Slower Gulf Stream. *The Independent*. Gezien op 27-12-06, http://news.independent.co.uk/world/science_technology/article330454.ece

Copenhagen Consensus. (2006, October 30). A United Nations Perspective. Gezien
op 30-11-06,
http://www.copenhagenconsensus.com/Admin/Public/DWSDownload.aspx?Fil
e=Files%2fFiler%2fCC+UNP%2fCC06_Outcome.pdf

Coudrain, A., Francou, B., & Kundzewicz, Z. W. (2005). Glacier Shrinkage in the
Andes and Consequences forWater Resources. *Hydrological Sciences Journal –
Journal des Sciences Hydrologiques*, 50(6), 925-932.

Cowell, A. (2007, March 14). Britain Drafts Laws to Slash Carbon Emissions. *The
New York Times*. Gezien op 15-3-07.

Cox, J. D. (2005). *Climate Crash: Abrupt Climate Change and What It Means for Our
Future*. Washington, D.C.: Joseph Henry Press.

Cox, S. (2007, January 25). The Investigation. Radio 4, BBC. Gezien op 28-1-07,
http://www.bbc.co.uk/radio/aod/mainframe.shtml?
http://www.bbc.co.uk/radio/aod/radio4_aod.shtml?radio4/theinvestigation

Craig, J. R., Vaughan, D. J., & Skinner, B. J. (1996). *Resources of the Earth: Origin,
Use and Environmental Impact*. Upper Saddle River, N.J.: Prentice Hall.

CRU. (2006). HadCRUT3 Temperature: Global. Climatic Research Unit, University
of East Anglia. Gezien op 1-1-07,
http://www.cru.uea.ac.uk/cru/data/temperature/crutem3gl.txt

Cullen, N. J., Molg, T., Kaser, G., Hussein, K., Steffen, K., & Hardy, D. R. (2006).
Kilimanjaro Glaciers: Recent Areal Extent Satellite Data and New Interpretation
of Observed 20th Century Retreat Rates. *Geophysical Research Letters*, 33(16).

Dagoumas, A. S., Papagiannis, G. K., & Dokopoulos, P. S. (2006). An Economic
Assessment of the Kyoto Protocol Application. *Energy Policy*, 34(1), 26-39.

Dai, A., Wigley, T. M. L., Boville, B. A., Kiehl, J. T., & Buja, L. E. (2001). Climates of
the Twentieth and Twenty-first Centuries Simulated by the NCAR Climate
System Model. *Journal of Climate*, 14(4), 485-519.

Dai, A. G., Lamb, P. J., Trenberth, K. E., Hulme, M., Jones, P. D., & Xie, P. P.
(2004). The Recent Sahel Drought Is Real. *International Journal of Climatology*,
24(11), 1323-1331.

Dalyell, T. (2004). Westminster Diary. *New Scientist*, 181(2439), 49.

Dana, W. (2006, July 13-27). Al Gore 3.0: The Man Who Won the Presidency in
2000 Is Looser and More Outspoken than Ever. Is His global warming Movie a
Warm-up for a Third Run at the White House? *Rolling Stone*. Gezien op
29-11-06, http://www.rollingstone.com/news/story/10688399/al_gore_30/print

Dasgupta, P. (2006, November 11). Comments on the Stern Review's Economics of
Climate Change. Gezien op 24-1-07,
http://www.econ.cam.ac.uk/faculty/dasgupta/STERN.pdf

Davis, R. E., Knappenberger, P. C., Michaels, P. J., & Novicoff,W. M. (2003).
Changing Heat-related Mortality in the United States. *Environmental Health
Perspectives*, 111(14), 1712-1718.

Davis, R. E., Knappenberger, P. C., Novicoff,W. M., & Michaels, P. J. (2002).
Decadal Changes in Heat-related Human Mortality in the Eastern United
States. *Climate Research*, 22(2), 175-184.

Demaree, G. R. (2006). The Catastrophic Floods of February 1784 in and around Belgium – a Little Ice Age Event of Frost, Snow, River Ice ... and Floods. *Hydrological Sciences Journal – Journal des Sciences Hydrologiques*, 51(5), 878-898.

Deming, D. (2005). Global Warming, the Politicization of Science, and Michael Crichton's 'State of Fear.' *Journal of Scientific Exploration*, 19(2).

Denton, A. (2006, September 11). Interview with Al Gore. *Enough Rope on Australia ABC.* Gezien op 13-1-07, http://www.abc.net.au/tv/enoughrope/transcripts/s1734175.htm

Department of Commerce. (1982). *Survey of Current Business*: August 1982. Gezien op 2-1-07, http://fraser.stlouisfed.org/publications/SCB/1982/issue/1847

Department of Commerce. (2006). *Survey of Current Business*: December 2006 (12 ed. Vol. 86). Gezien op 2-1-07, http://www.bea.gov/scb/toc/1206cont.htm

Dillin, J. (2000). Global Cooling – Mini-ice Age. *Christian Science Monitor*, 92(191), 16.

Dohm, K., & From, L. (2004, April 21). FN-chef: Lomborg Tænker som Hitler [UN executive: Lomborg thinks as Hitler]. *Jyllands-Posten.*

Downton, M., Miller, J. Z. B., & Pielke, R. A. (2005a). Data: Reanalysis of U.S. National Weather Service Flood Loss Database. Gezien op 23-12-06, http://www.flooddamagedata.org/national.html

Downton, M., Miller, J. Z. B., & Pielke, R. A. (2005b). Reanalysis of U.S. National Weather Service Flood Loss Database. *Natural Hazards Review*, 2(4), 157-166. Gezien op 19-12-06, http://sciencepolicy. colorado.edu/admin/publication_files/resource-34-2001.03.pdf.

DW staff. (2006, 28 Sept). Merkel to Target Climate Change as G8, EU Leader *Deutsche Welle.* Gezien op 6-11-06, http://www.dw-world.de/dw/article/0,2144,2188336,00.html.

Easterling, D. R., Evans, J. L., Groisman, P. Y., Karl, T. R., Kunkel, K. E., & Ambenje, P. (2000). Observed Variability and Trends in Extreme Climate Events: A Brief Review. *Bulletin of the American Meteorological Society*, 81(3), 417-425.

Ebi, K. L., Mills, D. M., Smith, J. B., & Grambsch, A. (2006). Climate Change and Human Health Impacts in the United States: An Update on the Results of the US National Assessment. *Environmental Health Perspectives*, 114(9), 1318-1324.

EcoBusinessLinks. (2007). How Much Does Carbon Offsetting Cost? Price Survey! EcoBusinessLinks.com. Gezien op 1-2-07, http://www.ecobusinesslinks.com/carbon_offset_wind_credits_carbon_reduction.htm.

EDD. (2006a). Miami Beach Statistical Abstract 2000-2006. Economic Development Department. Gezien op 10-12-06, http://www.miamibeach?.gov/newcity/depts/econdev/Statistical%20Abstract%20(Long).pdf.

EDD. (2006b). Tourism overview. Economic Development Department. Gezien op 10-12-06, http://www.miamibeach?.gov/newcity/depts/econdev/visitors%20Profile.asp

Edwards, G. (2006, April 5). Hot in Here. *Rolling Stone.*

EIA. (1999). *Carbon Dioxide Emissions from the Generation of Electric Power in the*

United States. U.S. Energy Information Administration. Gezien op 21-11-06, http://www.eia.doe.gov/cneaf/electricity/page/co2_report/co2emiss99.pdf

EIA. (2002). *Updated State-level Greenhouse Gas Emission Coefficients for Electricity Generation 1998-2000*. U.S. Energy Information Administration. Gezien op 21-11-06, http://tonto.eia.doe.gov/FTP-ROOT/environment/e-supdoc-u.pdf

EIA. (2006a). Emissions of Greenhouse Gases in the United States 2005. U.S. Energy Information Administration. Gezien op 30-11-06, http://www.eia.doe.gov/oiaf/1605/ggrpt/pdf/057305.pdf

EIA. (2006b). *International Energy Annual 2004*. U.S. Energy Information Administration. Gezien op 30-11-06, http://www.eia.doe.gov/iea/

EIA. (2006c). *International Energy Outlook 2006*. U.S. Energy Information Administration. Gezien op 20-11-06, http://www.eia.doe.gov/oiaf/ieo/index.html

EIA. (2006d). *Monthly Energy Review: October 2006*. U.S. Energy Information Administration.

EIA. (2006e). US Historical CO2 emissions. U.S. Energy Information Administration.

EIA. (2006f). Voluntary Reporting of Greenhouse Gases Program: Fuel and Energy Source Codes and Emission Coefficients. U.S. Energy Information Administration. Gezien op 22-11-06, http://www.eia.doe.gov/oiaf/1605/coefficients.html

Eilperin, J. (2004). Study Says Polar Bears Could Face Extinction. *The Washington Post*. Gezien op 7-11-06, http://www.washingtonpost.com/wp-dyn/articles/A35233-2004Nov8.html

EPA. (2000, April). Average Annual Emissions and Fuel Consumption for Passenger Cars and Light Trucks. U.S. Environmental Protection Agency. Gezien op 21-11-06, http://www.epa.gov/otaq/consumer/f00013.pdf

Epstein, P. R. (2000). Is Global Warming Harmful to Health? *Scientific American*, 283(2), 50-57.

Epstein, P. R., Diaz, H. F., Elias, S., Grabherr, G., Graham, N. E., Martens, W. J. M., et al. (1998). Biological and Physical Signs of Climate Change: Focus on Mosquito-borne Diseases. *Bulletin of the American Meteorological Society*, 79(3), 409-417.

Ereaut, G., & Segnit, N. (2006). Warm Words: How Are We Telling the Climate Story and Can We Tell It Better? Institute for Public Policy Research. Gezien op 20-1-07, http://www.ippr.org.uk/members/download.asp?f=/ecomm/files/warm_words.pdf&a=skip

EU. (1996a, June 11). 1st UNFCC Communication EN. Commission of the European Communities. Gezien op 27-11-06, http://ec.europa.eu/environment/climat/pdf/1st_unfcc_communication_en.pdf

EU. (1996b, June 25). Communication on Community Strategy on Climate Change. 1939th Council meeting, Luxembourg.

EU. (2001, June TK). ECCP Report. Commission of the European Communities. Gezien op 27-11-06, http://ec.europa.eu/environment/climat/pdf/eccp_report_0106.pdf

EU. (2005, February 9). Winning the Battle Against Global Climate Change. Commission of the European Communities. Gezien op 28-11-06, http://eurex.europa.eu/LexUriServ/site/en/com/2005/com2005_0035en01.pdf

EU. (2007a). Gross Domestic Expenditure on R&D. EUROSTAT. Gezien op 15-3-07, http://epp.eurostat.ec.europa.eu/portal/page?_pageid=1996,39140985&_ dad=portal&_schema=PORTAL&screen=detailref&language=en&product=Yea rlies_new_science_technology&root=Yearlies_new_science_technology/I/I1/iro 21

EU. (2007b). Lisbon Strategy. Europa Glossary. Gezien op 15-3-07, http://europa.eu/scadplus/glossary/lisbon_strategy_en.htm

EU. (2007c, March 9). Presidency Conclusions of the Brussels European Council, 8/9 March 2007. Gezien op 15-3-07, http://www.consilium.europa.eu/ ueDocs/cms_Data/docs/pressData/en/ec/93135.pdf

EurActiv. (2007, January 12). EU Defends Leadership in 'World War' on Climate Change. EurActive.com. Gezien op 22-1-07, http://www.euractiv.com/en/energy//article-160848

Evans, E., Ashley, R., Hall, J., Penning-Rowsell, E., Saul, A., Sayers, P., et al. (2004). Foresight, Future Flooding. Scientific Summary: Volume 1, Future Risks and Their Drivers. London: Office of Science and Technology. Gezien op 14-1-07, http://www.foresight.gov.uk/Previous_Projects/Flood_and_Coastal_Defence/Re ports_and_Publications/Volume1/Thanks.htm

Evans, E., Ashley, R., Hall, J., Penning-Rowsell, E., Sayers, P., Thorne, C., et al. (2004). Foresight, Future Flooding. Scientific Summary: Volume 2, Managing Future Risks. London: Office of Science and Technology. Gezien op 14-1-07, http://www.foresight.gov.uk/Previous_Projects/Flood_and_Coastal_ Defence/Reports_and_Publications/Volume2/Thanks2.htm

FAO. (2001). Global Forest Resources Assessment 2000. UN Food and Agriculture Organization. Gezien op 25-12-06, http://www.fao.org/docrep/004/Y1997E/y1997e00.htm#Contents

FAO. (2006). World agriculture: towards 2030/2050 – Interim Report. UN Food and Agriculture Orgaization. Gezien op 2-1-07, http://www.fao.org/es/ESD/AT2050web.pdf

FAO. (2007). FAOSTAT database. Beschikbaar op http://faostat.fao.org/default.aspx

Fischer, D. (2006, December 15). Gore Urges Scientists to Speak Up. Contra Costa Times. Gezien op 29-1-07, http://www.truthout.org/cgi-bin/artman/exec/view.cgi/67/24524.

Fischer, G., Shah, M., Tubiello, F. N., & van Velhuizen, H. (2005). Socioeconomic and Climate Change Impacts on Agriculture: An Integrated Assessment, 1990-2080. Philosophical Transactions of the Royal Society B: Biological Sciences, 360(1463), 2067-2083.

Fischer, G., Shah, M., &Velthuizen, H. v. (2002). Climate Change and Agricultural Vulnerability. International Institute for Applied Systems Analysis for World Summit on Sustainable Development, Johannesburg 2002. Gezien op 3-1-07, http://www.iiasa.ac.at/Research/LUC/JB-Report.pdf

Fischer, G., Velthuizen, H. v., Shah, M., & Nachtergaele, F. (2002). *Global Agro-ecological Assessment for Agriculture in the 21st Century: Methodology and Results.* International Institute for Applied Systems Analysis and UN Food and Agriculture Organization. Gezien op

3-1-07, http://www.iiasa.ac.at/Admin/PUB/Documents/RR-02-002.pdf

Fleitas, I., Caspani, C. C., Borras, C., Plazas, M. C., Miranda, A. A., Brandar, M. E., et al. (2006). The Quality of Radiology Services in Five Latin American Countries. *Revista Panamericana De Salud Publica-Pan American Journal of Public Health,* 20(2-3), 113-124.

FOE. (2006). Climate: Climate Change. Friends of the Earth. Gezien op 17-12-06, http://www.foe.co.uk/campaigns/climate/issues/climate_change/

Forster, A. (2006, November 30). Can We Go on Building Roads and Runways and Save the Planet? LTT Online. Gezien op 28-1-07, http://www.staff.livjm.ac.uk/spsbpeis/LTT-interviewN006.pdf

Fowler, H. J., & Archer, D. R. (2006). Con?icting Signals of *Climatic Change* in the Upper Indus Basin. *Journal of Climate,* 19(17), 4276-4293.

GAO. (1995). *Midwest Flood: Information on the Performance, Effects, and Control of Levees* (vol. GAO/RCED-95-125). U.S. General Accounting Office. Gezien op 22-12-06, http://www.gao.gov/cgi-bin/getrpt?RCED-95-125

Gebhardt, J. G., & Norris, T. E. (2006). Acute Stroke Care at Rural Hospitals in Idaho: Challenges in Expediting Stroke Care. *Journal of Rural Health,* 22(1), 88-91.

Gelbspan, R. (2004). *Boiling Point: How Politicians, Big Oil and Coal, Journalists, and Activists Are Fueling the Climate Crisis – and What We Can Do to Avert Disaster.* New York: Basic Books.

Gelbspan, R. (2005, August 30). Katrina's Real Name. *The Boston Globe.* Gezien op 17-12-06, http://www.boston.com/news/weather/articles/2005/08/30/katrinas_real_name/

Giannini, A., Saravanan, R., & Chang, P. (2003). Oceanic Forcing of Sahel Rainfall on Interannual to Interdecadal Time Scales. *Science,* 302(5647), 1027-1030.

Gibbon, G. (2006, October 30). Government Pledges Action. *Channel4 News.* Gezien op 24-1-07, http://www.channel4.com/news/special-reports/special-reports-storypage.jsp?id=3757.

Giles, J. (2006, November 2). How Much Will It Cost to Save the World? *Nature,* 6-7.

GISS. (2006). Amundsen-Scott Temperature Data, 1957-2006. Goddard Institute for Space Studies.

Goklany, I. M. (2000). Applying the Precautionary Principle to Global Warming. Weidenbaum Center Working Paper no. PS 158. Gezien op 30-1-07, http://ssrn.com/abstract=250380

Goklany, I. M. (2006). *The Improving State of the World: Why We're Living Longer, Healthier, More Comfortable Lives on a Cleaner Planet.* Washington, D.C.: Cato Institute.

Golub, A., Markandya, A., & Marcellino, D. (2006). Does the Kyoto Protocol Cost

Too Much and Create Unbreakable Barriers for Economic Growth? *Contemporary Economic Policy*, 24(4), 520-535.

Gore, A. (2006a, November 19). At Stake Is Nothing Less than the Survival of Human Civilisation. *Sunday Telegraph.* Gezien op 19-12-06, http://www.telegraph.co.uk/news/main.jhtml;jsessionid=FAFKOMPHJAYNJQ FIQMFSFFOAVCBQoIVo?xml=/news/2006/11/19/nclim19.xml&page=1

Gore, A. (2006b). *An Inconvenient Truth: The Movie.* Paramount DVD.

Gore, A., & Melcher Media. (2006). *An Inconvenient Truth: The Planetary Emergency of GlobalWarming andWhatWe Can Do about It.* Emmaus, Pa.: Rodale Press.

Graddy, K., & Stevens, M. (2005). The Impact of School Resources on Student Performance: A Study of Private Schools in the United Kingdom. *Industrial & Labor Relations Review,* 58(3), 435-451.

Graham-Harrison, E. (2006, October 30). China Hopes for Post-2012 Kyoto Deal Within 2 Years. Reuters. Gezien op 19-11-06, http://www.planetark.com/dailynewsstory.cfm/newsid/38721/story.htm

Greater London Authority. (2006). *London's Urban Heat Island: A Summary for Decision Makers.* Gezien op 15-11-06, http://www.london.gov.uk/mayor/environment/climate-change/uhi.jsp

Greenpeace. (2001). Kilimanjaro Set to Lose Its Ice Field by 2015 Due to Climate Change. News release Gezien op 07-12-06, http://www.commondreams.org/news2001/1106-02.htm

Greenpeace. (2006a). Climate Change. Gezien op 19-12-06, http://www.greenpeace.org/seasia/en/asia-energy-revolution/climate-change

Greenpeace. (2004). Global Warnings. Gezien op 17-12-06, http://www.greenpeace.org/international/news/extreme-weather-warnings

Greenpeace. (2006c). Sea Level Rise. Gezien op 15-12-06, http://www.greenpeace.org/international/campaigns/climate-change/impacts/sea_level_rise

Gregory, J., & Huybrechts, P. (2006). Ice-sheet Contributions to Future Sea-level Change. *Philosophical Transactions of the Royal Society A: Mathematical, Physical and Engineering Sciences,* 364(1844), 1709-1731.

Grice, A. (2006, November 20). Slow Talks Could Leave Climate Deal in 'Tatters.' *The Independent.* Gezien op 20-11-06, http://news.independent.co.uk/environment/article1998840.ece

Grigg, D. B. (1993). *The World Food Problem* (2d ed.). Cambridge, Mass.: Blackwell.

Groisman, P. Y., Knight, R. W., Easterling, D. R., Karl, T. R., Hegerl, G. C., & Razuvaev, V. A. N. (2005). Trends in Intense Precipitation in the Climate Record. *Journal of Climate,* 18(9), 1326-1350.

Groisman, P. Y., Knight, R. W., & Karl, T. R. (2001). Heavy Precipitation and High Streamflow in the Contiguous United States: Trends in the Twentieth Century. *Bulletin of the American Meteorological Society,* 82(2), 219-246.

Grubb, M. (2004). Kyoto and the Future of International Climate Change Responses: From Here to Where? *International Review for Environmental Strategies,* 5(1), 15-38.

Grubb, M., Kohler, J., & Anderson, D. (2002). Induced Technical Change in Energy and Environmental Modeling: Analytic Approaches and Policy Implications. *Annual Review of Energy and the Environment*, 27, 271-308.

Grzimek. (n.d.). Emperor Penguin. *Grzimek's Animal Life Encyclopedia*. Gezien op 16-12-06, http://www.answers.com/topic/emperor-penguin

Guerra, C. A., Snow, R. W., & Hay, S. I. (2006). Mapping the Global Extent of Malaria in 2005. *Trends in Parasitology*, 22(8), 353-358.

Hagen, J. (2007, January 19). Act on Global Warming Now or Pay Later: The Stern Review. *UN Chronicle Online Edition*. Gezien op 24-1-07, http://www.un.org/Pubs/chronicle/2007/webArticles/011907_stern.htm

Hahn, R. W. (1996). *Risks, Costs, and Lives Saved: Getting Better Results from Regulation*. New York: Oxford University Press.

Hanley, C. J. (2006, December 18). Malaria Cases Climb in African Highlands. Associated Press.

Hansen, B., Osterhus, S., Quadfasel, D., & Turrell, W. (2004). Already the Day after Tomorrow? *Science*, 305(5686), 953-954.

Harden, B. (2005, July 7). Experts Predict Polar Bear Decline: Global Warming Is Melting Their Ice Pack Habitat. *The Washington Post*, A03. Gezien op 7-11-06, http://www.washingtonpost.com/wp-dyn/content/article/2005/07/06/AR2005070601899.html

Hassol, S. J. (2004). *Impacts of a Warming Arctic : Arctic Climate Impact Assessment*. New York: Cambridge University Press. Gezien op 7-11-06, http://www.acia.uaf.edu/pages/overview.html

Hawkins, D. (2001, July 10). Climate Change Technology and Policy Options. Director of NRDC's climate center, comments for U.S. Senate Committee on Commerce, Science, and Transportation. Gezien op 29-1-07, http://www.nrdc.org/globalWarming/tdh0701.asp

Hay, S. I., Cox, J., Rogers, D. J., Randolph, S. E., Stern, D. I., Shanks, G. D., et al. (2002a). Climate Change and the Resurgence of Malaria in the East African Highlands. *Nature*, 415(6874), 905-909.

Hay, S. I., Cox, J., Rogers, D. J., Randolph, S. E., Stern, D. I., Shanks, G. D., et al. (2002b). Climate Change – Regional Warming and Malaria Resurgence – Reply. *Nature*, 420(6916), 628-628.

Hay, S. I., Guerra, C. A., Tatem, A. J., Atkinson, P. M., & Snow, R. W. (2005). Urbanization, Malaria Transmission and Disease Burden in Africa. *Nature Reviews Microbiology*, 3(1), 81-90.

Hay, S. I., Guerra, C. A., Tatem, A. J., Noor, A. M., & Snow, R. W. (2004). The Global Distribution and Population at Risk of Malaria: Past, Present, and Future. *Lancet Infectious Diseases*, 4(6), 327-336.

Hay, S. I., Rogers, D. J., Randolph, S. E., Stern, D. I., Cox, J., Shanks, G. D., et al. (2002). Hot Topic or Hot Air? Climate Change and Malaria Resurgence in East African Highlands. *Trends in Parasitology*, 18(12), 530-534.

Helm, D. (2003). The Assessment: Climate-change Policy. *Oxford Review of Economic Policy*, 19(3), 349-361.

Henderson, M. (2005, December 1). Britain Faces Big Freeze as Gulf Stream Loses Strength. *The Times.* Gezien op 27-12-06, http://www.timesonline.co.uk/article/0,,2-1898493,00.html

Hinkel, K. M., Nelson, F. E., Klene, A. F., & Bell, J. H. (2003). The Urban Heat Island in Winter at Barrow, Alaska. *International Journal of Climatology,* 23(15), 1889-1905.

Hoerling, M., Hurrell, J., Eischeid, J., & Phillips, A. (2006). Detection and Attribution of Twentieth-century Northern and Southern African Rainfall Change. *Journal of Climate,* 19(16), 3989-4008.

Horton, E. B., Folland, C. K., & Parker, D. E. (2001). The Changing Incidence of Extremes in Worldwide and Central England Temperatures to the End of the Twentieth Century. *Climatic Change,* 50(3), 267-295.

Howat, I. M., Joughin, I., & Scambos, T. A. (2007). Rapid Changes in Ice Discharge from Greenland Outlet Glaciers. *Science,* 315(5818), 1559-1561. Beschikbaar op http://www.sciencemag.org/cgi/content/abstract/315/5818/1559

Hughes, M. K., & Diaz, H. F. (1994). Was There a Medieval Warm Period, and If So, Where and When? *Climatic Change,* 26(2-3), 109-142.

Hulme, M. (2006, November 4). Chaotic World of Climate Truth. BBC Gezien op 22-1-07, http://news.bbc.co.uk/2/hi/science/nature/6115644.stm

Humlum, O. (n.d.). Antarctic Temperature Changes during the Observational Period. UNIS, Department of Geology, Svalbard, Norway. Gezien op 15-12-06, http://www.unis.no/research/geology/Geo_research/Ole/AntarcticTemperature Changes.htm

Hung, T., Uchihama, D., Ochi, S., & Yasuoka, Y. (2006). Assessment with Satellite Data of the Urban Heat Island Effects in Asian Mega Cities. *International Journal of Applied Earth Observation and Geoinformation,* 8(1), 34-48.

Huntington, T. G. (2006). Evidence for Intensification of the Global Water Cycle: Review and Synthesis. *Journal of Hydrology,* 319(1-4), 83-95.

Hutton, G., & Haller, L. (2004). *Evaluation of the Costs and Benefits of Water and Sanitation Improvements at the Global Level.* WHO/SDE/WSH/04.04: World Health Organization. Gezien op 8-1-07, http://www.who.int/water_sanitation_health/wsh0404.pdf

Huybrechts, P., & de Wolde, J. (1999). The Dynamic Response of the Greenland and Antarctic Ice Sheets to Multiple-century Climatic Warming. *Journal of Climate,* 12(8), 2169-2188.

IEA. (2004). *World Energy Outlook 2004.* Paris: International Energy Agency Publications.

IEA. (2006a). *CO$_2$ Emissions from Fuel Combustion 1971-2004.* Paris: International Energy Agency Publications.

IEA. (2006b). *World Energy Outlook 2006.* Paris: International Energy Agency Publications.

IEA. (2007). IEA Energy Technology R & D Statistics Service. International Energy Agency. Beschikbaar op http://www.iea.org/rdd/ReportFolders/ ReportFolders.aspx?CS_referer=&CS_ChosenLang=en

Ijumba, J. N., Mosha, F. W., & Lindsay, S. W. (2002). Malaria Transmission RiskVariations Derived from Different Agricultural Practices in an Irrigated Area of Northern Tanzania. *Medical and Veterinary Entomology*, 16(1), 28-38.

IMF. (2006). *World Economic Outlook: Financial Systems and Economic Cycles* (Vol. September). International Monetary Fund. Gezien op 20-11-06, http://www.imf.org/external/pubs/ft/weo/2006/02/index.htm

Insurance Journal. (2006, April 18). Sound Risk Management, Strong Investment Results Prove Positive for P/C Industry. Gezien op 20-12-06, http://www.insurancejournal.com/news/national/2006/04/18/67389.htm

IPCC. (1999a). *Aviation and the Global Atmosphere*. Cambridge: Cambridge University Press. Gezien op 24-1-07, http://www.grida.no/climate/ipcc/aviation/index.htm

IPCC. (1999b). Procedures for the Preparation, Review, Acceptance, Adoption, Approval and Publication of IPCC Reports. UN. Gezien op 26-1-07, http://www.climatescience.gov/Library/ipcc/app-a.pdf

IPCC. (2001a). *Climate Change 2001:WGI: The Scientific Basis. Contribution of Working Group I to the Third Assessment Report of the Intergovernmental Panel on Climate Change* [Houghton, J. T.,Y. Ding, D. J. Griggs, M. Noguer, P .J. van der Linden, X. Dai, K. Maskell, and C. A. Johnson (eds.)]. Cambridge: Cambridge University Press. Beschikbaar op http://www.grida.no/climate/ipcc_tar/wg1/index.htm

IPCC. (2001b). *Climate Change 2001: WGII: Impacts, Adaptation and Vulnerability*. Cambridge: Cambridge University Press. Beschikbaar op http://www.grida.no/climate/ipcc_tar/wg2/index.htm

IPCC. (2001c). *Climate Change 2001: WGIII: Mitigation*. Cambridge: Cambridge University Press. Beschikbaar op http://www.grida.no/climate/ipcc_tar/wg3/index.htm

IPCC. (2004, June 22). Deputy Secretary. UN. Gezien op 26-1-07, http://notesapps.unon.org/notesapps/vacs.nsf/4c8db3486491c2f543256c3f004b04 01/6e11b57c7b77623243256fe300289728?OpenDocument

IPCC. (2007a). *Climate Change 2007: WGI: Summary for Policymakers*. Gezien op 13-2-07, http://www.ipcc.ch/SPM2feb07.pdf

IPCC. (2007b). *Climate Change 2007: WGI: The Physical Science Basis*. Cambridge: Cambridge University Press.

IPCC. (2007c). *Climate Change 2007:WGII: Impacts, Adaptation and Vulnerability*. Cambridge: Cambridge University Press.

IPCC. (2007d). *Climate Change 2007: WGII: Summary for Policymakers*. Gezien op 6-4-07, http://www.ipcc.ch/SPM6avr07.pdf

IPCC, Bruce, J. P.,Yi, H.-s. o., Haites, E. F., &Working Group III. (1996). *Climate Change 1995: Economic and Social Dimensions of Climate Change*. New York: Intergovernmental Panel on Climate Change; Cambridge University Press.

IPCC, & Houghton, J. T. (1996). *Climate Change 1995: The Science of Climate Change*. New York: Cambridge University Press.

IPCC, Houghton, J. T., Jenkins, G. J., Ephraums, J. J., & Working Group I. (1990).

Climate Change: The IPCC Scientific Assessment. New York: Cambridge University Press.

Iredale, W. (2005, December 18). Polar Bears Drown as Ice Shelf Melts. *Sunday Times*. Gezien op 7-11-06, http://www.timesonline.co.uk/article/0,,2087-1938132,00.html

IUCN Species Survival Commission. (2001). *Polar Bears: Proceedings of the 13thWorking Meeting of the IUCN/SSC Polar Bear Specialist Group, 23-28 June 2001, Nuuk, Greenland*. Gezien op 6-11-2006, http://pbsg.npolar.no/docs/PBSG13proc.pdf

Jaffe, A. B., Fogarty, M. S., & Banks, B. A. (1998). Evidence from Patents and Patent Citations on the Impact of NASA and Other Federal Labs on Commercial Innovation. *Journal of Industrial Economics*, 46(2), 183-205.

Jaffe, A. B., Newell, R. G., & Stavins, R. N. (1999). Energy-efficient Technologies and Climate Change Policies: Issues and Evidence. *Resources for the Future, Climate Issue Brief no. 19*. Gezien op 21-11-06, http://ksghome.harvard.edu/~rstavins/Selected_Articles/RFF_Energy_Effiient_Tech_and_Climate_Change_Policies.pdf

Jamison, D. T., Feachem, R. G., Makgoba, M.W., Bos, E. R., Baingana, F. K., Hofman, K. J., et al. (2006). *Disease and Mortality in Sub-Saharan Africa*. Washington, D.C.: World Bank.

Jenouvrier, S., Barbraud, C., &Weimerskirch, H. (2006). Sea Ice Affects the Population Dynamics of Adelie Penguins in Terre Adelie. *Polar Biology*, 29(5), 413-423.

Jevrejeva, S., Grinsted, A., Moore, J. C., & Holgate, S. (2006). Nonlinear Trends and Multiyear Cycles in Sea Level Records. *Journal of Geophysical Research-Oceans*, 111(C9).

Joerin, U. E., Stocker, T. F., & Schluchter, C. (2006). Multicentury Glacier Fluctuations in the Swiss Alps during the Holocene. *Holocene*, 16(5), 697-704.

Johannessen, O. M., Khvorostovsky, K., Miles, M. W., & Bobylev, L. P. (2005). Recent Ice-sheet Growth in the Interior of Greenland. *Science*, 310(5750), 1013-1016.

Jones, P. D., Horton, E. B., Folland, C. K., Hulme, M., Parker, D. E., & Basnett, T. A. (1999). The Use of Indices to Identify Changes in Climatic Extremes. *Climatic Change*, 42(1), 131-149.

Jungclaus, J. H., Haak, H., Esch, M., Roeckner, E., & Marotzke, J. (2006). Will Greenland Melting Halt the Thermohaline Circulation? *Geophysical Research Letters*, 33(17).

Kammen, D. M. (1995). Cookstoves for the Developing-World. *Scientific American*, 273(1), 72-75.

Kammen, D. M., & Nemet, G. F. (2005). Reversing the Incredible Shrinking Energy R & D Budget. *Issues in Science and Technology*, Fall, 84-88. Gezien op 20-1-07, http://rael.berkeley.edu/files/2005/Kammen-Nemet-ShrinkingRD-2005.pdf

Karl, T. R., & Trenberth, K. E. (1999). The Human Impact on Climate. *Scientific American*, 281(6), 100-105.

Kaser, G., Hardy, D. R., Molg, T., Bradley, R. S., & Hyera, T. M. (2004). Modern Glacier Retreat on Kilimanjaro as Evidence of Climate Change: Observations and Facts. *International Journal of Climatology*, 24(3), 329-339.

Kavuncu, Y. O., & Knabb, S. D. (2005). Stabilizing Greenhouse Gas Emissions: Assessing the Intergenerational Costs and Benefits of the Kyoto Protocol. *Energy Economics*, 27(3), 369-386.

Keatinge,W. R., & Donaldson, G. C. (2004). The Impact of GlobalWarming on Health and Mortality. *Southern Medical Journal*, 97(11), 1093-1099.

Keatinge, W. R., Donaldson, G. C., Cordioli, E. A., Martinelli, M., Kunst, A. E., Mackenbach, J. P., et al. (2000). Heat Related Mortality in Warm and Cold Regions of Europe: Observational Study. *British Medical Journal*, 321(7262), 670-673.

Kelkar, G. (2006, May 8). The Gender Face of Energy. Presentation at CSD 14 Learning Centre, United Nations. Gezien op 30-1-07, http://www.un.org/esa/sustdev/csd/csd14/lc/presentation/gender2.pdf

Kennedy, R. F. (2005, August 29). 'For They That Sow the Wind Shall Reap the Whirlwind.' *The Huffington Post*. Gezien op 17-12-06, http://www.huffingtonpost.com/robert-f-kennedy-jr/for-they-that-sow-the-_b_6396.html

Kerr, R. A. (2000, April 25). U.N. to Blame Global Warming on Humans. *Science Now Daily News*, 1.

Kerr, R. A. (2005). Global Climate Change – The Atlantic Conveyor May Have Slowed, but Don't Panic Yet. *Science*, 310(5753), 1403-000.

Kerr, R. A. (2006). Global Climate Change – False Alarm: Atlantic Conveyor Belt Hasn't Slowed Down after All. *Science*, 314(5802), 1064-1064.

Kerr, R. A. (2007, February 15). Predicting Fate of Glaciers Proves Slippery Task. *Science Now Daily News*, 2. Beschikbaar op http://sciencenow.sciencemag.org/cgi/content/full/2007/215/2

Khaleque, V. (2006, December 7). Bangladesh Is Paying a Cruel Price for the West's Excesses. *The Guardian*. Gezien op 1-1-07, http://environment.guardian.co.uk/climatechange/story/0,,1966012,00.html

Khandekar, M. L., Murty, T. S., & Chittibabu, P. (2005). The Global Warming Debate: A Review of the State of Science. *Pure and Applied Geophysics*, 162(8-9), 1557-1586.

King, D. A. (2004). Environment – Climate Change Science: Adapt, Mitigate, or Ignore? *Science*, 303(5655), 176-177.

Kingston, M. (2005, November 21). Himalayan Lakes Disaster. *The Daily Briefing* Gezien op 26-1-07, http://webdiary.com.au/cms/?q=node/986

Kluger, J. (2006, April 3). Polar Ice Caps Are Melting Faster Than Ever ... More and More Land Is Being Devastated by Drought ... RisingWaters Are Drowning Low-Lying Communities ... by Any Measure, Earth Is at ... the Tipping Point. *Time*. Gezien op 6-11-06, http://www.time.com/time/magazine/article/0,9171,1176980,00.html

Konradsen, F., van der Hoek, W., Amerasinghe, F. P., Mutero, C., & Boelee, E.

(2004). Engineering and Malaria Control: Learning from the Past 100 Years. *Acta Tropica*, 89(2), 99-108.

Kooyman, G. L. (1993). Breeding Habitats of Emperor Penguins in the Western Ross Sea. *Antarctic Science*, 5(2), 143-148.

Krauss, C. (2006, May 27). Bear Hunting Caught in Global Warming Debate. *The New York Times*. Gezien op 7-11-06, http://www.nytimes.com/2006/05/27/world/americas/27bears.html?ex=1306382400&en=07809799811ff6cb&ei=5088&partner=rssnyt&emc=rss

Kuhn, K. G., Campbell-Lendrum, D. H., Armstrong, B., & Davies, C. R. (2003). Malaria in Britain: Past, Present, and Future. *Proceedings of the National Academy of Sciences of the United States of America*, 100(17), 9997-10001.

Kundzewicz, Z. W., Graczyk, D., Maurer, T., Pinskwar, I., Radziejewski, M., Svensson, C., et al. (2005). Trend Detection in River Flow Series: 1. *Annual Maximum Flow. Hydrological Sciences Journal-Journal des Sciences Hydrologiques*, 50(5), 797-810.

Kunst, A. E., Looman, C. W. N., & Mackenbach, J. P. (1993). Outdoor Air-Temperature and Mortality in the Netherlands – a Time-Series Analysis. *American Journal of Epidemiology*, 137(3), 331-341.

Langford, I. H., & Bentham, G. (1995). The Potential Effects of Climate Change on Winter Mortality in England and Wales. *International Journal of Biometeorology*, 38(3), 141-147.

Larsen, J. (2003, October 9). Record Heat Wave in Europe Takes 35,000 Lives: Far Greater Losses May Lie Ahead. *Earth Policy Institute*. Gezien op 13-11-06, http://www.earth-policy.org.Updates/Update29.htm

Larson, L. A. (1994, July). Tough Lessons from Recent Floods – Special Section: America under Water. *USA Today Magazine*. Gezien op 23-12-06, http://www.findarticles.com/p/articles/mi_m1272/is_n2590_v123/ai_15594504

Latham, J. (1990). Control of Global Warming. *Nature*, 347(6291), 339-340.

Lau, K. M., Shen, S. S. P., Kim, K. M., & Wang, H. (2006). A Multimodel Study of the Twentieth-century Simulations of Sahel Drought from the 1970s to 1990s. *Journal of Geophysical Research-Atmospheres*, 111(D7).

Le Roy Ladurie, E. (1972). *Times of Feast, Times of Famine: A History of Climate since the Year 1000*. London: George Allen & Unwin.

Lean, G. (2004, May 2). Why Antarctica Will Soon Be the Only Place to Live. *The Independent*. Gezien op 12-11-06, http://www.findarticles.com/p/articles/mi_qn4159/is_20040502/ai_n12755553

Lean, G. (2005, January 23). Global Warming Approaching Point of No Return, Warns Leading Climate Expert. *The Independent*. Gezien op 26-1-07, http://www.commondreams.org/headlines05/0123-01.htm

Lebergott, S. (1993). *Pursuing Happiness: American Consumers in the Twentieth Century*. Princeton, N.J.: Princeton University Press.

Lebergott, S. (1995). Long-term Trends in the US Standard of Living. 149-160 in J. Simon, ed., *State of Humanity*. Oxford: Blackwell.

Leggett, J. K. (2001). *The Carbon War: Global Warming and the End of the Oil Era*. New York: Routledge.

+1

Lehmkuhl, F., & Owen, L. A. (2005). Late Quaternary Glaciation of Tibet and the Bordering Mountains: A Review. *Boreas*, 34(2), 87-100.

LibDem. (2006). Consultation Paper on Climate Change. UK Liberal Democrats. Gezien op 1-1-07, http://consult.libdems.org.uk/climatechange/wp-content/uploads/2006/09/climate-change-cp84.pdf

Lindzen, R. S. (2006, April 12). Climate of Fear. *The Wall Street Journal.* Gezien op 26-1-07, http://www.opinionjournal.com/extra/?id=110008220

Link, P. M., & Tol, R. S. J. (2004). Possible Economic Impacts of a Shutdown of the Thermohaline Circulation: An Application of FUND. *Portuguese Economic Journal,* 3, 99-114.

Lins, H. F., & Slack, J. R. (1999). Streamflow Trends in the United States. *Geophysical Research Letters,* 26(2), 227-230.

Lins, H. F., & Slack, J. R. (2005). Seasonal and Regional Characteristics of US Streamflow Trends in the United States from 1940 to 1999. *Physical Geography,* 26(6), 489-501.

Lomborg, B. (2001). *The Skeptical Environmentalist.* Cambridge: Cambridge University Press.

Lomborg, B. (Ed.). (2004). *Global Crises, Global Solutions.* New York: Cambridge University Press.

Lomborg, B. (Ed.). (2006). *How to Spend $50 Billion to Make the World a Better Place.* New York: Cambridge University Press.

Long, S. P., Ainsworth, E. A., Leakey, A. D. B., Nosberger, J., & Ort, D. R. (2006). Food for Thought: Lower-than-expected Crop Yield Stimulation with Rising CO_2 Concentrations. *Science,* 312(5782), 1918-1921.

Longstreth, J. (1999). Public Health Consequences of Global Climate Change in the United States – Some Regions May Suffer Disproportionately. *Environmental Health Perspectives,* 107, 169-179.

Lopez, A. D., Mathers, C. D., Ezzati, M., Jamison, D. T., & Murray, C. J. L. (2006). Global and Regional Burden of Disease and Risk Factors, 2001: Systematic Analysis of Population Health Data. *Lancet,* 367(9524), 1747-1757.

Lovell, J. (2006, November 28). Gaia Scientist Lovelock Predicts Planetary Wipeout. Reuters. Gezien op 29-11-06, http://www.alertnet.org/thenews/newsdesk/L28841108.htm

Lovelock, J. E. (2006a, January 16). The Earth Is about to Catch a Morbid Fever That May Last as Long as 100,000 Years. *The Independent.* Gezien op 21-11-06, http://comment.independent.co.uk/commentators/article338830.ece

Lovelock, J. E. (2006b). *The Revenge of Gaia : Earth's Climate in Crisis and the Fate of Humanity.* New York: Basic Books.

Luthcke, S. B., Zwally, H. J., Abdalati, W., Rowlands, D. D., Ray, R. D., Nerem, R. S., et al. (2006). Recent Greenland Ice Mass Loss by Drainage System from Satellite Gravity Observations. *Science,* 314(5803), 1286-1289.

Lynas, M. (2004). *High Tide: The Truth about Our Climate Crisis.* New York: Picador.

Lynas, M. (2006, May 19). Climate Denial Ads to Air on US National Television.

Gezien op 26-1-07, http://www.marklynas.org/2006/5/19/climate-denial-ads-to-air-on-us-national-television

Madden, A. H. (1945). A Brief History of Medical Entomology in Florida. *The Florida Entomologist*, 28(1), 1-7.

Maddison, A. (2006). Data for the World Economy. OECD. Gezien op 08-12-06, http://www.ggdc.net/Maddison/

Mahlman, J. D. (1997). Uncertainties in Projections of Human-Caused Climate Warming. *Science*, 278(5342), 1416-1417.

Manne, A., & Richels, R. (2004). US Rejection of the Kyoto Protocol: The Impact on Compliance Costs and CO_2 Emissions. *Energy Policy*, 32(4), 447-454.

Marland, G., Andres, B., & Boden, T. (2006). Global, Regional, and National CO_2 Emissions. In *Trends: A Compendium of Data on Global Change*. Carbon Dioxide Information Analysis Center.

Marshall, G. J., Orr, A., van Lipzig, N. P. M., & King, J. C. (2006). The Impact of a Changing Southern Hemisphere Annular Mode on Antarctic Peninsula Summer Temperatures. *Journal of Climate*, 19(20), 5388-5404.

Martens, P., Kovats, R. S., Nijhof, S., de Vries, P., Livermore, M. T. J., Bradley, D. J., et al. (1999). Climate Change and Future Populations at Risk of Malaria. *Global Environmental Change*, 9 (Suppl. 1), S89-S107.

Martens, W. J. M. (1998). Climate Change, Thermal Stress and Mortality Changes. *Social Science & Medicine*, 46(3), 331-344.

Matthews, J. A., Berrisford, M. S., Dresser, P. Q., Nesje, A., Dahl, S. O., Bjune, A. E., et al. (2005). Holocene Glacier History of Bjornbreen and Climatic Reconstruction in Central Jotunheimen, Norway, Based on Proximal Glacio?uvial Stream-bank Mires. *Quaternary Science Reviews*, 24(1-2), 67-90.

Matthews, J. A., & Briffa, K. R. (2005). The 'Little Ice Age': Re-evaluation of an Evolving Concept. *Geografiska Annaler Series A-Physical Geography*, 87A(1), 17-36.

Matthews, N. (2000). The Attack of the Killer Architects. *Travel Holiday*, 183(7), 80-88.

Maugeri, M., Buffoni, L., Delmonte, B., & Fassina, A. (2002). Daily Milan Temperature and Pressure Series (1763-1998): Completing and Homogenising the Data. *Climatic Change*, 53(1-3), 119-149.

McCallum, E., & Heming, J. (2006). Hurricane Katrina: An Environmental Perspective. *Philosophical Transactions of the Royal Society A: Mathematical, Physical and Engineering Sciences*, 364(1845), 2099-2115.

McCarthy, M. (2005, February 3). Global Warming: Scientists Reveal Timetable. *The Independent*. Gezien op 3-1-07, http://www.commondreams.org/headlines05/0203-04.htm

McCarthy, M. (2006, 11 February). Global Warming: Passing the 'Tipping Point.' *The Independent*. Gezien op 6-11-06, http://www.countercurrents.org/cc-mccarthy110206.htm

McKibben, B. (2004, September/October). The Submerging World. *Orion*.

McMichael, A. J., Campbell-Lendrum, D. H., Corvalán, C. F., Ebi, K. L., Githeko, A.

K., Scheraga, J. D., et al. (Eds.). (2003). *Climate Change and Human Health.* Geneva: World Health Organization. Zie http://www.who.int/globalchange/publications/cchhbook/en/index.html

McMichael, A. J., Woodruff, R. E., & Hales, S. (2006). Climate Change and Human Health: Present and Future Risks. *Lancet,* 367(9513), 859-869.

Mégroz, R. L. (1937). The World-wide Scourge of Malaria. *Contemporary Review,* 151, 349-356.

Meissner, K. J., & Clark, P. U. (2006). Impact of Floods versus Routing Events on the Thermohaline Circulation. *Geophysical Research Letters,* 33(15).

Mendelsohn, R. (2004). Perspective Paper 1.1 on Climate Change. 44-48 in Lomborg, 2004.

Mendelsohn, R. (2007). A Critique of the Stern Report. *Regulation,* winter 2006-2007, 42-46.

Merali, Z. (2006, November 7). No New Ice Age for Western Europe. *New Scientist,* 13.

Metcalf, G. E., & Hassertt, K. A. (1997). Measuring the Energy Savings from Home Improvement Investments: Evidence from Monthly Billing Data. Nation Bureau of Economic Research, Working Paper 6074. Cambridge, Mass.: National Bureau of Economic Research.

Michaels, P. J. (2004, November 22). Polar Disasters: More Predictable Distortions of Science. Gezien op 7-11-06, http://www.cato.org/pub_display.php?pub_id=2888

Michaels, P. J., Knappenberger, P. C., Balling, R. C., & Davis, R. E. (2000). Observed Warming in Cold Anticyclones. *Climate Research,* 14(1), 1-6.

Miguel, E. (2005). Poverty and Witch Killing. *Review of Economic Studies,* 72(4), 1153-1172.

Milliken, M. (2004, December 10). 'After Kyoto' Takes Center Stage at Climate Talks. Reuters. Gezien op 18-11-06, http://www.climateark.org/shared/reader/welcome.aspx?linkid=37207.

Mills, A., & Shillcutt, S. (2004). Communicable Diseases. (62-114) In Lomborg, 2004.

Mills, E., & Lecomte, E. (2006, August). From Risk to Opportunity: How Insurers Can Proactively and Profitably Manage Climate Change. *Ceres.* Gezien op 21-12-06, http://www.ceres.org/pub/docs/Ceres_Insurance_Climate_%20Report_082206.pdf

Milly, P. C. D., Wetherald, R. T., Dunne, K. A., & Delworth, T. L. (2002). Increasing Risk of Great Floods in a Changing Climate. *Nature,* 415(6871), 514-517.

Mitchell, J. K. (2003). European River Floods in a Changing World. *Risk Analysis,* 23(3), 567-574.

Moberg, A., & Bergstrom, H. (1997). Homogenization of Swedish Temperature Data. 3. The Long Temperature records from Uppsala and Stockholm. *International Journal of Climatology,* 17(7), 667-699.

Moberg, A., Sonechkin, D. M., Holmgren, K., Datsenko, N. M., & Karlen, W. (2005). Highly variable Northern Hemisphere Temperatures Reconstructed from Low- and High-resolution Proxy Data. *Nature,* 433(7026), 613-617.

Monaghan, A. J., & Bromwich, D. H. (2006). A High Spatial Resolution Record of Near-surface Temperature over WAIS during the Past 5 Decades. Thirteenth Annual WAIS Workshop. Gezien op 14-12-06, http://igloo.gsfc.nasa.gov/wais/pastmeetings/Sched06.htm

Monbiot, G. (2006). Heat: How to Stop the Planet Burning. London: Allen Lane.

Monnett, C., Gleason, J. S., & Rotterman, L. M. (2005, December). Potential Effects of Diminished Sea Ice on Open-water Swimming, Mortality, and Distribution of Polar Bears during Fall in the Alaskan Beaufort Sea. Gezien op 7-11-06, http://www.mms.gov/alaska/ess/Poster%20Presentations/MarineMammalConf erence-Dec2005.pdf

Morris, E. M., & Mulvaney, R. (2004). Recent Variations in Surface Mass Balance of the Antarctic Peninsula Ice Sheet. Journal of Glaciology, 50(169), 257-267.

Mudelsee, M., Borngen, M., Tetzlaff, G., & Grunewald, U. (2003). No Upward Trends in the Occurrence of Extreme Floods in Central Europe. Nature, 425(6954), 166-169.

Mudelsee, M., Deutsch, M., Borngen, M., & Tetzlaff, G. (2006). Trends in Flood Risk of the River Werra (Germany) over the Past 500 Years. Hydrological Sciences Journal-Journal des Sciences Hydrologiques, 51(5), 818-833.

Murray, T. (2006). Climate Change: Greenland's Ice on the Scales. Nature, 443(7109), 277-278.

Nakicenovic, N., & IPCC WG III (2000). Special Report on Emissions Scenarios: A Special Report of Working Group III of the Intergovernmental Panel on Climate Change. New York: Cambridge University Press. See http://www.grida.no/climate/ipcc/emission/index.htm

NCEP. (2006). Global Surface Air Temperature, Annual Average 1982-94. National Center for Environmental Prediction.

Nemet, G. F., & Kammen, D. M. (2007). US Energy Research and Development: Declining Investment, Increasing Need, and the Feasibility of Expansion. Energy Policy, 35(1), 746-755.

NERI. (1998). Natur og Miljø 1997: Påvirkninger og Tilstand[nature and environment 1997: effects and state]. National Environmental Research Institute of Denmark.

New Scientist anon. (2005, March 26). The Edge of the Abyss. New Scientist, 5.

Nicholls, R. J. (2004). Coastal Flooding and Wetland Loss in the 21st Century: Changes under the SRES Climate and Socio-economic Scenarios. Global Environmental Change – Human and Policy Dimensions, 14(1), 69-86.

Nicholls, R. J., & Tol, R. S. J. (2006). Impacts and Responses to Sea-level Rise: A Global Analysis of the SRES Scenarios over the Twenty-first Century. Philosophical Transactions of the Royal Society A: Mathematical, Physical and Engineering Sciences, 364(1841), 1073-1095.

NOAA. (2006). Hurricane History. National Hurricane Center. Gezien op 20-12-06, http://www.nhc.noaa.gov/HAW2/english/history

Nohara, D., Kitoh, A., Hosaka, M., & Oki, T. (2006). Impact of Climate Change on River Discharge Projected by Multimodel Ensemble. Journal of Hydrometeorology, 7(5), 1076-1089.

Nordhaus, W. D. (1992). An Optimal Transition Path for Controlling Greenhouse Gases. *Science*, 258(5086), 1315-1319.

Nordhaus, W. D. (1994). *Managing the Global Commons: The Economics of Climate Change*. Cambridge, Mass.: MIT Press.

Nordhaus, W. D. (2001). Climate Change – Global Warming Economics. *Science*, 294(5545), 1283-1284.

Nordhaus, W. D. (2006a). After Kyoto: Alternative Mechanisms to Control Global Warming. *American Economic Review*, 96(2), 31-34.

Nordhaus, W. D. (2006b). DICE Model. Gezien op 22-11-06, http://nordhaus.econ.yale.edu/dicemodels.htm

Nordhaus, W. D. (2006c). RICE Model. Gezien op 27-11-06, http://www.econ.yale.edu/~nordhaus/homepage/dice_section_vi.html

Nordhaus, W. D. (2006d). The Stern Review on the Economics of Climate Change. Gezien op 24-1-07, http://nordhaus.econ.yale.edu/SternReviewD2.pdf

Nordhaus, W. D. (2006e). *The Stern Review* on the Economics of Climate Change. Gezien op 24-1-07, http://nordhaus.econ.yale.edu/SternReviewD2.pdf

Nordhaus, W. D. (Ed.). (1998). *Economics and Policy Issues in Climate Change*. Washington, D.C.: Resources for the Future.

Nordhaus, W. D., & Boyer, J. (2000). *Warming theWorld: Economic Models of Global Warming*. Cambridge, Mass.: MIT Press. See http://www.econ.yale.edu/~nordhaus/homepage/web%20table%20of%20contents%20102599.htm

Nordhaus, W. D., & Yang, Z. L. (1996). A Regional Dynamic General Equilibrium Model of Alternative Climate-change Strategies. *American Economic Review*, 86(4), 741-765.

Norris, S., Rosentrater, L., & Eid, P. M. (2002). Polar Bears at Risk: A WWF Status Report. Gland, Switzerland: WWF-World Wide Fund for Nature. Gezien op 6-11-06, http://www.wwf.org.uk/filelibrary/pdf/polar_bears_at_risk_report.pdf

NRDC. (2006). Global Warming Basics: What It Is, How It's Caused, and What Needs to Be Done to Stop It. *National Resources Defense Council*. Gezien op 17-12-06, http://www.nrdc.org/globalWarming/f101.asp

O'Neill, B. (2006a, October 6). Global Warming: The Chilling Effect on Free Speech. *Spiked*. Gezien op 26-1-07, http://www.spiked-online.com/index.php?/site/article/1782/

O'Neill, B. (2006b, November 7). A March of Middle-class Miserabilists. *Spiked*. Gezien op 27-1-07, http://www.spiked-online.com/index.php?/site/article/2071

O'Neill, M. S., Hajat, S., Zanobetti, A., Ramirez-Aguiler, M., & Schwartz, J. (2005). Impact of Control for Air Pollution and Respiratory Epidemics on the Estimated Associations of Temperature and Daily Mortality. *International Journal of Biometeorology*, 50(2), 121–129.

O'Rangers, E. A. (2005, January). NASA Spin-offs: Bringing Space Down to Earth. *AdAstra: The Magazine of the National Space Society*. Gezien op 19-1-07, http://www.space.com/adastra/adastra_spinoffs_050127.html

OECD. (2005). *OECD in Figures*. OECD Observer.

OECD. (2006). *OECD Factbook 2006*. Paris: Organisation for Economic Co-operation and Development. Gezien op 10-11-06, http://oberon.sourceoecd.org/vl=16922773/cl=12/nw=1/rpsv/factbook/

Oerlemans, J. (2000). Holocene Glacier Fluctuations: Is the Current Rate of Retreat Exceptional? *Annals of Glaciology*, 31, 39-44.

Oerlemans, J. (2005). Extracting a Climate Signal from 169 Glacier Records. *Science*, 308(5722), 675-677.

Oerlemans, J., Bassford, R. P., Chapman, W., Dowdeswell, J. A., Glazovsky, A. F., Hagen, J. O., et al. (2005). Estimating the Contribution of Arctic Glaciers to Sea-level Change in the Next 100 years. *Annals of Glaciology*, 42, 230-236).

Oster, E. (2004). Witchcraft, Weather and Economic Growth in Renaissance Europe. *Journal of Economic Perspectives*, 18(1), 215-228.

Owen, J. (2005, November 30). 'Mini Ice Age' May Be Coming Soon, Sea Study Warns. *National Geographic News*. Gezien op 27-12-06, http://news.nationalgeographic.com/news/2005/11/1130_051130_ice_age.html

Parizek, B. R., & Alley, R. B. (2004). Implications of Increased Greenland Surface Melt under Global-warming Scenarios: Ice-sheet Simulations. *Quaternary Science Reviews*, 23(9-10), 1013-1027.

Parkinson, C. L. (2006). Earth's Cryosphere: Current State and Recent Changes. *Annual Review of Environment and Resources*, 31(1), 33-60.

Parry, M. (2004). Global Impacts of Climate Change under the SRES Scenarios. *Global Environmental Change*, 14(1), 1-1.

Parry, M., Rosenzweig, C., & Livermore, M. (2005). Climate Change, Global Food Supply and Risk of Hunger. *Philosophical Transactions of the Royal Society B: Biological Sciences*, 360(1463), 2125-2138.

Parry, M. L., Rosenzweig, C., Iglesias, A., Livermore, M., & Fischer, G. (2004). Effects of Climate Change on Global Food Production under SRES Emissions and Socio-economic Scenarios. *Global Environmental Change*, 14(1), 53-67.

Pascual, M., Ahumada, J. A., Chaves, L. F., Rodo, X., & Bouma, M. (2006). Malaria Resurgence in the East African Highlands: Temperature Trends Revisited. *Proceedings of the National Academy of Sciences of the United States of America*, 103(15), 5829-5834.

Patz, J. A., Campbell-Lendrum, D., Holloway, T., & Foley, J. A. (2005). Impact of Regional Climate Change on Human Health. *Nature*, 438(7066), 310-317.

Patz, J. A., Hulme, M., Rosenzweig, C., Mitchell, T. D., Goldberg, R. A., Githeko, A. K., et al. (2002). Climate Change – Regional Warming and Malaria Resurgence. *Nature*, 420(6916), 627-628.

Pearce, D. (2003). The Social Cost of Carbon and Its Policy Implications. *Oxford Review of Economic Policy*, 19(3), 362-384.

Pearce, F. (2001). We Are All Guilty! It's Official, People Are to Blame for Global Warming. *New Scientist*, 169(2275), 5.

Pearce, F. (2005a, December 3). Faltering Currents Trigger Freeze Fear. *New Scientist*, 6.

Pearce, F. (2005b, August 27). GlobalWarming: The Flaw in the Thaw. *New Scientist.* 26

Pearce, F. (2005c, December 24). Review 2005: Climate Going Crazy. *New Scientist,* 16.

Pearce, F. (2006). *The Last Generation: How Nature Will Take Her Revenge for Climate Change.* London: Eden Project Books.

Petrow, T., Thieken, A. H., Kreibich, H., Bahlburg, C. H., & Merz, B. (2006). Improvements on Flood Alleviation in Germany: Lessons Learned from the Elbe Flood in August 2002. *Environmental Management,* 38(5), 717-732.

Pew Research Center. (2006). *Regional Initiatives.* Gezien op 6-11-06, http://www.pewclimate.org/what_s_being_done/in_the_states/regional_initiatives.cfm?preview=1

Pfister, C., Weingartner, R., & Luterbacher, J. (2006). Hydrological Winter Droughts over the Last 450 years in the Upper Rhine Basin: A Methodological Approach. *Hydrological Sciences Journal-Journal des Sciences Hydrologiques,* 51(5), 966-985.

Pielke, R. A. (1999). Nine Fallacies of Floods. *Climatic Change,* 42(2), 413-438.

Pielke, R. A. (2005). Misdefining 'Climate Change': Consequences for Science and Action. *Environmental Science & Policy,* 8(6), 548-561.

Pielke, R. A., & Downton, M. W. (2000). Precipitation and Damaging Floods: Trends in the United States, 1932-97. *Journal of Climate,* 13(20), 3625-3637.

Pielke, R. A., & Landsea, C. W. (1998). Normalized Hurricane Damages in the United States: 1925-95. *Weather and Forecasting,* 13(3), 621-631.

Pielke, R. A., Jr. (2006). Disasters, Death, and Destruction: Making Sense of Recent Calamities. *Oceanography,* 19(2), 138-147.

Pielke, R. A., Jr. Gratz, J., Landsea, C. W., Collins, D., Saunders, M. A., & Musulin, R. (2007). Normalized Hurricane Damages in the United States: 1900-2005. *Natural Hazards Review* (submitted). Gezien op 19-12-06, http://sciencepolicy.colorado.edu/publications/special/normalized_hurricane_damages.html

Pielke, R. A., Jr. Klein, R., & Sarewitz, D. (2000). Turning the Big Knob: An Evaluation of the Use of Energy Policy to Modulate Future Climate Impacts. *Energy and Environment,* 11, 255-276. Gezien op 20-12-06, http://sciencepolicy.colorado.edu/about_us/meet_us/roger_pielke/knob/text.html

Pinter, N. (2005). Environment – One Step Forward, Two Steps Back on US Floodplains. *Science,* 308(5719), 207-208.

Pinter, N., & Heine, R. A. (2005). Hydrodynamic and Morphodynamic Response to River Engineering Documented by Fixed-discharge Analysis, Lower Missouri River, USA. *Journal of Hydrology,* 302(1-4), 70-91.

Plumb, C. (2003, December 11). Climate Change DeathToll Put at 150,000. Reuters. Gezien op 1-1-07, http://www.commondreams.org/headlines03/1211-13.htm

Plummer, N., Salinger, M. J., Nicholls, N., Suppiah, R., Hennessy, K. J., Leighton, R. M., et al. (1999). Changes in Climate Extremes over the Australian Region and New Zealand During the Twentieth Century. *Climatic Change,* 42(1), 183-202.

Postman, A. (2006, October 5). The Energy Diet. *The New York Times* Gezien op 21-11-06, http://www.stopglobalwarming.org/sgw_read.asp?id=1128441052006

Prodi, R. (2004, 15 July). Climate Change – The Real Threat to Global Peace. Gezien op 6-11-06, http://www.europa-eu-un.org/articles/en/article_3678_en.htm

Przybylak, R. (2000). Temporal and Spatial Variation of Surface Air Temperature over the Period of Instrumental Observations in the Arctic. *International Journal of Climatology*, 20(6), 587-614.

Pudsey, C. J., Murray, J.W., Appleby, P., & Evans, J. (2006). Lee Shelf History from Petrographic and Foraminiferal Evidence, Northeast Antarctic Peninsula. *Quaternary Science Reviews*, 25(17-18), 2357-2379.

Pullella, P. (2005, May 27). Global Warming Will Increase World Hunger. Reuters. Gezien op 3-1-07, http://www.globalpolicy.org/socecon/envronmt/2005/0527warming.htm

Purcell, K. (2006). Gates Foundation Invests $42.6 Million in Malaria Drug Research. *HerbalGram: The Journal of the American Botanical Council*, 69(24), 252. Gezien op 30-12-06, http://www.herbalgram.org/herbalgram/articleview.asp?a=2919&p=Y

Reiter, P. (2000). From Shakepeare to Defoe: Malaria in England in the Little Ice Age. *Emerging Infectious Diseases*, 6(1), 1-10. Gezien op 07-12-06, http://www.cdc.gov/ncidod/eid/vol6no1/reiter.htm

Reiter, P., Thomas, C. J., Atkinson, P. M., Hay, S. I., Randolph, S. E., Rogers, D. J., et al. (2004). Global Warming and Malaria: A Call for Accuracy. *Lancet Infectious Diseases*, 4(6), 323-324.

Reuters. (2001, November 7). African Mountains Snow Melting Down – Greenpeace. Gezien op 07-12-06, http://www.planetark.org/avantgo/dailynewsstory.cfm?newsid=13154

Reuters. (2002, September 3). Sound of Con?ict Blurs Earth Summit Rhetoric. Gezien op 22-12-06, http://www.planetark.org/avantgo/dailynewsstory.cfm?newsid=17557

Revenga, C., Brunner, J., Henninger, N., Payne, R., & Kassem, K. (2000). *Pilot Analysis of Global Ecosystems: Freshwater Systems*. World Resources Institute. Gezien op 7-1-07, http://www.wri.org/biodiv/pubs_description.cfm?pid=3056

Richey, L. A. (2003). HIV/AIDS in the Shadows of Reproductive Health Interventions. *Reproductive Health Matters*, 11(22), 30-35.

Rijsberman, F. (2004). Sanitation and Access to Clean Water. 498-527 in Lomborg, 2004.

Rising Tide. (2007). Hall of Shame. Gezien op 26-1-07, http://risingtide.org.uk/pages/voices/hall_shame.htm

Roberts, D. (2006a, May 2006). Al Revere: An Interview with Accidental Movie Star Al Gore. Grist. Gezien op 26-1-07, http://www.grist.org/news/maindish/2006/05/09/roberts/index.html

Roberts, D. (2006b, September 19). The Denial Industry. Grist. Gezien op 26-1-07, http://gristmill.grist.org/print/2006/9/19/11408/1106

Robinson, J. P., & Godbey, G. (1997). *Time for Life: The Surprising Ways Americans*

Use Their Time. University Park, Pa.: Pennsylvania State University Press.

Rogers, D. J., & Randolph, S. E. (2000). The Global Spread of Malaria in a Future, Warmer World. *Science*, 289(5485), 1763-1766.

Rolling Stone. (2007). Extreme Makeover: Images of Planetwide Damage Caused by Global Warming, with Selected Quotes from Our Interview with Al Gore and Ten Ways You Can Help. *Rolling Stone.* Gezien op 2-1-07, http://www.rollingstone.com/politics/story/10698217/extreme_makeover

Rosenberg, T. (2004, April 11). What the World Needs Now Is DDT. *The New York Times.* Gezien op 30-12-06, http://query.nytimes.com/gst/fullpage.html?res=9F0DEEDA1738F932A25757C0 A9629C8B63&sec=health&spon=&pagewanted=print

Rosenfeld, A. H., Akbari, H., Romm, J. J., & Pomerantz, M. (1998). Cool Communities: Strategies for Heat Island Mitigation and Smog Reduction. *Energy and Buildings*, 28(1), 51-62.

Rosenzweig, C., & Parry, M. L. (1994). Potential Impact of Climate-change on World Food-supply. *Nature*, 367(6459), 133-138.

Rosenzweig, C., Solecki, W., Parshall, L., Gaffin, S., Lynn, B., Goldberg, R., et al. (2006, January 31). Mitigating New York City's Heat Island with Urban Forestry, Living Roofs, and Light Surfaces. Paper presented at the Sixth Symposium on the Urban Environment, AMS Forum: Managing Our Physical and Natural Resources: Successes and Challenges Gezien op 17-11-06, http://ams.confex.com/ams/Annual2006/techprogram/paper_103341.htm

Rosing-Asvid, A. (2006). The Influence of Climate Variability on Polar Bear (Ursus maritimus) and Ringed Seal (Pusa hispida) Population Dynamics. *Canadian Journal of Zoology*, 84, 357-364. See http://article.pubs.nrc-cnrc.gc.ca/ppv/RPViewDoc?_handler_=HandleInitialGet&journal=cjz&volume =84&calyLang=eng&articleFile=z06-001.pdf

Roy Morgan Research. (2006, November 2). Protecting the Environment More Important than the War on Terror. Roy Morgan International. Gezien op 30-11-06, http://www.roymorgan.com/news/polls/2006/4100/

Ruhland, K., Phadtare, N. R., Pant, R. K., Sangode, S. J., & Smol, J. P. (2006). Accelerated Melting of Himalayan Snow and Ice Triggers Pronounced Changes in a Valley Peatland from Northern India. *Geophysical Research Letters*, 33(15).

Runci, P. (2005). Energy R&D Investment Patterns in IEA Countries: An Update. Pacific Northwest National Laboratory/Joint Global Change Research Institute Technical Paper PNWD-3581. Gezien op 19-1-07, http://www.globalchange.umd.edu/?energytrends&page=iea

Saaroni, H., Ben-Dor, E., Bitan, A., & Potchter, O. (2000). Spatial Distribution and Microscale Characteristics of the Urban Heat Island in Tel Aviv, Israel. *Landscape and Urban Planning*, 48(1-2), 1-18.

Sanchez, P., Swaminathan, M. S., Dobie, P., & Yuksel, N. (2005). *Halving Hunger: It Can Be Done.* UN Millenium Project Task Force on Hunger. Gezien op 4-1-07, http://www.unmillenniumproject.org/reports/tf_hunger.htm

Sarewitz, D., & Pielke, R. A., Jr. (2005, January 17). Rising Tide. *The New Republic*, 10.

Sarewitz, D., & Pielke, R. A., Jr. (2007). The Steps Not Yet Taken. In D. L. Kleinman, K. Cloud-Hansen, C. Matta & J. Handelsman (Eds.), *Controversies in Science and Technology, Volume 2: TBA*. Gezien op 17-1-07, http://sciencepolicy.colorado.edu/prometheus/archives/climate_change/001048t he_steps_not_yet_ta.html

Schäfer, A. (2006). Long-term Trends in Global Passenger Mobility. *The Bridge*, 36(4), 24-32. Gezien op 30-1-07, http://www.nae.edu/nae/bridgecom.nsf/weblinks/MKEZ-6WHQ3Q?OpenDocument

Schapira, A. (2006). DDT: A Polluted Debate in Malaria Control. *Lancet*, 368(9553), 2111-2113.

Schell, J. (1989, October). *Discover*, 45-48.

Schiermeier, Q. (2006). A Sea Change. *Nature*, 439(7074), 256-260.

Schipper, L. J., Haas, R., & Sheinbaum, C. (1996). Recent Trends in Residential Energy Use in OECD Countries and Their Impact on Carbon Dioxide Emissions: A Comparative Analysis of the Period 1973-1992. *Mitigation and Adaptation Strategies for Global Change*, 1(2), 167-196.

Schneeberger, C., Blatter, H., Abe-Ouchi, A., & Wild, M. (2003). Modelling Changes in the Mass Balance of Glaciers of the Northern Hemisphere for a Transient 2 x CO_2 Scenario. *Journal of Hydrology*, 282(1-4), 145-163.

Schwartz, P., & Randall, D. (2003, October). An Abrupt Climate Change Scenario and Its Implications for United States National Security. Commissioned by the Pentagon. Gezien op 25-12-06, http://www.grist.org/pdf/AbruptClimateChange2003.pdf

Schwoon, M., & Tol, R. S. J. (2006). Optimal CO_2-abatement with Socio-economic Inertia and Induced Technological Change. *Energy Journal*, 27(4), 25-59.

Seager, R. (2006). The Source of Europe's Mild Climate. *American Scientist*, 94(4), 334-341.

SEHN. (2007). Precautionary Principle: FAQs. Science & Environmental Health Network. Gezien op 30-1-07, http://www.sehn.org/ppfaqs.html

Serageldin, I. (1995). Toward Sustainable Management of Water Resources. *Directions in Development*, 14, 910.

Shanks, G. D. (2006). Treatment of Falciparum Malaria in the Age of Drug-resistance. *Journal of Postgraduate Medicine*, 52(4), 277-280.

Shanks, G. D., Hay, S. I., Omumbo, J. A., & Snow, R. W. (2005). Malaria in Kenya's Western Highlands. *Emerging Infectious Diseases*, 11(9), 1425-1432. See http://www.cdc.gov/ncidod/EID/vol11no09/04-1131.htm

Shanks, G. D., Hay, S. I., Stern, D. I., Biomndo, K., & Snow, R. W. (2002). Meteorologic Influences on Plasmodium Falciparum Malaria in the Highland Tea Estates of Kericho, Western Kenya. *Emerging Infectious Diseases*, 8(12), 1404-1408.

Shepherd, A., & Wingham, D. (2007). Recent Sea-Level Contributions of the Antarctic and Greenland Ice Sheets. *Science*, 315(5818), 1529-1532.

Shute, N., Hayden, T., Petit, C. W., Sobel, R. K., Whitelaw, K., & Whitman, D.

(2001, February 5). The Weather Turns Wild. *U.S. News & World Report*, 44-50.

Sierra Club. (2007). Smart Energy Solutions. Gezien op 29-1-07, http://www.sierraclub.org/energy/

Simms, A., Magrath, J., & Reid, H. (2004). *Up in Smoke*. London: New Economics Foundation, with the Working Group on Climate Change. Gezien op 3-1-07, http://www.neweconomics.org/gen/uploads/igeebqueol3nvy455whn42vs1910200 4202736.pdf

Simonovic, S. P. (2002). World Water Dynamics: Global Modeling of Water Resources. *Journal of Environmental Management*, 66(3), 249-267.

Singh, P., Arora, M., & Goel, N. K. (2006). Effect of Climate Change on Runoff of a Glacierized Himalayan Basin. *Hydrological Processes*, 20(9), 1979-1992.

Singh, P., & Bengtsson, L. (2004). Hydrological Sensitivity of a Large Himalayan Basin to Climate Change. *Hydrological Processes*, 18(13), 2363-2385.

Singh, P., & Bengtsson, L. (2005). Impact of Warmer Climate on Melt and Evaporation for the Rainfed, Snowfed and Glacierfed Basins in the Himalayan Region. *Journal of Hydrology*, 300(1-4), 140-154.

Small, D., Islam, S., & Vogel, R. M. (2006). Trends in Precipitation and Streamflow in the Eastern US: Paradox or Perception? *Geophysical Research Letters*, 33(3).

Smith, D. (2005, December 1). Scientists forecast global cold snap. *The Sydney Morning Herald*. Gezien op 27-12-06, http://www.smh.com.au/news/science/scientists-forecast-global-cold-snap/2005/12/01/1133311132663.html

Snow, R., Ikoku, A., Omumbo, J., & Ouma, J. (1999). *The Epidemiology, Politics and Control of Malaria Epidemics in Kenya: 1900-1998*. Report prepared for Roll Back Malaria, Resource Network on Epidemics, World Health Organisation. Gezien op 28-12-06, http://www.who.int/malaria/docs/ek_report_toc1.htm#toc

Snow, R.W., Guerra, C. A., Noor, A. M., Myint, H.Y., & Hay, S. I. (2005). The Global Distribution of Clinical Eisodes of Plasmodium Falciparum Malaria. *Nature*, 434(7030), 214-217.

Snow, R. W., & Omumbo, J. A. (2006). Malaria. 195-213. in Jamison et al., 2006.

Soini, E. (2005). Land Use Change Patterns and Livelihood Dynamics on the Slopes of Mt. Kilimanjaro, Tanzania. *Agricultural Systems*, 85(3), 306-323.

Stern, N. (2006). *Stern Review on the Economics of Climate Change*. Her Majesty's Treasury, United Kingdom. Gezien op 24-11-06, http://www.hm-treasury.gov.uk/independent_reviews/stern_review_economics_climate_change/stern_review_report.cfm

Stipp, D. (2004, February 9). The Pentagon's Weather Nightmare. *Fortune*. Gezien op 25-12-06, http://money.cnn.com/magazines/fortune/fortune_archive/2004/02/09/360120/index.htm

Stirling, I., Lunn, N. J., & Iacozza, J. (1999). Long-term Trends in the Population Ecology of Polar Bears in Western Hudson Bay in Relation to Climatic Change. *Arctic*, 52(3), 294-306.

Stouffer, R. J., Yin, J., Gregory, J. M., Dixon, K. W., Spelman, M. J., Hurlin, W., et al. (2006). Investigating the Causes of the Response of the Thermohaline Circulation to Past and Future Climate Changes. *Journal of Climate*, 19(8), 1365-1387.

Streutker, D. R. (2003). Satellite-measured Growth of the Urban Heat Island of Houston, Texas. *Remote Sensing of Environment*, 85(3), 282-289.

Svensson, C., Kundzewicz, Z. W., & Maurer, T. (2005). Trend Detection in River Flow Series: 2. Flood and Low-flow Index Series. *Hydrological Sciences Journal – Journal des Sciences Hydrologiques*, 50(5), 811-824.

Swellengrebel, N. H. (1950). The Malaria Epidemic of 1943-1946 in the Province of North-Holland. *Transactions of the Royal Society of Tropical Medicine and Hygiene*, 43(5), 445-461.

Swiss Re. (1999). Natural Catastrophes and Man-made Disasters 1998: Storms, Hail and Ice Cause Billion-dollar Losses. Swiss Reinsurance Company.

Synnefa, A., Santamouris, M., & Livada, I. (2006). A Study of the Thermal Performance of Reflective Coatings for the Urban Environment. *Solar Energy*, 80(8), 968-981.

Taylor, M. (2006, May 1). Silly to Predict their Demise: Star[t]ling Conclusion to Say They Will Disappear within 25 years and Surprise to Many Researchers. *Toronto Star*.

Teklehaimanot, A., et al., & UN Millennium Project. Working Group on Malaria. (2005). *Coming to Grips with Malaria in the New Millennium*. London: Earthscan. Gezien op 17-3-07, http://www.unmillenniumproject.org/documents/malaria-complete-lowres.pdf

Tereshchenko, I. E., & Filonov, A. E. (2001). Air Temperature Fluctuations in Guadalajara, Mexico, from 1926 to 1994 in Relation to Urban Growth. *International Journal of Climatology*, 21(4), 483-494.

Thijssen, J. (2001). Mount Kilimanjaro Expedition. Greenpeace. Gezien op 07-12-06, http://archive.greenpeace.org/climate/climatecount down/kilimanjaro.htm

Thompson, K. (1969). Irrigation as a Menace to Health in California: A Nineteenth Century View. *Geographical Review*, 59(2), 195-214.

Thorndycraft, V. R., Barriendos, M., Benito, G., Rico, M., & Casas, A. (2006). The Catastrophic Floods of AD 1617 in Catalonia (North-east Spain) and Their Climatic Context. *Hydrological Sciences Journal – Journal des Sciences Hydrologiques*, 51(5), 899-912.

Time. (2006). Be Worried. Be Very Worried. Gezien op 6-11-06, http://www.time.com/time/covers/0,16641,20060403,00.html

Timmons, H. (2006, October 30). U.K. Fears Disaster in Climate Change. *International Harald Tribune*. Gezien op 24-1-07, http://www.iht.com/bin/print.php?id=3334967

Tindale, S. (2005). Two-thirds of Energy Wasted by Antiquated System. Greenpeace.

Tol, R. S. J. (2002a). Estimates of the Damage Costs of Climate Change. Part 1: Benchmark Estimates. *Environmental & Resource Economics*, 21(1), 47-73.

Tol, R. S. J. (2002b). Estimates of the Damage Costs of Climate Change. Part 2:

Dynamic Estimates. *Environmental & Resource Economics*, 21(2), 135-160.

Tol, R. S. J. (2004). The Double Trade-off between Adaptation and Mitigation for Sea Level Rise: An Application of FUND (Vol. FNU-48). Hamburg University and Centre for Marine and Atmospheric Science. Gezien op 17-12-06, http://www.uni-hamburg.de/Wiss/FB/15/
Sustainability/slradaptmitigatewp.pdf

Tol, R. S. J. (2005). The Marginal Damage Costs of Carbon Dioxide Emissions: An Assessment of the Uncertainties. *Energy Policy*, 33(16), 2064-2074.

Tol, R. S. J. (2006). The Stern Review of the Economics of Climate Change: A Comment. *Energy & Environment*, 17(6), 977-981.

Tol, R. S. J. (2007). Europe's Long-term Climate Target: A Critical Evaluation. *Energy Policy*, 35(1), 424-432.

Tol, R. S. J., & Dowlatabadi, H. (2001). Vector-borne Diseases, Development & Climate Change. *Integrated Assessment*, 2, 173-181. Gezien op 2-1-07, http://www.uni-hamburg.de/Wiss/FB/15/Sustainability/iavector.pdf

Tol, R. S. J., Ebie, K. L., & Yohe, G. W. (forthcoming). Infectious Disease, Development, and Climate Change: A Scenario Analysis. Environment and Development Economics.

Tol, R. S. J., & Yohe, G. W. (2006). A Review of the Stern Review. *World Economics*, 7(4), 233-250.

Toubkiss, J. (2006). *Costing MDG Target 10 on Water Supply and Sanitation: Comparative Analysis, Obstacles and Recommendations: World Water Council.* Gezien op 8-1-07, http://www.worldwatercouncil.org/index.php?id=32

Townsend, M., & Harris, P. (2004, February 22). Now the Pentagon Tells Bush: Climate Change Will Destroy Us. *Observer*. Gezien op 25-12-06, http://observer.guardian.co.uk/international/story/0,6903,1153513,00.html

Travis, J. (2005). Hurricane Katrina – Scientists' Fears Come True as Hurricane Floods New Orleans. *Science*, 309(5741), 1656-1659.

Tubiello, F. N., Amthor, J. S., Boote, K. J., Donatelli, M., Easterling, W., Fischer, G., et al. (2007). Crop Response to Elevated CO2 and World Food Supply: A Comment on 'Food for Thought . . .' by Long et al., *Science* 312:1918-1921, 2006. *European Journal of Agronomy*, 26 (3), April 2007, 215-223.

Turner, J., Lachlan-Cope, T., Colwell, S., & Marshall, G. J. (2005). A Positive Trend in Western Antarctic Peninsula Precipitation over the Last 50 Years Reflecting Regional and Antarctic-wide Atmospheric Circulation Changes. In *Annals of Glaciology*, 41, 85-91

UN Millennium Project. (2005). *Investing in Development: A Practical Plan to Achieve the Millennium Development Goals.* New York: United Nations Development Programme. Gezien op 4-1-07, http://www.unmillenniumproject.org/reports/fullreport.htm

UNCED. (1992). Rio Declaration on Environment and Development. United Nations Conference on Environment and Development. Gezien op 30-1-07, http://www.unep.org/Documents.multilingual/Default.asp?Document ID=78&ArticleID=1163

UNDESA. (2006). *The Millennium Development Goals Report 2006.* New York: United Nations Department of Economic and Social Affairs. Gezien op 3-1-07, http://mdgs.un.org/unsd/mdg/Resources/Static/Products/Progress2006/MDGR eport2006.pdf

UNECE. (1996). *Long-Term Historical Changes in the Forest Resource.* United Nations Economic Commission for Europe & FAO, Timber Section, Geneva.

UNEP. (2000). *Global Environment Outlook 2000.* London: Earthscan Publications.

UNESCO. (2006). *Water – a Shared Responsibility: The United Nations World Water Development Report 2.* New York: Berghahn Books. Gezien op 7-1-07, http://www.unesco.org/water/wwap/wwdr2/table_contents.shtml

UNFCCC. (1992). *United Nations Framework Convention on Climate Change.* United Nations Framework Convention on Climate Change. Gezien op 28-1-07, http://unfccc.int/resource/docs/convkp/conveng.pdf

UNFCCC. (1997). *The Kyoto Protocol. United Nations Framework Convention on Climate Change.* Gezien op 18-11-06, http://unfccc.int/kyoto_protocol/items/2830.php

UNPD. (2006). *World Population Prospects: The 2004 Revision: Volume 3: Analytical Report.* United Nations Population Division. Gezien op 19-12-06, http://www.un.org/esa/population/publications/WPP2004/WPP2004_Volume3. htm

USCB. (1999). *Statistical Abstract of the United States 1999.* U.S. Census Bureau. Gezien op 09-12-06, http://www.census.gov/prod/www/statistical-abstract-1995_2000.html

USCB. (2006). *Statistical Abstract of the United States: 2007.* U.S. Census Bureau. Gezien op 30-1-07, http://www.census.gov/prod/www/statistical-abstract.html

USCB. (2007). *Total Midyear Population for the World: 1950-2050.* U.S. Census Bureau. Gezien op 02-01-07, http://www.census.gov/ipc/www/worldpop.html

USGS. (2005). *Streamflow Trends in the United States.* U.S. Geological Service, Fact Sheet 2005-3017. Gezien op 22-12-06, http://pubs.usgs.gov/fs/2005/3017/

Utzinger, J., & Keiser, J. (2006). Urbanization and Tropical Health – Then and Now. *Annals of Tropical Medicine and Parasitology,* 100(5-6), 517-533.

van Lieshout, M., Kovats, R. S., Livermore, M. T. J., & Martens, P. (2004). Climate Change and Malaria: Analysis of the SRES Climate and Socio-economic Scenarios. *Global Environmental Change,* 14(1), 87-99.

Vandentorren, S., Suzan, F., Medina, S., Pascal, M., Maulpoix, A., Cohen, J. C., et al. (2004). Mortality in 13 French Cities during the August 2003 Heat Wave. *American Journal of Public Health,* 94(9), 1518-1520.

Varian, H. (2006, December 14). Recalculating the Costs of Global Climate Change. *The New York Times.*

Vaughan, D. G., Marshall, G. J., Connolley, W. M., King, J. C., & Mulvaney, R. (2001). Climate Change – Devil in the Detail. *Science,* 293(5536), 1777-1779.

Vaughan, D. G., Marshall, G. J., Connolley, W. M., Parkinson, C., Mulvaney, R.,

Hodgson, D. A., et al. (2003). Recent Rapid Regional Climate Warming on the Antarctic Peninsula. *Climatic Change*, 60(3), 243-274.

Vavrus, F. (2002). Making Distinctions: Privatisation and the (Un)educated Girl on Mount Kilimanjaro, Tanzania. *International Journal of Educational Development*, 22(5), 527-547.

Vavrus, S., Walsh, J. E., Chapman, W. L., & Portis, D. (2006). The Behavior of Extreme Cold Air Outbreaks under Greenhouse Warming. *International Journal of Climatology*, 26(9), 1133-1147.

Velicogna, I., & Wahr, J. (2006). Acceleration of Greenland Ice Mass Loss in Spring 2004. *Nature*, 443(7109), 329-331.

Vergano, D. (2006, August 3). High Heat: The Wave of the Future? *USA Today*.

Viguier, L. L., Babiker, M. H., & Reilly, J. M. (2003). The Costs of the Kyoto Protocol in the European Union. *Energy Policy*, 31(5), 459-481.

Vinther, B. M., Andersen, K. K., Jones, P. D., Briffa, K. R., & Cappelen, J. (2006a). Data for: Extending Greenland Temperature Records into the Late Eighteenth Century. Gezien op 13-12-06, http://www.cru.uea.ac.uk/cru/data/greenland/

Vinther, B. M., Andersen, K. K., Jones, P. D., Briffa, K. R., & Cappelen, J. (2006b). Extending Greenland Temperature Records into the Late Eighteenth Century. *Journal of Geophysical Research-Atmospheres*, 111(D11).

von Storch, H., & Stehr, N. (2006). Anthropogenic Climate Change: A Reason for Concern Since the 18th Century and Earlier. *Geografiska Annaler Series A – Physical Geography*, 88A(2), 107-113.

von Storch, H., Stehr, N., & Ungar, S. (2004). Sustainability and the Issue of Climate Change. Gezien op 26-1-07, http://w3g.gkss.de/staff/storch/Media/climate.culture.041130.pdf

Walker, K. (2000). Cost-comparison of DDT and Alternative Insecticides for Malaria Control. *Medical and Veterinary Entomology*, 14(4), 345-354.

Wallström, M. (2001, 2 July). European Climate Change Program: A Successful Approach to Combating Climate Change. *ECCP Conference*. Gezien op 6-11-06, http://europa.eu.int/rapid/pressReleasesAction.do?reference =SPEECH/01/322&format=HTML&aged=0&language=EN&guiLanguage=en.

Waltham, T. (2002). Sinking Cities. *Geology Today*, 18(3), 95-100.

WCRF. (1997). *Food, Nutrition and the Prevention of Cancer: A Global Perspective*. Washington, D.C.: World Cancer Research Fund & American Institute for Cancer Research.

WDI. (2007). World Development Indicators Online. Worldbank.

Weinberger, M., Oddone, E. Z., & Henderson, W. G. (1996). Does Increased Access to Primary Care Reduce Hospital Readmissions? *New England Journal of Medicine*, 334(22), 1441-1447.

Weisheimer, A., & Palmer, T. N. (2005). Changing Frequency of Occurrence of Extreme Seasonal Temperatures under Global Warming. *Geophysical Research Letters*, 32(20).

Weitzman, M. L. (2007). The Stern Review of the Economics of Climate Change.

Journal of Economic Literature forthcoming. Gezien op 3-4-07,
http://www.economics.harvard.edu/faculty/Weitzman/papers/JELSternReport.
pdf

Wennberg, J. E., Fisher, E. S., Stukel, T. A., Skinner, J. S., Sharp, S. M., & Bronner,
K. K. (2004). Use of Hospitals, Physician Visits, and Hospice Care during Last
Six Months of Life among Cohorts Loyal to Highly Respected Hospitals in the
United States. *British Medical Journal*, 328(7440), 607-610A

Weyant, J. P. (1996). The IPCC Energy Assessment – Commentary. *Energy Policy*,
24(10-11), 1005-1008.

Weyant, J. P., & Hill, J. N. (1999). Introduction and Overview. The Costs of the
Kyoto Protocol: A Multi-Model Evaluation. *Energy Journal*, Kyoto special issue,
vii-xliv.

WFS. (1996). *World Food Summit: Technical Background Documents*, docs. 1-15. UN
Food and Agricultural Organization. Gezien op 3-1-07,
http://www.fao.org/wfs/index_en.htm

WHO. (2002). The *World Health Report 2002 – Reducing Risk, Promoting Healthy
Life*. World Health Organization. Gezien op 29-11-06,
http://www.who.int/whr/2002/en/index.html

WHO. (2004a). *The World Health Report 2004 – Changing History*. World Health
Organization. Gezien op 13-11-06, http://www.who.int/whr/2004/en/

WHO. (2004b). *World Report on Road Traffic Injury Prevention*. World Health
Organization. Gezien op 30-1-07, http://www.who.int/world-health-
day/2004/infomaterials/world_report/en/

WHO & UNICEF. (2003). *The Africa Malaria Report 2003*. World Health
Organization. Gezien op 29-12-06,
http://www.rollbackmalaria.org/amd2003/amr2003/pdf/amr2003.pdf

WHO & UNICEF. (2005). *World Malaria Report 2005*. World Health Organization.
Gezien op 29-12-06, http://www.rollbackmalaria.org/wmr2005/

WHO, WMO, & UNEP. (2003). *Climate Change and Human Health – Risks and
Responses, Summary*. Geneva: World Health Organization.

Wiersma, A. P., & Renssen, H. (2006). Model-data Comparison for the 8.2 ka BP
Event: Confirmation of a Forcing Mechanism by Catastrophic Drainage of
Laurentide Lakes. *Quaternary Science Reviews*, 25(1-2), 63-88.

Wigley, T. M. L. (1998). The Kyoto Protocol: CO_2, CH_4 and Climate Implications.
Geophysical Research Letters, 25(13), 2285-2288.

Wilby, R. (2004). Urban Heat Island and Air Quality of London, UK. Gezien op
17-11-06, http://www.asp.ucar.edu/colloquium/2004/CH/presentations/
AirQualityTutorialBackground.pdf

Wilson, G. J. (1983). Distribution and Abundance of Antarctic and subAntarctic
Penguins: A Synthesis of Current Knowledge. SCAR and SCOR, Scott Polar
Research Institute, BIOMASS Scientific Series no. 4.

Winfrey, O. (2006, December). A Green 'Truth.' *The Oprah Winfrey Show*. Gezien
op 26-1-07,
http://www2.oprah.com/tows/pastshows/200612/tows_past_20061205.jhtml

Wingham, D., Shepherd, A., Muir, A., & Marshall, G. (2006). Mass Balance of the Antarctic Ice Sheet. *Philosophical Transactions of the Royal Society A: Mathematical, Physical and Engineering Sciences,* 364(1844), 1627-1635.

WMO. (2006, December 11). Press Release: Link between Climate Change and Tropical Cyclone Activity: More Research Necessary. World Meteorological Organization. Gezien op 18-12-06, http://www.wmo.int/web/Press/PR_766_E.doc

WMO-IWTC. (2006a). Statement on Tropical Cyclones and Climate Change. 6th International Workshop on Tropical Cyclones of the World Meteorological Organization. Gezien op 18-12-06, http://www.wmo.ch/web/arep/press_releases/2006/iwtc_statement.pdf

WMO-IWTC. (2006b). Summary Statement on Tropical Cyclones and Climate Change. 6th International Workshop on Tropical Cyclones of the World Meteorological Organization. Gezien op 18-12-06, http://www.wmo.ch/web/arep/press_releases/2006/iwtc_summary.pdf

Woehler, E. J., & Croxall, J. P. (1997). The Status and Trends of Antarctic and Sub-Antarctic Seabirds. *Marine Ornithology,* 25, 43-66.

Wood, R. A., Vellinga, M., & Thorpe, R. (2003). Global Warming and Thermohaline Circulation Stability. *Philosophical Transactions of the Royal Society of London Series A: Mathematical Physical and Engineering Sciences,* 361(1810), 1961-1974.

World Bank (2006). *World Development Report 2007.* Washington, D.C.: The World Bank Group

World Water Council. (2000). *World Water Vision: Making Water Every body's Business.* London: Earthscan Publications.

Worldwatch Institute. (2006). *Vital Signs 2006-2007.* New York: W. W. Norton.

Wunsch, C. (2002). What Is the Thermohaline Circulation? *Science,* 298(5596), 1179-181

Wunsch, C. (2004). Gulf Stream Safe if Wind Blows and Earth Turns. *Nature,* 428(6983), 601-601.

Wunsch, C. (2006). A Hot Topic. *The Economist.*

WWF. (2006, March 18). Canada's Western Hudson Bay Polar Bear Population in Decline. Climate Change to Blame. Gezien op 7-11-06, http://www.panda.org/about_wwf/where_we_work/arctic/polar_bear/pbt_news_pubs/index.cfm?uNewsID=63980

Xinhuanet. (2002, September 2). German Chancellor Urges All States to Ratify Kyoto Protocol. Gezien op 22-12-06, http://news.xinhuanet.com/english/2002-09/02/content_547179.htm

Yiou, P., Ribereau, P., Naveau, P., Nogaj, M., & Brazdil, R. (2006). Statistical Analysis of Floods in Bohemia (Czech Republic) since 1825. *Hydrological Sciences Journal – Journal des Sciences Hydrologiques,* 51(5), 930-945.

Yohe, G. (2006). Some Thoughts on the Damage Estimates Presented in the Stern Review – Pan Editorial. *The Integrated Assessment Journal,* 6(3), 65-72.

Yohe, G., & Neumann, J. (1997). Planning for Sea Level Rise and Shore Protection under Climate Uncertainty. *Climatic Change*, 37(1), 243- 270.

Zachos, J., Pagani, M., Sloan, L., Thomas, E., & Billups, K. (2001). Trends, Rhythms, and Aberrations in Global Climate 65 Ma to Present. *Science*, 292(5517), 686-693.

Zhang, Z. X. (2000). Can China Afford to Commit Itself an Emissions Cap? An Economic and Political Analysis. *Energy Economics*, 22(6), 587-614.

Zhao, H. X., & Moore, G. W. K. (2006). Reduction in Himalayan Snow Accumulation and Weakening of the Trade Winds over the Pacific since the 1840s. *Geophysical Research Letters*, 33(17).

Zwally, H. J., Giovinetto, M. B., Li, J., Cornejo, H. G., Beckley, M. A., Brenner, A. C., et al. (2005). Mass Changes of the Greenland and Antarctic Ice Sheets and Shelves and Contributions to Sea-level Rise: 1992-2002. *Journal of Glaciology*, 51(175), 509-527.

Register